輯一◎圖片集

相片簿◎相關文物◎珍藏文獻

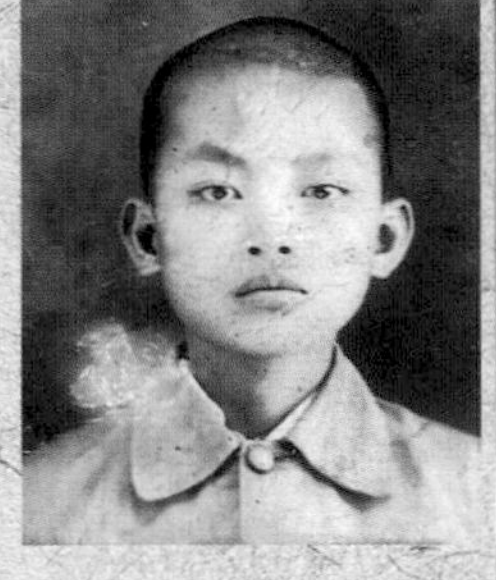

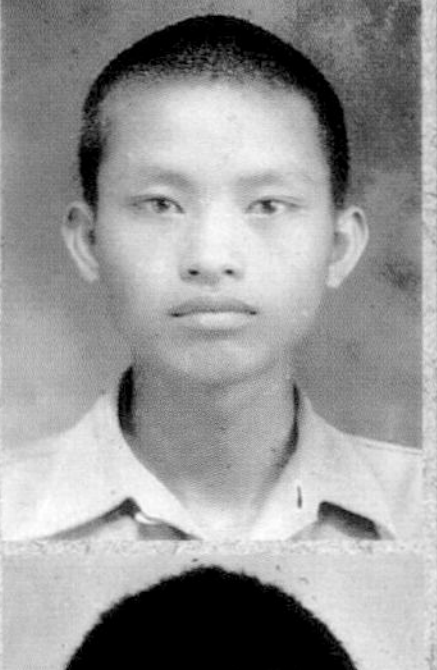

戴國煇小學、中學時期

家族照，前排右一為戴國煇；前排坐者為：大嫂（左一）、母親（左二）、父親（右二）；後排立者左起：二哥國堯、大姊夫、大姊，約1940年

戴國燀（右一）與侄子、侄女，約1941年

宋屋公學校時期師生合照，第四排右四為戴國燀，1942年

新竹中學校時期，約1946年

建國中學初三時與同學合照，第二排左一為戴國煇，1947年

與同學至嘉義阿里山，前排右二為戴國煇，約1948年

加入建中排球隊，前排左二為被暱稱黑人的戴國煇，約1950年

與建中同學合照，後排右一為戴國煇，約1950年

台灣省立農學院農業經濟學會第二居會員大會，
第三排左四為戴國煇，1950年

台灣省立農學院棒球隊參加民聲杯第一居棒球比賽大會，
前排右三為戴國煇，後排中為校長林一民，1951年5月

桃園縣第一屆排球比賽冠軍留念，第二排右三為戴國煇，1951年7月20日

著大學足球隊球衣，約1952年

大學時代，約1953年

台灣省立農學院農業經濟學會迎新會暨第五屆會員大會全體會員合影，
末排右七為戴國煇、二排左六為林彩美，1953年10月20日

台灣省立農學院新竹中學同學歡送第五屆農院畢業生合影留念，後排右八為戴國焵，1954年6月12日

校園裡的球友，前坐者左一為戴國焵，右一為林彩美，約1954年

當兵時期，左為林彩美，1955年

竹中第二屆中壢鎮校友會，第三排右五為戴國煇，1955年8月27日

留日前夕與家人合影，第二排中為戴國煇、林彩美，第三排中央為父親與繼母；後排右一為大哥，右四為三哥，1955年11月

剛赴日時著西裝留影，1955年11月

攝於東京大學農學院前，約1956年

接葛英（右，大學同班同學），於日本羽田機場，1956年9月12日

東京大學研究所時期，戴國煇與林彩美，1958年

東京大學中國留學生同學會，第三排右五為戴國煇，
第一排左一為林彩美，1958年5月12日

東京大學博士班時期，約1958年

戴國煇夫婦（後排左一、左二）與二哥戴國堯一家合照於戴國堯所經營的壽屋旅館，前排左起為其二哥夫婦、侄女、侄兒，及旅館員工，攝於日本，1958年

結婚照，於東京目黑香港園，1959年5月23日

與前來日本留學的台灣省立農學院森林系同學戴宏毅（右）合影，1959年冬

戴國煇夫婦攝於東京郊外，1959年冬

與東大中國同學會幹事們合影，左起：林清贊、謝世煇、吳讓治、戴國煇、邱淑枝、廖春榮等，約1960年

赴名古屋參觀豐田汽車廠途次，左起：朱向陽、戴國煇、林彩美、陳仁端，1960年

東大中國留學生同學會合影，戴國煇（第一排左一）約第一或第二年當總幹事時，第四排左一為林彩美，攝於東大山上會議所，約1961年

參加北海道之旅的各國留學生合影，戴國煇（前排左五）、林彩美（前排左四），攝於1960年

戴國煇（後排左一）擔任東京四谷中華學校教師時期，和同校師生合影，1961年夏

留日學生聯誼出遊，左起：吳讓治（東大）、金美齡胞妹、戴國煇、金美齡（早大），1962年5月

東京崇正公會會員大會紀念，前排蹲者右五為戴國煇，攝於東京，1963年4月13日

戴國煇（第二排左一）與丘念台先生赴日時，東京客籍同鄉會（大多為留學生）合影，前排左起：蕭耀章、廖運和，左四為丘念台；第二排右一為賴石傳，左三為陳仁端，攝於東京大飯店，1963年7月14日

慶祝恩師神谷慶治教授（前排中）新書出版，前排右三伊東章（東大講師），後排右四戴國煇，攝於東京小石川万才樓，1964年6月4日

戴國煇夫婦、長子戴興宇與鄉兄竹中前輩廖運逢（左一）合影，1964年

戴國煇（左二）於神奈川縣川崎市生田住家宴請東大同學，1964年

與東大留日台灣同學合影，左一為許詩樂，左三起：吳運雄（吳伯雄大哥）、戴國煇，1964年

與東大教授合影，前排左起：古島敏雄教授、神谷慶治教授、加藤讓教授、伊東章講師；後排左起：藤島、川本彰、戴國煇，右為山田三郎，約1965年

東南亞留學生與亞洲文化會館理事長穗積五一夫婦（第二排右六、右五）合照，穗積後方為田井重治（繼穗積之後的理事長），前排左二為戴國煇，攝於亞洲文化會館，約1967年

全家福，長子戴興宇（中）、被林彩美所抱者為次子戴興寧，攝於川崎市生田住家附近，1967年夏

宋屋公學校的小學老師（左坐者）來訪，攝於日本，1967年11月12日

與長子戴興宇（右）、次子戴興寧（左），攝於川崎市生田住家旁，1968年

任職亞洲經濟研究所時期與同事赴東南亞考察，參訪台灣屏東糖廠，左起：戴國煇、矢吹晋、內田進、曾裕郎廠長、中兼和津次，1969年11月18日

離台13年第一次得以返鄉，左起：內田進、中兼和津次、戴國煇、矢吹晉、戴國煇大姊夫，攝於中壢老家正廳，1969年 11月

戴國煇（中）於新加坡客屬總會，1969年11月

訪客家研究先驅羅香林（右二），左起：矢吹晉、戴國煇，右一為今堀誠二，攝於香港大學，1969年11月

戴國煇的恩師東畑精一（坐者右一）和三位東大學長，來賀新屋書庫落成，前排中為林彩美，後排中為瀧川勉，1970年夏

戴國煇（前排右一）與友人，前排左起：加藤祐三、吳濁流；後排左起：松永正義、若林正丈、矢吹晉，攝於日本，1970年代

吳濁流（左）訪日來宅小住，戴國煇夫婦及次男戴興寧）與其合影，攝於日本千葉西習志野宅前，1971年4月

戴國煇（中立者）與僑領林以文（前左），及吳濁流（前右），攝於新宿地球會館，1971年4月

戴國煇（右一）安排訪日的吳濁流（左二）出遊，左一為瀧川勉，右二為廖運和，攝於日本湯河原車站前，1971年4月

前排左起：吳濁流、竹內好；後排左起：戴國煇、尾崎秀樹、鶴見良行，攝於戴宅，1971年5月3日

訪琉球學知名學者比嘉春潮（中）夫婦，攝於琉球， 1972年7月5日

任職日本亞洲經濟研究所時期，1972年7月18日

與宋屋公學校日籍老師岩田清一（右），攝於名古屋台灣人的商店內，1972年

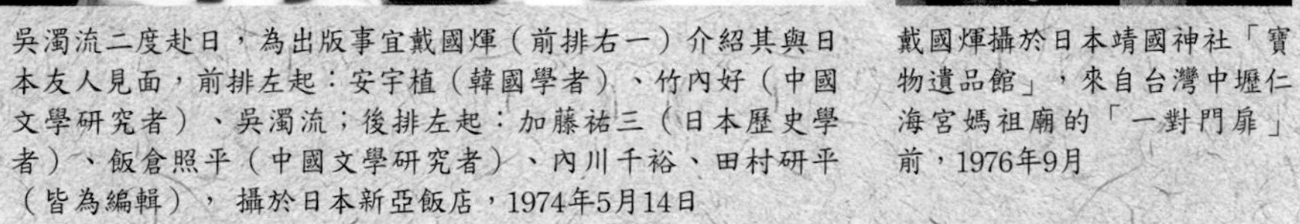

吳濁流二度赴日，為出版事宜戴國煇（前排右一）介紹其與日本友人見面，前排左起：安宇植（韓國學者）、竹內好（中國文學研究者）、吳濁流；後排左起：加藤祐三（日本歷史學者）、飯倉照平（中國文學研究者）、內川千裕、田村研平（皆為編輯）， 攝於日本新亞飯店，1974年5月14日

戴國煇攝於日本靖國神社「寶物遺品館」，來自台灣中壢仁海宮媽祖廟的「一對門扉」前，1976年9月

曾由戴國煇指導論文的武見敬三（現為日本國會議員）赴戴宅，攝於東京，約1977年初春

與日本崇正總會代表團參加三藩市崇正會金禧慶典暨世界客屬第四次懇親大會活動會後合影，第二排左三為戴國煇，1978年9月

與吳伯雄（右）、戴美玉（中）夫婦攝於東京客屬大會，1980年10月

受邀參加富士電視台知名電視主持人大橋巨川（左二）的11PM 節目，左起：尾崎秀樹，左三：大橋的製作助理、戴國煇，1982年8月13日

全家福，左起：次子戴興寧、女兒戴興夏、林彩美、戴國煇、長子戴興宇，1982年12月14日

與立教大學學生訪菲律賓少數民族時，與當地修女合照，右一為領隊（立教大學教會的老師），1982年8月

立教大學師生為戴國煇（第一排左三）舉行赴美一年送行會，1983年2月25日

與大學同學相聚，左起：馬必陽、沈國鎮、葛英、戴國煇、沈夫人、林彩美、戴興夏，攝於加拿大渥太華葛宅，1983年8月

初識陳映真（右），左起：戴國煇、葉芸芸（葉榮鐘之女）、詩人呂嘉行，攝於呂宅，1983年9月29日

與聶華苓（右）初見，攝於美國愛荷華，1983年秋天

與友人江南（右），攝於加州，1984年2月

葉芸芸（左）發行的《台灣與世界》安排戴國煇與學者李哲夫（右）對談，1984年3月

與前味全董事長黃烈火（左）合影，約1984年

參加客屬崇正會年度大會，會後與關西崇正會會員合影，後排左四為總會長邱添壽，右三為戴國煇，1985年6月

戴國煇夫婦與若林正丈（左一）和若林的三個孩子合影，攝於香港，約1985年9月

戴國煇夫婦與商業界友人渡邊德二（中）合影，攝於三菱重工位於東京開東閣的迎賓館，1986年5月7日

戴國煇（左一）和參加「儒家與現代化」學術研討會的友人合影，左二起：杜維明、江炳倫、林毓生，攝於圓山飯店，1986年8月19日

返台參加《中華雜誌》舉辦的抗戰紀念講演會，前排左三起：林建朗、錢江潮、森正孝、粟屋憲太郎、胡秋原、姬田光義、戴國煇、石島紀之，後排右八為陳映真，1987年7月7日

左起：戴國煇、蘇慶黎（蘇新女兒）、莫那能、葉芸芸，攝於英國，1987年7月13日

「中國結」與「台灣結」研討會與會人員，攝於聯合報系員工休假中心「南園」。第一排左起：李鴻禧、戴國煇、楊選堂，右一為蕭新煌；第二排左二李亦園，左三起傅偉勳、尹章義；第三排左一胡佛，左四尉天驄，右起：黃俊傑、葉石濤、王曉波；末排左起黃光國，右一為陳映真，右三為陳忠信，1987年8月

陸鏗（中）訪日，左為岡崎嘉平太，右為戴國煇，1987年10月27日

與友人合影，前排坐者左起：黃玉軒（前東京大學留學生）、魏廷朝、戴國煇、楊憲宏；後排左起：林彩美、黃玉軒之妻育良、蔣家語，攝於日本，1988年2月17日

全家合影於日本網球場俱樂部，前排左起：戴國煇、林彩美、長女戴興夏；後排左起：次男戴興寧、長男戴興宇，1988年4月

與立教大學文學部教職員合照，戴國煇（前排左三）、高橋秀（前排右一）、金安榮子（後排左一），1988年10月7日

戴國煇（右二）第一次赴中國大陸，與立教大學校長夫人濱田女士（中）、國際中心秘書長赤木洋子（左二）等合影，攝於萬里長城，1988年10月30日

戴國煇（後排立者右四）與友人，前排坐者左二起：新加坡大使李炯才、柏楊、張香華；後排左一陳宏正，左三起：尤清、沈君山、王榮文，右二為杜繼平，攝於台北，1989年1月22日

訪前國防部長俞大維（右），攝於台北俞宅，1989年8月20日

攝於立教大學研究室，1989年11月21日

攝於立教大學國際中心前，1989年11月21日

拜訪臺靜農（左），合影於書房，1990年1月1日

戴國煇（中）與張昭鼎（左）到台北縣政府祝賀尤清（右）當選縣長，1990年1月5日

立教大學文學部史學科畢業謝恩會合影留念，戴國煇（第一排左六），攝於明治紀念館，1990年3月23日

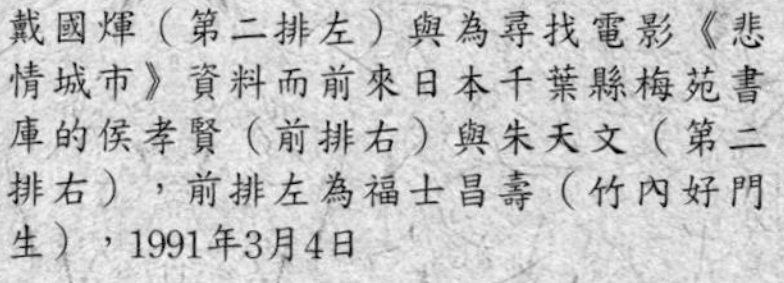

戴國煇（第二排左）與為尋找電影《悲情城市》資料而前來日本千葉縣梅苑書庫的侯孝賢（前排右）與朱天文（第二排右），前排左為福士昌壽（竹內好門生），1991年3月4日

侄女、侄孫們為戴國煇（前排右二）慶祝六十大壽，攝於洛杉磯，1991年4月13日

戴國煇夫婦（右三、右四）赴英國時，左起：鍾京麟、王榮文、戴瑞明，攝於倫敦戴瑞明辦公室，1991年5月15日

遊中國大陸，攝於天池，1991年7月14日

與新疆維吾爾族人合影，1991年7月19日

訪問丁銘楠（右），攝於北京，1991年8月3日

於「海峽兩岸關係」學術研討會會場，左一為研討會工作人員，1991年8月9日

與周青（左），攝於北京，1991年8月11日

訪問二二八事件時，在台學者李霽野（中），攝於天津寓所門口，1991年8月20日

訪問林衡道（左），1991年10月10日

訪問胡鑫麟博士（中），左起：《美洲時報周刊》副總編輯吳克、葉芸芸、戴國煇夫婦，1991年11月13日

於華視電視演講會演講，1991年12月11日

於政大歷史研究所擔任客座教授時，攝於台北，1992年1月23日

接受新聞局《光華》雜誌記者張瓊方採訪，1992年1月27日

訪問二二八事件受難者家屬阮美姝，1992年1月27日

與建中同學重聚出遊，左起：唐松章夫婦、蔣聖愛夫婦、戴國煇夫婦，1992年2月7日

戴國煇（左二）受邀赴高雄台電演講，左一為台電戴廠長，右二為林彩美，1992年3月3日

與建中同學丁逸民（左）、黃士嘉（右）合影，1992年3月7日

戴國煇夫婦（前排右二、右三）與摯友林曲園家族合影，前排坐者左三為林曲園之父林坤元，1992年4月1日

於「亞洲展望公開研討會第四屆京都會議」餐宴上，左起：戴國煇、曾永賢、鍾肇政，1992年11月7～9日

返台時至錢復官邸，前排左起：羅吉煊、錢復，右一為曾永賢；後排左一為許介鱗、右一為戴國煇，1992年12月22日

於台北（敦化南路）蓮園，前排左起：劉振強（三民書局）、劉紹唐、彭明敏、戴國煇、魏淑貞（玉山社）；後排左起：賴阿勝、林文欽（前衛出版社）、戴一義、陳遠建，左六起：王榮文、陳信元、陳宏正，1992年12月23日

訪問東京大學老前輩朱昭陽（左），1992年12月28日

訪建中同學林昭明（右），中坐者為林昭明之母，1993年10月3日

戴國煇（右）與許信良（左）對談，中坐著為詹宏志，1994年6月4日

戴國煇（右一）與林洋港夫婦（右二、右三）等人合影，1994年9月16日

與友人赴鎌倉旅遊，後排左一為戴國煇，後排中為翁松燃，後排右一為中嶋嶺雄，1994年10月31日

與語言研究者陳信德夫人平林美鶴合影於仙台，前排左起：平林美鶴、戴國煇、林彩美；後排為平林女婿和女兒，1994年11月7日

與日本「万會」（會員來自各行各業）友人赴日本本州東北地方旅遊，第二排左二為戴國煇，第一排左二為林彩美，1994年11月

與吳伯雄（左）訪問前《聯合報》名記者楊漢之（中），攝於楊宅，1995年1月1日

與陳昭瑛教授（前排左）、大荒（後排左）夫婦，攝於朝天鍋餐廳（復興南路），1995年4月3日

左起：曾永賢、郭茂林、吳伯雄、戴國煇，於總統府留影，1995年7月17日

戴國煇夫婦（右）與許遠東（左），1995年7月21日

赴新潟產業大學參加「第三回亞太平洋國際論壇」，左起：陳梅卿、戴國煇、梁春香，1995年10月24日

到中壢魏廷朝的競選立法委員總部為其打氣，左起：戴國煇、魏廷朝、廖運逢，1995年11月5日

於立教大學研究室，1995年

與日本好友餐聚，左起：小島麗逸、戴國煇、吉田實、矢吹晋、瀧川勉，攝於日本，1995年冬

即將離開日本返台定居之際，立教大學學生特舉辦「戴國煇老師謝恩會」，右一、二為戴國煇夫婦，1996年1月24日

獲聘為中華民國總統府國家安全會議諮詢委員，1996年3月17日（至1999年5月19日辭職）

赴大陸訪問之旅，攝於北京景山東街，1996年4月

於日本友人所舉行的離日送別會上，右一為荻原宜之（前亞洲經濟研究所同事），攝於東急飯店，1996年5月11日

集各界知識分子舉行的「戴家沙龍」聚會，前排左起：春山明哲、戴國煇、林彩美、後藤新平（東大教授）、李哲（在台朝鮮人）；後排左起：梶原駿、伊藤雅昭（前三省堂編輯）、長野ヒデ子、內川夫人、內川千裕、胎中千鶴，攝於日本，1996年5月17日

赴台灣大學演講，國立台灣大學通識教育講座《知識份子與二十一世紀》系列，左起：戴國煇、黃俊傑、洪銘水，1996年5月23日

剛返台定居不久，國史館館長潘振球（右二）來訪，攝於戴宅，1996年8月（約）

於新店住家客廳，右一為戴興夏，1996年10月

攝於新店，1996年10月

攝於新店梅苑書庫，
1996年11月

赴台南，與成功大學友人合影，前排左起：陳梅卿、顏世鴻（醫師）、戴國煇、梁華璜（故成大歷史系教授）、王三慶（中文系教授）、蔡茂松（歷史系退休教授）；後排左起：涂永清（歷史系退休教授）、林彩美、林瑞明（歷史系教授），1996年12月28日

與國內外友人相聚，前排左二起：莫那能、內川千裕；後排左起：林彩美、杜繼平、戴國煇、王曉波、曾健民，攝於新店國際學舍，1997年1月2日

卑南族豐年祭時拜訪孫大川家宅，左起：孫大川夫人、內川千裕、戴興夏、林彩美、孫大川母親、戴國煇、孫大川，1997年1月1日

著卑南族傳統服，左起：孫大川夫人、戴國煇夫婦、孫大川母親、戴興夏，攝於孫大川宅前，1997年1月1日

與建中同學顧崇廉將軍（右），1997年2月26日

台灣省立農學院同班同學來訪，前坐者右為林彩美，
後排左二為戴國煇，1997年3月1日

前排左起：沈君山、戴國煇；後排左起：陳忠信、翁松燃、丘近思、林彩美，攝於新店戴宅，1997年5月10日

戴國煇夫婦赴泰國曼谷旅遊，1997年7月8日

於《陸鏗回憶與懺悔錄》新書發表會會場，左起：矢吹晉、陸鏗、戴國煇，1997年7月12日

與諸友人餐聚於國際學舍，前排左起：吳瓊恩，左三起：戴國煇、王曉波；後排左起：陳映真，左三邱毅，左六起：呂正惠、杜繼平，1997年12月25日

台灣省立農學院農經系同學會，後排右五為戴國煇，前排右三為林彩美，約1997年

至宜蘭慧燈中學，與校長林忠勝（左二）等人合影，左一為戴國煇，1998年3月16日

攝於澳洲，1998年7月2日

前排坐者左起：荏開津典生、村瀨廣；後排立者左起：戴國煇、陳仁端、陳彩裕，攝於新店戴宅，1998年8月11日

於西習志野二兒子戴興寧的新家（裝潢中），左起：林彩美、長男戴興宇、戴國煇、長媳三笠小百合、次男戴興寧，1998年12月4日

小島麗逸（左）、內川千裕（右）來訪，攝於新店戴宅，1998年12月21日

與友人合影，前排左起：林彩美、陳映真夫人（麗娜）、尉天驄夫人（孫桂芝）；後排左起：王曉波、尉天驄、戴國煇、陳映真、陳純真，攝於陳純真宅，1999年1月

與日本綜合研究會會員合影，左起：戴振豐、張良潮、胡象賢（戴國煇司機）、蔡禎昌、蔡隆盛、戴國煇、宋明順、張捷昌、李朝津，1999年4月14日

赴成功大學演講「有關台灣近現代史研究的幾個問題」，左起：陳梅卿、蔡茂松、戴國煇、王琪（成大歷史系教授），1999年5月15日

戴國煇夫婦與日本時事通信社香港支局長椛澤克彥夫婦合影，1999年6月5日

與林憲（林和星）先生（右）合影，攝於台北，1999年11月

戴國煇夫婦與次男戴興寧（中），攝於中國黃山，2000年1月10日

訪柏楊，左起：張香華、柏楊、戴國煇、林彩美，後立者為蔡素貞，攝於柏楊府上，2000年3月28日

於東吳大學民族主義學會主辦的學術研討會會後大合影，後排左五為戴國煇，2000年12月2~3日

左起：記者谷口長世、戴國煇、岩波書店《世界》編輯岡本厚，攝於總統府（與陳水扁總統會見後），2000年12月6日

《戴國煇文集》（共12本，遠流出版公司・南天）新書發表會現場，前排左起：戴興夏、林彩美、魏德文；後排左起：陳淑美、洪淑暖（編輯），2002年4月5日（張良綱攝影）

中央研究院於傅斯年圖書館舉行梅苑書庫入藏儀式，左起：林彩美、劉翠溶、王汎森，2005年4月15日

入藏儀式當日，同時舉辦戴國煇文庫特展，左起：陳映真、林彩美、王榮文，2005年4月15日

戴家的新成員——戴國煇的外孫與陳封平（後立者，戴興夏的先生），2010年11月26日

左起：戴國煇的三個子女，戴興宇、戴興夏、戴興寧相聚於日本，2010年12月

（反面）戴國煇手蹟：『當你爬過崎嶇山路的時候前面便是坦路！』，1947～1950年

戴國煇手蹟：贈給妻子林彩美詩作

戴國煇揮毫紀念張昭鼎博士之手蹟，1994年3月29日

戴國煇手蹟：演講大綱等

預備軍官訓練班退伍令

就讀東京大學博士班時學生證

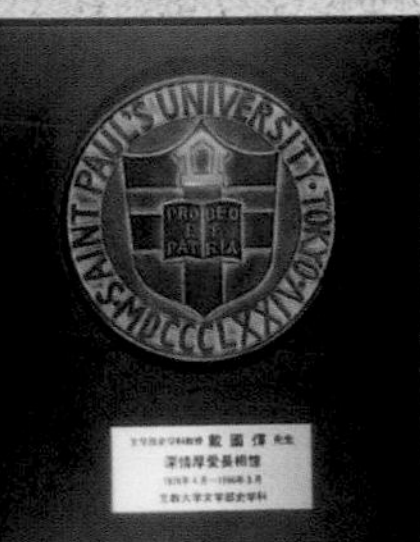

立教大學文學部史學科於戴國煇榮退時所贈與的紀念牌

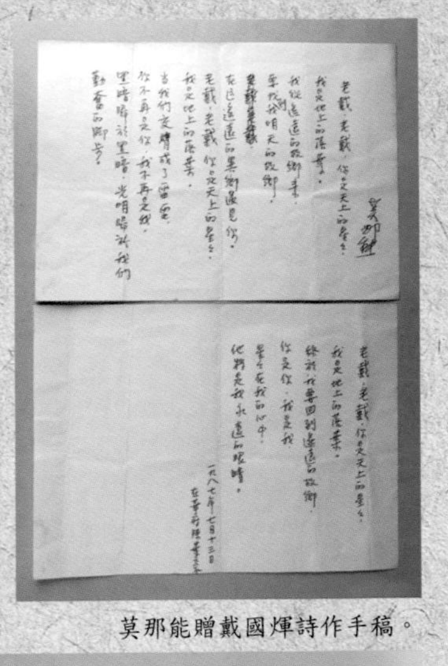

莫那能贈戴國煇詩作手稿。

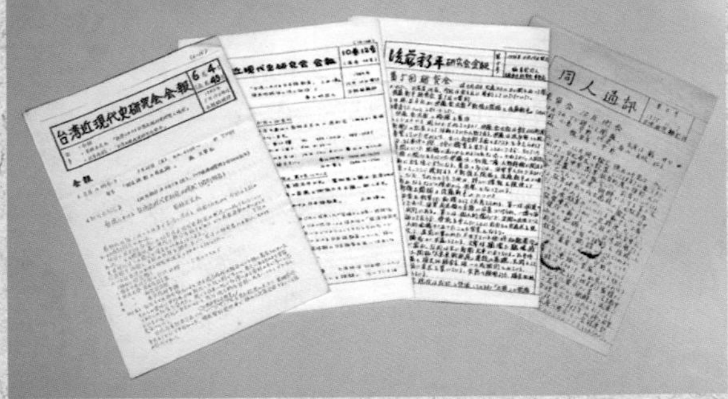

戴國煇主持後藤新平研究會及台灣近現代史研究會時，刊行的會報

戴國煇所推動創刊並擔任編輯的日本總正總會會報《客家之聲》（共發行六期）

東京大學中國同學會會報《暖流》，戴國煇曾擔任第一屆總幹事，並常發表文章於此刊物

戴國煇常發表文章的中日文刊物，有《中央公論》、《月刊NIRA》、《展望》等

梅苑書庫藏書入藏中研院，特設「戴國煇文庫」典藏於人文社會科學聯合圖書館

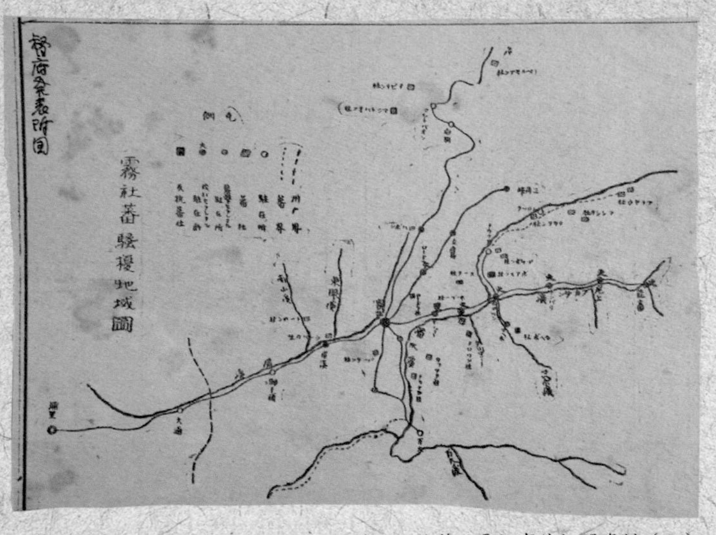

戴國煇珍藏的霧社事件相關資料（一）

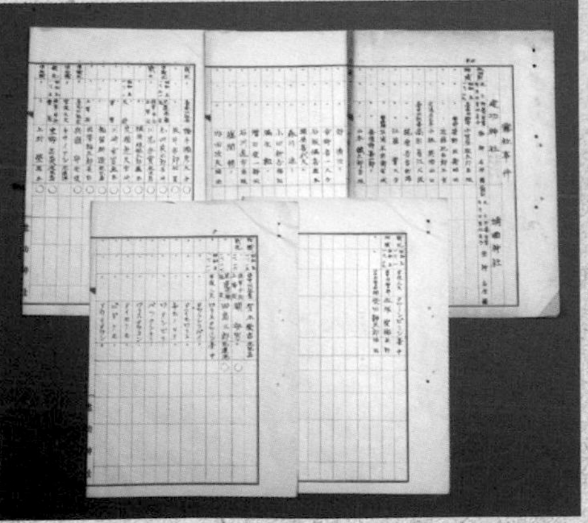

戴國煇珍藏的霧社事件相關資料（二）

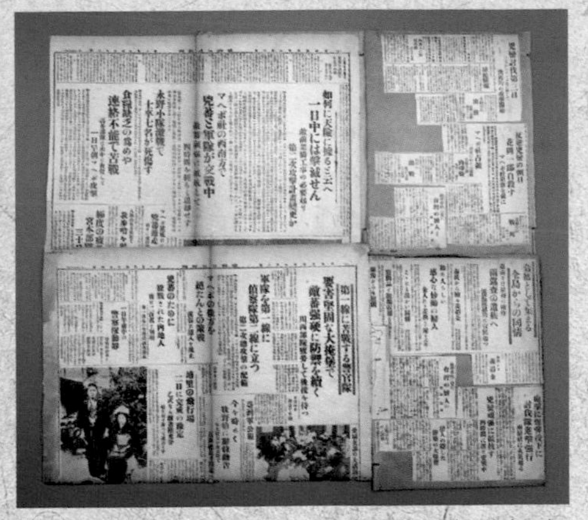

戴國煇珍藏的霧社事件相關資料（三）

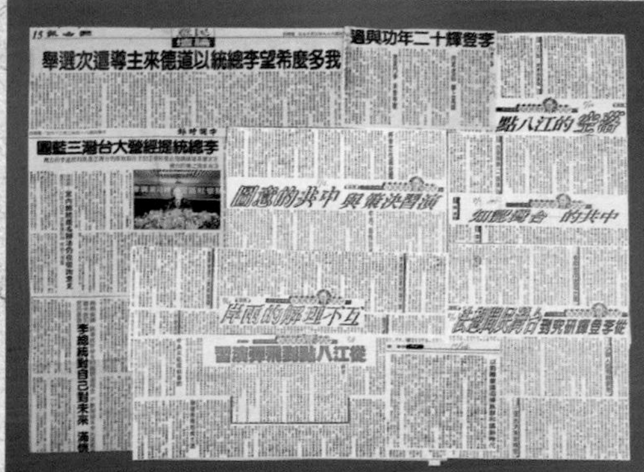

我多麼希望李總統以道德來主導這次選舉

李登輝十二年功與過

密室的八江點

李總統握經發大台灣三藍圖

演習決策與中共的意圖

中共的「台獨」認知

互不到頭的兩岸

從李登輝研究到台灣民族主義

從江八點到飛彈演習

李總統對自己對未來

戴國煇所蒐集豐富的李登輝相關報導資料

戴國煇珍藏的吳濁流手稿

戴國煇珍藏的以人物照為主題的相片

戴國煇全集 

別卷

◎殖民地的孩子

歷史學家戴國煇

《別卷》編輯說明

【戴國煇全集・別卷】係為戴國煇教授資料集，共分六輯。各輯的編輯原則說明如下：

輯一：圖片集，依年代序，選輯戴教授代表性的日常相片共173張，相關文物共13張，及其梅苑書庫珍藏文獻共6張。圖片、文物及珍藏的選擇以與戴教授生平重大事件及《戴國煇全集》所輯相關為標準。

輯二：包含三個部分——小傳、生平年表與日記。

1. 小傳：主要內容包括生卒年月日、籍貫、重要筆名、學經歷，及重要研究成果等。

2. 生平年表：輯戴教授出生1931年至2001年1月過世，凡70年間的大事紀要，乃至其過世後與其有關的重要活動。年表的輯錄，初步係由戴夫人林彩美女士自戴教授相關記事本中翻譯整理而成，再據戴教授的著述及相關文物核對查證。

3. 日記：輯錄其1961至2000年的行事記要，戴教授受父親訓誡，勿寫日記以免招致無妄之災，戴教授謹記在心，故本日記要皆由其每年的記事本輯出，例外有1967年1至3月其以中文書寫的日記體的日記。記事本的輯錄初步由戴夫人林彩美女士翻譯編輯，年代及記事等查證，參照戴國煇教授生前留存文書等相關資料。

原文缺字或訛字以〔 〕表示；如有加編註或譯註，則以（ ）表示，但日記體中的小括弧（ ），係為作者原註。

輯三：生平資料篇目，依自述、他述、採訪・對談（座談）、作品評論篇目共四大類別，再依時間序而纂輯。

輯四：包含三個部分——全集總目、專書目錄及提要，以及未結集・未發表篇目。

1. 全集總目：彙整《戴國煇全集》共27冊的各冊目次。

2. 專書目錄及提要：戴教授中日文專書凡22種（含再版書與中譯或日譯版），簡要介紹各書內容。

3. 未結集・未發表篇目：依文章發表或寫作年代排序，此部分概皆已發表過，日文共238篇，中文共73篇。

輯五：評論選文，選錄有關戴教授專書及主編專書的書評或書介文章，含中日文評論文，大部分皆為日文選文，原文為日文者譯為中文。

輯六：未結集・未發表篇目索引，依篇名之中文筆畫作索引。

目次

contents

殖民地的孩子
歷史學家戴國煇

輯一　圖片集

輯二　生平年表及日記

輯三　生平資料目錄

輯四　全集總目

輯五　評論選文

輯六　篇目索引

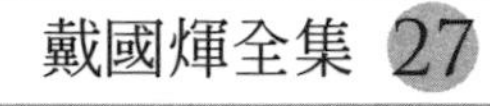
戴國煇全集 27

別卷

殖民地的孩子

歷史學家戴國煇

輯二◎大事年表及日記

小傳

戴國煇（1931～2001）

出生於新竹州中壢郡平鎮庄（今桃園平鎮），客家人，兄弟姊妹共14位，其排行十一，為家中么兒。

小學就讀新竹宋屋公學校，初中就讀新竹州立新竹中學校（今新竹中學），初中三年級時，插班轉讀台灣省立建國中學（今建國中學）初中部三年級，台灣省立農學院（今中興大學）農經系畢業，東京大學大學院農業經濟專攻，1958年獲東京大學碩士學位，1966年以博士論文《中國甘蔗糖業之發展》（主體為建構台灣舊式糖業之發展，此書為台灣糖業研究第一部）獲東京大學博士學位。

自1955年赴日留學，1996年返台定居，旅日前後凡41年。曾任職日本的亞洲經濟研究所調查研究部主任調查研究員，任教於日本立教大學20年，歷任史學系教授、系主任、研究所所長、國際中心長、名譽教授，學習院大學（日本皇族學校）及一橋大學兼任教授，政治大學歷史所客座教授、國家統一委員會研究員。返台定居後，曾擔任總統府國家安全會議諮詢委員，文化、政治、成功大學兼任教授。2001年1月9日因病驟逝，「綜其生平，盡瘁學術，士林共仰，遠見卓識，功在國家。」獲陳水扁總統之褒揚令。

旅日期間，並曾獲聘日本文部省（相當於台灣教育部）專門委員，係第一位亞洲人委員；在教學研究之餘，著書立言，備受日本媒體及評論界重視。早年日文著作共十餘本，第一本評論集《與日本人的對話》一推出，即受日本媒體矚目，各界讀者的明信片在短時間內，多達百餘封。其係以站在對日本發出諫言的知日而不親日角色，期盼這個與台灣百年來交纏不清的鄰人，正視歷史的過去，而能邁步走出島國之習，真正步向國際化，這是戴國煇在研究中日關係或日本近代史中，所有著書立言的堅定不移態度。

1960至1980年代，在台灣仍屬戒嚴時期，言論尚未自由之際，其多以化名發表於日本經濟類、綜合性等期刊，筆名有：田餘耕、田照　、樓外仁、陳來明、林凡明、何敏、梅村仁、戴桑。

戴國煇畢生致力於台灣史研究，傾三十餘年心力投入二二八史料蒐集與研究，其整理二二八史料，受葉榮鐘之女葉芸芸女士之邀，於《台灣與世界》雜誌第三期開始連載「二二八史料舉隅」，以筆名梅村仁發表（至1985年9月）其校注成果。其在日本指導後進成立台灣近現代史研究會（早期稱東寧會，後改為後藤新平研究會），導引日本學者對台灣研究的興趣，且早期參與的主要會員原會結束後，繼續在日本的台灣研究上分枝茁壯。早期參與此研究會的會員春山明哲，以及台灣師範大學吳文星教授推崇此舉為：「若非40年前戴先生抱持獨特之見識和職志，且不畏艱難，苦心經營，今日台灣近現代史研究恐未必能成為獨立的知識領域且呈現如此之盛況。」除此之外，他並以華僑史、近現代中日關係史研究專家著稱。教學、著書之餘，參與的演講與座談會多達三百餘場，一生著述甚豐。並為台灣著名的藏書家，遠近知名的「梅苑書庫」主人，其近六萬冊藏書圖籍，由其夫人林彩美女士全數捐贈給中央研究院，入藏為其成立的「戴國煇文庫」。

前監察院長王作榮如此形容戴國煇：一個中國人與台灣人，一個愛國者與愛鄉者，一個具有完美人格的人，一個具有完美學術良知的歷史學家，可以不朽。

生平年表

◎ **林彩美編譯**

1931年 1歲

4月 15日，出生於新竹州中壢郡平鎮庄北勢村（今桃園縣平鎮鄉北勢村）。兄弟姊妹共14位，戴國煇排行第十一，為家中么兒。

1938年 8歲

4月 1日，就讀宋屋公學校（今宋屋國小）一年級。

1944年 14歲

3月 宋屋公學校畢業。

4月 1日，就讀新竹州立新竹中學校一年級。
上課第二週，就被粗暴的日籍語文教師，當眾辱罵「清國奴」，此事在戴國煇心靈上留下極深的刻痕，對他一生治學影響極大。

1945年 15歲

11月 母親去世。

1947年 17歲

1月 9日，參加台灣北部學生聲援北京學生「沈崇事件」遊行。

本月，插班就讀台灣省立建國中學（以下簡稱建中）初中部三年級。

6月 建中初中部畢業。

9月 就讀建中高中部一年級。

1950年 20歲

6月 建中高中部畢業，因看到國民黨政府在「四六運動」後的大學整肅活動，悄然離開台北暴風圈，南下考試，考入台灣省立農學院（今中興大學）農業經濟系。

9月 台灣省立農學院農經系入學。

1951年 21歲

5月 為代表台灣省立農學院棒球隊隊員之一，參加由《民聲日報》舉辦的第一屆民聲杯棒球賽。

1954年 24歲

6月 中興大學農經系畢業，學士論文題目「從台灣稻米的脫穀與調製看農業機械化」。

9月 義務兵役（陸軍預備軍官訓練班）入營。至鳳山接受預官二期訓練後，轉台中復興崗砲兵學校。

1955年 25歲

8月 義務兵役退役。

通過教育部舉辦的外國留學資格考試。

11月 21日，赴日本東京留學。

1956年 26歲

4月 就讀東京大學大學院（研究所），專攻農業經濟學，係台灣第一位擁有正式農經系研究所學籍的留學生。

1958年 28歲

3月 獲東京大學大學院農學修士（碩士，農業經濟專攻），論文題目為「中國農村社會的『家』與『家族主義』」。

4月 就讀東京大學大學院農業經濟學博士班。

擔任東京中華學校高中部約聘講師（講授日本社會、世界史，至1963年3月底）。

1959年 29歲

5月 23日，與台灣省立農學院農經系學妹林彩美女士，在東京目黑區四川菜館香港園舉行婚禮。

1960年 30歲

3月 1日（農曆），父親去世。

5月 東大中國同學會成立，當選第一屆總幹事。

創辦東大中國同學會誌《暖流》。

7月 11日～8月2日，與林彩美參加留學生的北海道之旅，共12國青年組成（計50位留學生），持續23天的旅行。

1961年　31歲

5月　當選第二屆東大中國同學會總幹事。

1962年　32歲

5月　26日，長男戴興宇出生。

1963年　33歲

3月　東京大學大學院農業經濟學博士課程修畢。

6月　4日，東大中國同學會於東大山上會議所舉辦迎新會。

1964年　34歲

二哥戴國堯於東京過世，得年44歲。戴國堯是影響戴國煇認識台灣主體意識的關鍵人物之一。

1965年　35歲

4月　擔任東京駒込女子榮養短期大學約聘講師，教食糧經濟（至1972年3月）。

6月　獲聘日本亞洲經濟研究所調查研究部專門員（約聘職員，1966年4月續聘至1967年3月）。

8月　31日，次男戴興寧出生。

1966年　36歲

3月　以博士論文《中國甘蔗糖業之發展》獲東京大學農學博士。

1967年　37歲

3月　15日，農業專著《中國甘蔗糖業之發展》出版（亞洲經濟研究所）。

4月　獲聘亞洲經濟研究所調查研究部研究員（正式職員），為該所第一位外國籍研究員。

9月　23日，於東大山上會議所舉行東大中國同學會。

1968年　38歲

3月　30日，所編輯的《台灣經濟總合研究（上、下）》（亞洲經濟出版會）出版。

1969年　39歲

11月　16日～1970年1月4日，帶領亞洲經濟研究所的同仁赴東南亞六國進行調查研究，與當地報社人員、大學研究者、華人實業界領袖見面、會談。

受彭孟緝大使的懇請，出國14年第一次回台訪問。

1970年　40歲

2月　8日，於成城大學演講「台灣民間信仰的特徵」。

5月　15日，升任亞洲經濟研究所調查研究部主任調查研究員（至1976年3月）。

16日，參加東大中國同學會總會（一年一次）。

1971年　41歲

籌組以台灣研究為主題的東寧會（每月舉行一次）。參加華人研究會（不定期舉行，至1977年）、《齊民要術》研究會。

2月　於工業俱樂部演講「台灣經濟的現狀與問題點」。

3月　10日，於長期信用銀行五樓演講「馬來半島的華僑與當地社會」。

4月　1日，受東京大學東洋文化研究所委託研究「台灣的土地調查事業」。

28日，與吳濁流等遊日本湯河原。

8月　15日，專書《與日本人的對話》出版（東京：社會思想社）。為其第一本歷史論述集。

9月　30日，於日本貿易振興會演講「1970年代的華人（華僑）問題」，由亞洲經濟研究所主辦。

10月　23～24日，於第41屆大學共同研討性授課會（seminar）演講「從亞洲・中國看日本」，講座名稱為「第41回大學共同seminar日本與中國」。

29日，於國立教育會館演講「透徹研究東南亞華僑」，由FIC研修事業部主辦。

11月　20日，於東京女子大學演講「日本・中國・亞洲——思考連帶與多管閒事」。

22日，參加由市民連合seminar主辦「第10回亞洲與日本人」，發表「日本人的台灣認識」。

1972年　42歲

因名列黑名單，護照被取消，以致長期無法返台（至1985年重新擁有中華民國護照）。

1月　5～26日，演講「日本與華僑、日本與台灣・香港」，由貿易研修中心主辦。

27日，於現代中國研究會演講「華僑論」。

2月 22日，於工業俱樂部演講「尼克森訪中與華僑的動向」。

3月 22日，於中國・亞洲貿易構造研究中心演講「東南亞的華人問題——思考華僑研究與華僑觀」。

4月 22日，於現代中國學會關東部會報告「中國社會史論戰介紹上出現的若干問題」。

本月，獲聘農政中心特別研究委員。

5月 23日，於名古屋商工會議所演講「關於東南亞軍備」。

本月，第一次參加小倉武一研究會中國部會（每月一次，至1975年）。

6月 吳濁流著《黎明前的台灣》（夜明け前の台灣）在日本出版（戴國煇協助看稿並接洽出版社）。

9月 20日，於亞洲經濟研究所演講「日本人的『華僑』觀」。

11月 吳濁流著《泥濘》（泥濘に生きる）在日本出版（戴國煇協助看稿並接洽出版社）。

18日，第一次參加殖民地研究會（為東京大學東洋文化研究所籌立的研究會，1975年第二次參加，持續至1983年）。

24日，第一次參加中國雜誌研究會（每月一次，至1975年）。

26日，長女戴興夏出生。

12月 5日，赴日本外務省報告。

1973年 43歲

參加現代中國研究會。

這一年，戴國煇初次將眼光投入到霧社事件的研究。

擔任明治學院大學兼任講師（集中講課），講授「亞洲經濟論」（至1974年3月）。

8月　3日，主編的座談會紀錄文《討論日本之中的亞洲》出版（東京：平凡社）。

10月　15日，歷史論述專書《日本人與亞洲》出版（東京：新人物往來社）。

1974年 44歲

兼任參加《日中經濟協會會報》編輯會議（每月一次，至1989年）。頻繁赴各地演講，並從今年開始，持續展開對後藤新平、矢內原忠雄再認識的研究。

1月　24日，演講「近代日本與中國——以台灣為中心」，由日中協・青年講座事務主辦，講座名稱為「動盪的世界與日本・74年」。

本月，擔任信州大學人文學部外國人講師（集中講課）。

2月　28日，於日本新聞協會演講「東南亞報導的課題」，由日本新聞協會主辦。

3月　11日，於今橋俱樂部演講「東南亞反日運動的底流」，由社團法人今橋俱樂部主辦。

14日，於葵會館演講「日本人的東南亞認識」，由SAM

日本支部（東京）主辦。

16日，於東大山上會議所舉行東大中國同學會。

本月，所編輯的《東南亞華人社會的研究（上、下）》（東京：亞洲經濟研究所，下冊1974年9月印行）出版。

4月　擔任立教大學文學部史學科兼任講師，講授「近代日中關係史」（至1975年3月）。

擔任明治學院大學約聘講師（集中講課）。

5月　20日，參加第3屆國際青年會議，演講「日本與亞洲」。

9月　24日，演講「日本・中國・東南亞——以華僑的動向為中心」，由社團法人九州・山口經濟連合會、福岡UNESCO協會主辦。

27日，於豊島區民中心演講「東南亞反日運動的底流」，由豊島教育委員會、立教大學史學會主辦，為立教大學夏期公開講座，講座名稱為「西亞・南亞的民族與宗教的歷史」。

本月，擔任鹿兒島大學農學部外國人講師（集中講課），講授「亞洲社會論」（至1975年3月）。

10月　19日，參加現代中國學會第24屆全國學術大會，報告「華僑研究的若干問題」。

19～20日，於橫濱國立大學經濟學部演講「關於『華僑』研究的若干問題——以東南亞為中心」，由現代中國學會主辦。

12月　6日，參加神奈川縣橫濱市主辦的「思考國際交流的集會」。

1975年　45歲

為研究蒐集連溫卿、蘇璧輝資料，訪問沖繩學者比嘉春潮。

4月　擔任東京大學大學院農學部外國人講師（至1977年3月）。

學習院大學（皇族學校）大學院人文科學研究科史學專攻博士課程講師（1978年4月～1992年3月）。

5月　23日，於村岡公民館談話室演講「比較各國與日本的國民性並思考所謂的『日本人』」，由藤澤市立村岡公民館主辦，講座名稱「人間探求」。

27日，於區立青年館演講「從原點台灣所見的近代日本與中國」，由豊島區教育委員會主辦。

7月　23日，獲聘日本文部大臣的專門委員（第一位亞洲人），參加每月一次的「文明懇談會」（至1976年）。

10月　28日～12月5日，於中原市民館音樂室演講「理解世界＝亞洲編＝為了理解激動的亞洲之心」，由川崎市教育委員會・中原市民館主辦。

11月　4日，演講「殖民地史研究的當前意義——以台灣為中心」。

15日，於霞山會館會議室演講「國際交流的現狀與展望」，由文部省主辦。

12月 11日，參與由東寧會改稱的後藤新平研究會（每月一次，發行會報，至第25號（1978年3月2日）開始改題「台灣近現代史研究會會報」）。

1976年 46歲

開始每月一次在自宅開沙龍，廣邀日本社會有學養有見識之士（如日本醫師會長武見太郎、國際文化會館會長松本重治、日本農政會長小倉武一伉儷、名婦產科醫師謝國權、恩師神谷慶治、名建築家郭茂林、學者小倉芳彥），縱橫時論與共享佳餚。常進行華僑研究相關演講，積極參與客屬崇正會活動。因亞洲經濟研究所「大字報」黑函中傷事件，壓力過大，導致左耳失聰。

3月 31日，辭去亞洲經濟研究所主任調查研究員一職。

4月 1日，擔任立教大學文學部史學科史學研究專任教授（至1996年3月31日）。

本月，擔任一橋大學社會學部外國人講師（至1990年）。

8月 15日，歷史論述專書《境界人的獨白》出版（東京：龍溪書舍）。

10月 29日， 於東京YMCA本館演講「從承認有『他分』存在的世界開始吧——為了創造出與亞洲的芳鄰關係」，由東京YMCA中央支部主辦，講座名稱為「1976年度YMCA國際理解」。

1977年 47歲

參加立教大學法學研究會（至1981年）。

積極參與日本客屬崇正會活動。

1月 20日，於華人研究會演講「我所看到的華僑問題」。

2月 19日，於國立教育會館演講「日本人與日本文化——我的日本體驗」，由國立教育會館主辦，講座名稱為「第86回教養講座」。

3月 10日～4月7日，第一次訪美之旅，赴美國史丹佛大學、加州大學柏克萊分校、舊金山等，進行東南亞史、華僑史、台灣史相關資料調查。

6月 15日，歷史論述選集《新亞洲的構圖》出版（東京：社會思想社）。

9月 27日～10月13日，訪美國溫哥華、芝加哥、紐約。

1978年 48歲

擔任日本崇正總會刊物《客家之聲》編輯（以日文出刊，創刊號1978年4月1日）。

參加後藤新平研究會（1月19日～7月23日，共7次）。

6月 演講「東南亞的國家建設與「華僑」問題——以越南華僑問題為中心」。

9月 27日～10月10日，參加第4屆世界客家大會（World Hakka Convention ，會議時間為10月1～3日），並作加拿大、美國東部、夏威夷等地華僑社會的調查。

11月 14日，於早稻田奉仕園演講「華僑」，由早稻田奉仕園菲律賓seminar實行委員會主辦，講座名稱為「菲律賓seminar討論會」。

1979年 49歲

參加立教大學政治研究會（至1982年，以及1986～1987年）。

參加《立教》編輯會議（至1981年）。

3月 19日～3月21日，參加由財團法人大學seminar、財團法人日本國際教育協會主辦「第6屆國際學生seminar」，發表「文化接觸場所的大學與其周遭——從我的日本經驗談起」。

4月 4日，開始參加台灣鄉土文學研究會（於中村ふじゑ宅）。

6月 23日，於天理大學演講「日本與亞洲——戴國煇先生演講的總結（6月23日）」，由天理大學中國學科、政經、文學ゼミ主辦。

7月 6日，參加第一屆國家建設研究會。

8月 18～24日，參加新加坡南洋客屬總會成立50周年的紀念慶典，相隔十年再度考察華人社會。

10月 擔任東京大學東洋文化研究所約聘講師（至1980年3月）。

11月 10日，歷史論述專書《台灣與台灣人——追求自我認同》出版（東京：研文），係戴國煇第一本以「台灣」為名的著作。

26日，演講「華僑的實像與虛像」。

12月 16～17日，至福岡UNESCO參加國際研討會。

18～21日，擔任鹿兒島大學農學部講師（集中講課）。

1980年 50歲

開始參加李約瑟研究會（每月一次），於日本總合研究開發機構NIRA舉行（至1984年）。

參加台灣鄉土文學研究會。

3月 18日， 於日本基督教會館演講「在日外國人的社區生活——從我的體驗談起」，由「向日本政府要求國民年金的在日韓國・朝鮮人之會」主辦。

4月 獲聘東京大學東洋文化研究所研究委囑（至1980年9月）。

7月 6日，返台參加第四屆國家建設研究會。

10月 5日，於東京品川太平洋飯店舉辦世界客屬第五屆懇親大會。

6日，於大阪寶塚大飯店舉辦世界客屬第五屆懇親大會。復刻出版《客家舊禮俗》。

本月，擔任東京大學東洋文化研究所約聘講師（至1982年）。

11月 20日，華僑專書《華僑——從「落葉歸根」到「落地生根」的苦悶與矛盾》出版（東京：研文），為戴國煇第一本以華僑論述為主題的專書。

1981年 51歲

擔任鹿兒島大學集中講課講師。

2月 25日，於《讀賣》文化中心演講「華僑的榮光與苦惱」。

27日，於南青山會館演講「由內部所見的華僑問題」，由各國籍企業問題懇話會主辦。

3月 19日，於東京商銀本店演講「由內部所見的華僑」，由韓國東京青年商工會議所主辦。

5月 18日，於日本經濟新聞演講「探尋華僑的本來面貌」或「從文化、行動看華僑的特性」。

6月 30日，編著《台灣霧社蜂起事件——研究與資料》出版（東京：社會思想社）。

7月 3日，於立教教堂演講「從亞洲看日本」。

8月 1日，於光公民館演講為「華僑——其立場與經濟力」，由國分寺市立光公民館主辦。講座名稱為「東南亞與日本」。

18日，於國際文化會館開始與阪谷芳直共同訪談松本重治、岡崎嘉平太、伊藤武雄三位先生共同的回憶，預計編成《我們生涯之中的中國》一書（分次於8月18日，11月17日，11月30日，12月7日舉行）。

9月 30日，參加由總合研究開發機構主辦「NIRA李約瑟研究會」（李約瑟1981年9月24日來日本～10月11日離開）。

本月於東京YWCA演講「外國人的日本定居問題——國

籍與市民權」。

10月　22日，於ICU國際基督教大學演講「華僑的榮光與苦惱」。

11月　4日，參加中央公論對談。

18日，參加日中經濟協會座談會。

12月　18日，於通產省產業研究所演講「華僑——其地位與經濟力」。

1982年　52歲

1月　19日，於川崎東芝國際研修館演講「中國文化圈的社會與人——以華僑問題為中心」。

2月　5日，於福岡演講「關於台灣的最近動向——第三次國共合作的可能性」，由社團法人九州・山口經濟連合會、福岡UNESCO協會主辦，講座名稱為「第22屆現代亞洲研究會」。

7～10日，擔任鹿兒島大學約聘講師（集中講課）。

4月　19日，於今橋俱樂部演講「台灣的現狀與國共合作問題」，由社團法人今橋俱樂部主辦。

5月　7日，於立教大學演講有關國際交流課題「如何使留學成功」。

27日，開始參加「台青研究會」（以及於6月11日，6月23日，7月14日，共參加4次）。

8月　1日，與陳若曦參加中央公論社座談會。

5日，參加東京「私大連」座談會。

6日，安排康寧祥與日本記者座談會。

13日，接受《朝日ジャーナル》訪談。上朝日電視台晚間11點節目。談關於思考教科書問題、以亞洲人的眼光看亞洲的意義。

16日～9月5日，帶領立教大學學生參加菲律賓夏令營。

9月　24日，參加山川出版社座談會。

10月　16日，於早稻田奉仕園演講「亞洲民眾與政治——關於『華僑』的生活方式」。

27日，和李約瑟研究會成員，以及訪日的李約瑟於NIRA座談。

11月　6日，於法政大學演講「亞洲之中的日本——思考日本的經濟進入與摩擦」，由法政大學主辦。講座名稱為「法政大學大內兵衛記念公開講座」。

19日，於名古屋演講「思考華僑問題」。

28日，於東京豊島區民青年館演講「從我的日本體驗思考教科書問題」。

12月　14日，於立教大學演講「亞洲之中的日本」。

1983年　53歲

1月　6日，於京都演講「我的日本『近代』」。

2月　與阪谷芳直合編的對談錄《我們生涯之中的中國》出版（東京：みすず書房）。

3月　3日，和陳鼓應、邱垂亮座談於東京池袋東江樓。

25日，受加州大學柏克萊分校的兩個研究會——中國研究中心（Center for Chinese Studies）與亞裔美國人研究計畫（Asian Aemerican Studies Program）之邀，赴美訪問研究一年，擔任客員研究員，同時蒐集二二八史料（至1984年3月）。

5月　7日，於五四紀念集會演講。

7月　2日，於芝加哥夏令營（林孝信主辦）演講「台灣史研究的經驗談」。

16日，於台研演講「客家之歷史與文化」。

8月　整理二二八史料，於《台灣與世界》雜誌第三期開始連載「二二八史料舉隅」，以筆名梅村仁發表（擔任校注，至1985年9月）。

10月　3日，與陳映真對談「台灣人意識與台灣民族的虛像與實像」。

7日，於哥倫比亞大學演講「研究台灣史的經驗談」。

於U.C演講「日本人的同質感與思考模式——從28年間的日本體驗出發」。

10日，和費德廉共同向美國學術團體評議會（ACLS）以提案「二二八事件：建立主要資料來源目錄」申請研究經費的補助，未獲通過。

11月　3日，與李哲夫對談「台灣的社會發展與省籍問題」。

1984年　54歲

2月　3日，於UCLA演講「從生活體驗看日本」。

3月　11日，與韋名座談會。

4月　1日，結束美國之行，回到日本。

6月　4日，赴惠泉女子短大講課，講授「日本之中的亞洲」。

7月　21日，於神戶演講「『亞洲新時代』──站在『華僑』的一方來思考」，由社團法人神戶青年會議所主辦。

11月　6日，於農村組織研修會演講「香港問題與華僑以及中國四個現代化」。

14日，「日本事情講座」開始（以及11月21、28日，12月5日共5回）。

26日，於橫濱市民講座演講「台灣與台灣人」。

27日，於惠泉女子短大演講「日本之中的亞洲」。

12月　12日，於朝日文化中心演講「香港問題與華僑的動向」。

1985年　55歲

1月　17日，開始參與《圖說世界文化地理大百科──中國》（朝倉書店，1988年6月）每月一次的編輯會議（至1986年）。

21日，於中京大學演講「圍繞台灣史諸問題」。

3月　10日，參加於台北女青年會館為其舉辦的「戴國煇教授歡迎餐會」。

25日，於亞研所演講「台灣戰後史的構想──其二：政治」。

歷史論述專書《台灣史研究──回顧與探索》出版（台

北：遠流），係第一部中文專著。

4月　台灣近現代史研究會的刊物《台灣近現代史研究》創刊。

6月　24日，於成城大學演講「『語言』與身分認同的問題——從台灣人的立場出發」。

7月　7日，帶領日籍友人栗屋憲太郎等，回台參加《中華雜誌》舉辦的抗日紀念演講會。

8月　23日，於國立教育會館演講「東南亞的華人社會」。

11月　2日，於幸文化中心演講「我所看見的日本・日本人——喜歡的一面・不喜歡的一面——對日本人的期待」，由川崎市教育委員會・川崎市幸市民館主辦。

10～13日，擔任「青年之船」的講師，由橫濱到台灣，搭日航返東京。

14日，於慶應大學演講「中國人所見的日、中、美關係」。

19日，於東京文化短期大學演講「我的日本體驗——料理與文化」。

30日，於江東區民中心演講。

12月　22日～1986年1月，赴台灣。參加《聯合報》、《中國論壇》主辦的「海外學人看台灣未來十年的發展」國際研討會。

本月，忘年會（兼若林香港之行的送別會）。

1986年 56歲

將所收藏的《台灣總督府警察沿革誌》五大卷交東京「綠蔭書房」復刻，為台灣史料建置做貢獻。於北原文化俱樂部演講「四十年的步履」，講座名稱「夏期教養講座第40回」。

1月 3日，單獨會見李登輝副總統。

4日，於高雄《民眾日報》演講「從美國、日本看台灣——品質管理與『匠』的精神」。

3月 8日，於立教大學婦女俱樂部演講「從台灣的周邊談起」。

4月 5日，擔任立教大學文學部史學科科長（即主任，至1988年3月）。

5月 17日，於立教大學熱海祭演講「台灣通史編纂的構想」，為台灣近現代史研究創設20周年紀念出版（預定1988年3月末）。

19日，赴明治大學講課（每週一，至1987年）。

30日，主編的《更想知道的台灣》出版（東京：弘文堂）。

6月 21日，於YWCA演講「關於留學生的日語學習」。

7月 1日，於日本經團連會館演講「關於最近十年間的台灣社會結構的變化與台灣人意識的變化」。

19～20日，於神戶韓國青年商工會議所演講「為何要統一？社會變動與價值的多文化」。

8月 1日，於野方青年會館演講「東亞與日本——從以台灣為基軸的角度出發」。

本月參加「儒家思想與近代化」研討會，發表〈儒家思想與日本近代化：澀澤榮一的個案探討〉（“Confucianism and Japanese Modernization: A case study of Eiichi Shibusawa”）。

9月　12日，演講「『從東亞看日本——由定居的中國人來說』：互相認識的分歧」。

30日，於財團法人中國研究所演講「台灣住民的多元性格」。

10月　7日，於財團法人中國研究所演講「大航海時期的台灣」。

14日，於財團法人中國研究所演講「國姓爺鄭成功的夢與現實」，

21日，於財團法人中國研究所演講「清朝併吞台灣與漢民族社會的形成」。

22日，與NIRA下河邊淳對談。

28日，於財團法人中國研究所演講「日本帝國與台灣）」。

11月　4日，於財團法人中國研究所演講「圍繞光復（回歸祖國）的悲喜哀樂」。

11日，於財團法人中國研究所演講「國共內戰與台灣（國府移防台灣）」。

18日，於財團法人中國研究所演講「農地改革與工業化」。

25日，於財團法人中國研究所演講「高度經濟成長與社會構思的變化」。

12月 2日，於財團法人中國研究所演講「黨外運動的可能性與局限（台灣vs.中國大陸）」。

12日，於富士全錄（ZEROX）與星野芳郎對談。

1987年 57歲

1月 10日，演講「總論——何謂華僑、問題的根源」，由朝日文化中心主辦。

17日，演講「華僑的歷史與分布狀況」，由朝日文化中心主辦。

20日，赴清泉女子短大講課。

2月 25日，於農業總合研究所演講「和魂論」。

3月 14日，於朝日文化中心演講「『華僑』的國籍問題與政治參與」。

4月 10日，擔任立教大學國際中心長（一任四年，至1991年3月31日）。

5月 擔任世界新聞傳播學院人文社會學院諮詢顧問。

22日，參加《季刊三千里》座談會。

25日，於經團連會館參加「第13回中國問題研究會」，演講「中日近代化的比較分析——和魂洋才與中體西用的分歧點」，由財團法人日本在外企業協會主辦。

6月 26～28日，參加《世界》座談會「台灣——變化的底流」（從政治、經濟、社會、學術看）。

7月　7日，赴美參加盧溝橋50周年研討會。

27～29日，擔任日經連研修所講師。

8月　23日，參加於南園舉辦之會議，發表「從日本看台灣社會未來十年的發展——並試論與評估台、日對未來的因應力之異同」。

29日，於客家風雲雜誌社演講「日本往何處去？」。

10月　6日，於西武studio演講「窺視轉換期的台灣」。

11月　10日，於高知商工會議所演講「一位中國人所見的日本國際化」，由日本貿易振興會主辦。

24日，於國民生活審議會演講「從定居的中國人（境界人）來說一言」。

1988年　58歲

獲聘《立教》編輯委員。

1月　19日，於惠泉女學園短期大學演講「日本中的亞洲」，由惠泉女學園短期大學主辦。

30日～2月1日，應台灣史研究會之邀於政治大學公企中心演講「客家慶典與祭祀的社會結構」。

2月　1日，演講「我觀義民廟之祭祀」。

19日，於東京記者中心演講「異文化社會與『華僑』」。

3月　16日，於日本貿易會演講「李登輝統治下的台灣——台灣往何處去？」，由社團法人日本貿易會主辦。

4月　27日，於日本記者俱樂部演講「亞洲『華僑』力量的實像與虛像」，由社團法人日本記者俱樂部主辦。

5月　22日，於池袋演講「關於二二八事件研究的備忘錄」。

6月　5日，於台北耕莘文教院演講。

6日，於客家風雲雜誌社演講。

7月　25日～8月5日，參加國家建設研究會。

9月　7～10日，擔任信州大學集中講課講師。

22日，於練馬公民館演講「亞洲與日本（I）」。

10月　6日，於練馬公民館演講「亞洲與日本（II）」。

20日，台灣史專書《台灣——住民・歷史・心性》出版（東京：岩波書店）。

30日，陪同立教大學總長到中國大陸訪問，並參加立教大學與天津南開大學結成姊妹大學之儀式。

11月　5日，於秀和虎之門大樓演講「亞洲的事業夥伴——以台灣『華僑』為事例」。

29日，於立教大學演講「關於『國際交流』」。

12月　17日，參加於御茶水勤勞者會館舉行的「留學生と日本人」討論會，並擔任主持人。

1989年　59歲

1月　12日，於拓殖大學茗荷谷校舍演講「變動的世界潮流中的台灣」，由拓殖大學日本文化研究室主辦。

28日，於台中時報廣場演講「試論二二八事件研究之視角與方法——兼談日常用語與學術用語之差異與界定」。

2月　9日，於國策研究會演講「相隔一百多年再訪中國——中原中國走馬看花」。

23日，於鹿兒島市演講「　我們台灣想要訴說的——與日本・亞洲・世界相關聯之考察」。

28日，於國立公民館演講「台灣——從殖民地到競爭者」。

4月　28日，參加大阪府公平委員會連合會（平成元年度），於大阪府國民年金健康保養中心演講「變動的亞洲」，由大阪府公平委員會連合會主辦。

5月　13日，參加第五次日本研究會，演講「台灣」。

25日，參加第37回現代亞洲問題研究會，於福岡市演講「台灣的近況與中台關係的未來」，由社團法人九州・山口經濟連合會、福岡UNESCO協會主辦。

6月　1日，參加東亞經濟人會議，於經團連會館演講「近來台灣的政治、經濟情勢」。

14日，於經團連會館亞洲21世紀俱樂部演講「何謂留學」。

16日，於立川公民館演講「從台灣所看到的昭和」。

7月　16～22日，擔任松山大學集中講課講師，講授「NIEs的近代化與現狀課題的意義展望」。

22～28日，擔任四國學院集中講課講師。

8月　16～18日，參加由時報文教基金會主辦「中國民主前途」研討會，發表「明治維新與日本的民主政治發展——立足台灣解讀中國「近代」座標軸之一嘗試」，於台北市時報大樓舉行。

20日，受聘為世界客屬總會第3屆顧問，於世界客屬總會演講「我觀客家人之認同問題」。於台大校友會館演講「我對天安門事件之看法」，由楊憲宏主持。

21日，參加由台灣史研究會主辦的「警察沿革誌之史料價值」座談會，談「《警察沿革誌》之發掘、復刻等經緯與我」。

26日，參加由《台灣時報》、日本國際開發協會主辦的研討會「從天安門事件後看中國未來前途」，地點為高雄市積禪藝術中心。於中山大學演講「明治維新過程中的精神革命——通俗道德與經濟成長」。

9月 1～3日，於芝加哥大學演講「當代台灣的文化變遷（Cultural Change in Contemporary Taiwan）」，由芝加哥大學主辦。

16日，台灣史專書《台灣總體相——住民・歷史・心性》出版（台北：遠流），為岩波書店《台灣》的中文版。

23日，參加遠流出版公司主辦的活動，演講「台灣人的命運與認同」。

10月 7日，參加於廣島全日空飯店舉辦的座談會，演講「尋求多樣化的國際交流」，由熊平獎學財團主辦，主席為山下彰一，與會者有本間長世、喜多村和之等。

23日，於日本亞細亞航空演講「變動的世界潮流中的台灣」，由日本亞細亞航空主辦。

11月　18日，參加現代中國研究會・公開研究會之座談會，演講「思索台灣・香港・中國」，由現代中國研究會主辦。

22日～28日，演講「『悲情城市』與二二八事件——電影與歷史事件」。

12月　5日，參加於市谷私學會館舉辦的「社會科研究會『講演會：從台灣看世界』」，演講「在變動世界潮流中的台灣」，由財團法人東京都私立學校教育振興會、東京私立中學高等學校協會主辦。

1990年　60歲

擔任山形大學約聘講師（集中講課）、四國學院大學非約聘講師（集中講課）。

1月　19日，參加於株式會社東芝國際研修館舉辦的地域研究講座，由東芝主辦。

6月　2日，參加於經團連會館舉辦的「第3屆日本文化討論——亞洲與日本II」，演講「圍繞近代化諸問題的再考」，由富士全錄、小林節太郎記念基金主辦。

4日，於立教大學經濟俱樂部演講「在國際社會上經濟大國日本的角色——定住外國人眼中的日本」。

17日，於主婦會館演講「從李登輝總統的就任演說談起」。

22日，演講「思考今後的台灣」，由共同通信社・神戶新聞明石總局主辦。

7月　6～13日，於中野文化中心演講「轉變的台灣所告知者——與日本・亞洲・世界之關聯來考察」。

11日，參加亞洲公開論壇第二屆東京會議，於Palace Hotel舉行。

9月　1日，參加「第124回萬會（よろず會）」，演講「思考急遽變動的世界中的台灣」。

11月　10日，參加於廣島全日空飯店舉辦的座談會，演講「與留學生一同思考日語」，由財團法人熊平獎學會主辦，主持人為粕谷一希，與會者有奧田邦男、外山滋比谷等。

20日，歷史論述集《台灣往何處去》出版（東京：研文出版）。

12月　1日，參加由中華民國國家建設研究會、日本地區聯誼會主辦「中華民國國家建設研究會日本地區聯誼會・79年度學術研討會」，發表「中華民國前途的展望」，於昭和第一高等學校舉行。

1991年　61歲

4月　2日，於橫濱山下町產業貿易中心演講「華僑的今日課題與其展望」。

11日，於慶應大學大學院八樓演講「中蘇關係」。

5月　16日，訪英國立教學院並演講「國際人與國際化」。

7月　1日～8月31日，獲邀至中國訪問旅行二個月，與「民族問題研究中心」、中央民族學院的學者進行學術交流，並至新疆、四川等少數民族地區參訪。

10日，主編華僑研究論文集《更想知道的華僑》出版（東京：弘文堂）。

8月 13日，於北京中國社會科學院台灣研究所演講「東西德問題」。

9月 擔任政治大學歷史系暨歷史研究所客座教授（至1992年2月）。

10月 19日，於外交部演講「現在的日本戰略思想問題」。

22日，於政治大學演講「從二二八看統獨問題」。

24日，於中研院近史所演講「對二二八研究的一些想法」。

11月 21日，演講「有關日本戰略思想的一些考察」。

25日，參加由政治大學主辦「文史哲師生學術研討會（張玉法講評）」，演講「自四種回憶錄探討有關二二八問題」。

12月 11日，於華視視聽中心演講「台灣與現代中國——自歷史脈絡來整理台灣與大陸關係」。

18日，於世界新聞傳播學院演講「二二八與統獨爭議」。

19日，於台灣師範大學歷史所演講「對二二八研究的一些看法」，由台灣師範大學主辦。

31日，在糖廠技術服務處演講「21世紀亞太地區的發展與台灣」。

本月，參加母校宋屋國民小學60周年校慶。

1992年 62歲

1月 11日，參加由台灣省日僑協會、台北市日僑工商會主辦「亞洲・太平洋共同的家是否可能？中日文化公開論壇——思考面臨21世紀的中日關係」，於台北市國際會議中心會議室舉行。

1月 22日，於中研院近史所演講「我對台灣史研究的心得及期待」。

2月 14日，於政治大學國關中心演講「試論『自立與共生』的遠景」。

16日，二二八事件研究集《愛憎二二八——神話與史實：解開歷史之謎》出版（台北：遠流出版公司），與葉芸芸合著。

23日，參加《聯合報》座談會「應否道歉？由誰道歉？——道歉賠償與二二八的歷史情結」。

24日，於東吳大學日文系演講「有關戰後日本的台灣文學研究」。

3月 3日，於高雄發電廠演講「21世紀的亞太地區和台灣的遠景」。

26日，講演「世紀亞太地區的發展與台灣的遠景」。

29日，參加由台灣史研究會主辦的「李友邦先生逝世四十週年學術研討會」，並演講。

4月 20日，於政治大學演講「我的日本體驗」，由政治大學主辦。

5月 29日，於日本農業研究所演講「不在日本的一年」，由日本農業研究所主辦。

6月　15日，於亞洲經濟研究所舉行「近代中日關係研究討論會」，與會者有蔡禎昌、小島麗逸、矢吹晉等，戴國煇為司儀並擔任翻譯。

27日，演講「孫文」，由亞洲21世紀獎學財團主辦。

7月　8日，參加由株式會社東京マツク・テン主辦「第2回第2期孔子塾」，並演講「成長中的亞洲與儒家」，於日本工業俱樂部舉行。

14日，於外交部演講「PKO合作法案之後，考察日本今後要走的方向」。

26日，於全國產業青年領袖會議演講「中國（人）的生活與文化」。

9月　8日，於新潟縣立教育中心演講「台灣的歷史與現狀」。

11月　10日，於惠泉女學園短期大學演講「亞洲之中的日本」。

28日，參加由加州柏克萊大學民族學系亞裔研究所主辦「留日華僑・華人的認同困擾（dilemma）與危機／全球華人問題國際研討會」，於舊金山MIYAKO大旅社舉行。

1993年　63歲

1月　《愛憎二二八》獲中國時報「1992年度十大好書獎」。

4月　7日，擔任立教大學大學院文學研究科史學專攻主任

（即歷史研究所所長，至1995年3月）。

12日，參加於東京舉辦的「第1屆亞洲近鄰諸國以相互理解為目的論壇：對我而言佛教是什麼——探討和平之路」，演講「我在台灣的佛教體驗」，由曹洞宗宗務廳主辦。

6月　11日，於浦和東武飯店演講「思考華僑、華人的生活方式」。

30日，於立教大學史學科「東洋史概說」教室演講「中國中世史」。

8月　16日，於北京台灣研究所演講「從東西兩德統一的教訓看未來台灣海峽兩岸關係」。

9月　27日，於東京王子飯店演講「21世紀亞太地區的政治經濟展望」，由鑽石社主辦。

10月　16日，於東京女子大學演講「毛澤東與現代中國」。

1994年　64歲

2月　17日，於日本貿易振興會談「最近的台灣情事」。

3月　19日，於亞洲民眾法廷學習會演講「台灣的歷史與現狀」。

4月　28日，於亞洲大學演講「台灣問題與中日關係」。

5月　16日，台灣史研究論述集《台灣結與中國結——罣丸理論與自立、共生的構圖》出版（台北：遠流出版公司）。

17日，與《朝日新聞》吉田實座談會。

24日，於東洋文庫演講「中國霸權的解體與華僑社會的形成」。

6月 4日，於誠品天母店與許信良對談，主題「後悲情的暢快對話」。

13日，於立教大學國際中心演講「悲情城市與二二八事件」。

16日，演講「亞洲經濟發展的現狀與日本的角色」。

10月 22日，參加由亞洲21世紀獎學財團主辦「第4屆宗教與社會的對話」，發表「經濟發展與傳統文化——從中國（大陸、台灣）之旅回憶）」。

11月 11日，於立教大學演講「從大眾媒體的報導看亞洲與日本」。

1995年 65歲

4月 擔任立教大學史學會會長（至1996年3月）。

獲聘為國家統一委員會研究員（至1996年）。

6月 17日，於台北國際青年活動中心演講「從『馬關條約100年告別中國』遊行談起」。

9月 29日，參加由社團法人九州・山口經濟連合會、福岡UNESCO協會主辦「第49回現代亞洲問題研究會」，發表「圍繞台灣海峽兩岸三地（台灣、中國大陸、香港）之現狀與展望」於福岡市舉行。

10月 15日，參加台灣大學（許介鱗主辦）研討會「文明史上的台灣」，演講「出埃及記與台灣民主化」。

19日，在立教大學禮堂演講「台灣近百年與日本」。

11月 24日，於公民館講座室演講「在台灣的日本殖民地統治」，由國立市公民館主辦。

12月 25日，赴NHK錄音，作近一年的中台關係，江八點、李六條、四評六彈的評價，分析這次選舉新黨的躍進與一國兩制推出檯面的原因。

1996年 66歲

1月 24日，於立教大學最終講義，演講「我的日本40年與立教20年」。

3月 17日，獲聘為中華民國總統府國家安全會議諮詢委員（任職期間為5月20日～1999年5月19日）。

4月 27日，於立命館大學法學部演講「台灣戰後史與認同的進退兩難」。

5月 17日，結束在日41年的海外生活，返回故鄉台灣定居。

20日，3月底時提早一年向立教大學申請退休一事獲准。

23日，於台灣大學演講「光復後歷史經驗與台灣知識分子」。

24日，於台灣大學演講「21世紀前夕台灣知識分子之主體性的建構」。

20日，台灣史研究論述集《以台灣為名的雙面神》（台灣という名のヤヌス）出版（東京：三省堂）。

6月 獲頒立教大學名譽教授。

9月　擔任中國文化大學史學研究所兼任教授、政治大學歷史研究所兼任教授。

10月　8日，參加於東海大學舉辦的「八十五學年度第一學期文學院月會」，演講「知識分子主體性的建構」，由東海大學文學院主辦。

21日，於台北世界貿易中心聯誼社演講「睽違四十年回鄉定居之我思」，由鴻霖空運公司主辦。

12月　14日，於環球俱樂部演講「日本體驗40年」，由東京大學校友會主辦。

19～20日，參加於陽明大學舉辦的「第四屆通識教育教師研習營」，演講「我的日本經驗——大學的教育與研究」，由國立陽明大學、中華民國通識教育會、科學月刊社主辦。

26日～1997年12月24日（共11次），組織當代日本綜合研究會，以總統府諮詢委員身分主持研究會，會員有宋明順、張捷昌、蔡禎昌、李朝津、林蘭芳等人，第一次會議在自宅舉辦。

1997年　67歲

7月　9日，獲聘中國文化大學史學研究所兼任教授。

9月　28日，參加由中國歷史學會主辦的中國歷史學會第33屆會員大會開幕典禮，專題演講「新歷史的設想與建構」。

10月　15日，演講「日本的近代化與殖民及移民政策」，由國立台灣師範大學地理學系主辦。

30日，於政大外交系演講「美日安保合作新舊指南的比較分析」。

12月 30日，獲聘成功大學歷史研究所兼任教授。

1998年 68歲

2月 12日，參加於國立中央圖書館台灣分館舉辦的「民俗台灣」回顧座談會，演講「『民俗台灣』完整本的復刻與台灣文化主體性的建構」，由南天書局有限公司、台灣民俗北投文物館、國立中央圖書館台灣分館主辦。

2月 27日，獲聘成大歷史學系兼任教授。

3月 16日，於政治大學外交系演講「日美安保的新解釋（再定義）與日美防衛合作新指南」。

4月 8日，參加《朝日新聞》演講討論會。

5月 12日，獲聘淡江大學技術學院應用日語學系講座課程主講教授。

29日，於淡江大學（金華校區）演講「日本親美入亞之路——兼論戰後日本外交的虛與實」，由淡江大學主辦。

7月 8日，參加於來來大飯店舉辦的東門扶輪例會，演講「在變與不變中思考21世紀初的東北亞和台灣」，由東門扶輪社主辦。

8月 獲聘中華歐亞學會特約研究員（1998年8月1日～1999年12月31日）。

1日，獲聘政大歷史研究所兼任教授。

14日，獲聘成大歷史研究所兼任教授。

28日，於國史館演講「台灣史的微觀及宏觀」，由國史館主辦。由薛月順記錄整理。

11月　8日，參加「亞洲展望研討會」，演講「讀〈為何有「漢奸」而無「日奸」〉有感」。

26日，參加於信義俱樂部舉行的「東亞區域安全與發展論壇」討論會，與原民會主委華加志對談。

11月　28日，參加於國父紀念館舉辦的「國父紀念館週末文化講座」，演講「日本的社會教育與一般市民生活」。

12月　19日，參加由伯仲文教基金會、原民會主辦的座談會。

21日，參加由中華民國台灣原住民文化發展協會、山海文化雜誌社主辦「高砂義勇隊在日據時期台灣史的定位／回歸正義的起點——台灣高砂義勇隊歷史回顧研討會」，於國家圖書館國際會議廳舉行。

1999年　69歲

1月　28日，獲聘成大歷史系兼任教授。

2月　獲聘文化大學史學系教授。

5月　15日，赴成大演講「台灣現代史的幾個問題」。

16日，參加由逢甲大學人文社會研教中心、台灣省文獻委員會、東海文教基金會主辦「我所認識的丘念台先生／丘逢甲、丘念台父子及其時代學術研討會」，發表〈我所認識的丘念台先生〉。

19日，辭去國家安全會議諮詢委員。

6月 7日，參加由台北東區扶輪社主辦的會議，演講「美日安保對兩岸未來的影響」。

12～13日，參加由自由時報主辦，台北駐日經濟文化代表處協辦「從奈伊博士的戰略思考，考察東北亞二大火藥庫之未來『亞洲安全保障與兩岸關係』研討會」，發表〈從奈伊博士的戰略思考，考察東北亞兩大火藥庫的未來〉。

29日，獲聘文化大學史學系教授。

7月 29日，獲聘政大歷史學系兼任教授。

8月 11日，獲聘成大歷史學系兼任教授。

16日，參加台中社會大學舉辦的第三屆未來領袖學院演講「李登輝時代──這是什麼樣的年代」，由社會大學文教基金會主辦。。

本月，因病送急診，體重減輕。

9月 17～18日，參加國史館舉辦的「台灣史料的蒐集與運用學術討論會」，擔任第二場討論會主講人，講題「我在日本蒐集有關台灣史的史料暨資料的回顧」。

21日，於來來大飯店演講「初試解讀李登輝時代──這是什麼樣的年代」，由西門扶輪社主辦。

22日，於台北社會大學講「傾聽歷史的聲音」。

10月 29日，赴總統府開會。

11月 20日，參加於中山人文社研會議廳舉辦的「東亞海洋史與台灣島史」座談會。

本月，台灣史研究論述集《台灣史探微——現實與史實的相互往還》出版（台北：南天書局）。

12月　4日，於文化大學華風堂演講「司馬遼太郎、日本、台灣與我」。

2000年　70歲

獲聘二二八紀念館顧問。

1月　24日，演講「台灣總統選舉——現狀展望」。

25～28日，參加由香港珠海書院亞洲研究中心主辦「五十年來的香港、中國與亞洲學術研討會」，發表〈司馬遼太郎史觀對東北亞情勢影響之淺析〉。

4月　24日，獲聘政大歷史學系兼任教授。

6月　21日，獲聘文化大學史學系教授。

7月　11日，第一次與王作榮對談。（至11月23日結束，共舉行十次對談）。

10月　台灣史研究論述集《台灣近百年史的曲折路——「寧靜革命」的來龍去脈》出版（台北：南天書局），為三省堂出版的《台　という名のヤヌス》中文版。

12月　2～3日，參加於東吳大學外雙溪校區國際會議廳舉行的「百年來海峽兩岸民族主義的發展與反省」學術研討會，擔任第六場評論人，評王曉波論文「日據下台灣民族運動及其兩條路線——林獻堂與蔣渭水的比較研究」。

6日，與岡本厚（岩波《世界編輯長》）、谷口長世同訪陳水扁總統。

28日，赴唐湘龍主持的電台節目「下班一條龍」接受訪談。

2001年 71歲

1月 1日，發燒，到大直診所打點滴，情況改善，回家半夜又發燒。

2日，興寧返日未能送行。戴國煇反對到台大急診的建議，準備再去大直取藥。下午到台大急診，做緊急處置時已開始神志模糊。

3日，去台大門診（因與主治醫師王正一預約），結果情況惡化。轉入內科病房。

5日，進入加護病房，興宇、興寧自日本趕回。

9日，敗血症休克，與世長辭，時間下午5時30分。

2月 7日，《愛憎李登輝——戴國煇與王作榮對話錄》出版（台北：天下遠見出版公司）。

10日，於台北市第二殯儀館景仰廳舉行「向戴國煇告別」追思儀式。隨即將骨灰海葬至台灣海峽。

4月 13日，戴國煇長女戴興夏與陳封平先生結婚。

2002年

4月 5日，戴國煇七十冥誕紀念會在台大校友會舉行，楊國樞、張玉法、陳映真、孫大川、莫那能等人參加，會中同時舉行《戴國煇文集》12冊新書發表會。

本月，《台灣霧社蜂起事件——研究與資料》出版（台北縣：國史館），為東京：社會思想社出版的《台灣霧社蜂起事件》中文版。

5月　1日，《李登輝・その虛像と　像》（東京：草風館）出版，為《愛憎李登輝》的日文版。

2003年

12月　23日，正式與中央研究院簽約，梅苑書庫四萬三千餘種，約六萬冊件圖籍將入藏中研院人文圖書館。梅苑書庫藏書範圍除歷史類外，還包括文學、政治、社會、經濟、思想、哲學、心理學、精神分析學、戲劇、音樂等，其中傳記、台灣產業與台灣殖民地時代的調查史料與書籍尤占大宗。

蒐藏的珍貴圖籍，年代溯自明治時期，大多數為日文圖書，特別是戰前出版的少見台灣相關圖書，包括大量日本殖民地時期及台灣光復初期到1970年代之典籍，如日文舊籍、抄本、線裝書、寫真帖、圖錄、地圖、期刊雜誌、剪報等，此外，戰前有關中國政治、農業、社會經濟問題的書籍及調查報告等，數量特別龐大。

2004年

6月　中研院價購梅苑書庫四千多本標的物（珍貴圖書、史料）搬移至中研院傅斯年圖書館，以抵所撥經費出版《戴國煇全集》。林彩美女士全數捐出作為編製《全集》之用。

2005年

1月　林彩美女士委託遠流出版公司進行戴國煇全集編輯前置作業。

4月　15日，中央研究院於傅斯年圖書館舉行梅苑書庫入藏儀式。

2006年

2月　28日，戴國煇外孫陳曉羿出生。

2008年

10月　11日，「戴國煇文庫」正式搬遷到中研院人文社會科學聯合圖書館。

12月　6日，戴國煇次子戴興寧與蓋琪小姐結婚。

本月，正式委託財團法人台灣文學發展基金會編製《戴國煇全集》，預計出版28冊左右。

2010年

1月　「戴國煇文庫」正式開放、上線，供研究者利用。

2011年

4月　14日，《戴國煇全集》新書發表會暨戴國煇文物珍藏展開幕典禮，於國家圖書館文教區展覽室舉行；展覽至4月16日。

本月 ，《戴國煇全集》（共27冊，文訊雜誌社）出版。

《戴國煇著作選》（上下兩冊，日本みやび）出版

15～16日，財團法人台灣文學發展基金會策劃，文訊

雜誌社執行，國家圖書館合辦「戴國煇國際學術研討會」，於國家圖書館國際會議廳舉行。

日記

◎ 林彩美編譯

1961年

7月　1日，以總幹事身分邀李登輝在該會之農學部分會演講，講題為「台灣農業的發展現況與展望」。

1963年

3月　18日，參加徐慶鐘宴會於四川飯店。徐啣命來疏導留學生並延攬人才回台。

4月　8日，會柯王岳（味全董事長黃烈火經柯給戴獎學金）。

5月　11日，訪穗積五一於亞洲文化會館。

6月　4日，東大中國同學會迎新會於東大山上會議所3號室，會費250日圓。

13日，二兄手術。

7月　20日，丘念台歡迎會於東京大飯店（新宿）。丘啣命疏導台灣留學生。

10月　19日，以尾崎秀樹為中心的聚會，於東大山上會議所。

1965年

1月　31日，華僑會於亞洲文化會館。

4月　14日，與徐慶鐘會於學士會館。

23日，見穗積五一先生請教留學生問題。

7月　3日，《暖流》（東大中國同學會會誌）的編輯會議。

8月　3日，為購屋一事與林以德夫人商洽於東南商事。

9月　11日，訪問金氏於朝鮮問題研究會。

1966年

獲穗積五一老師的擔保，從富士銀行籌得購屋的分期貸款，購買川崎市生田的二層小木屋。

3月底搬離東京都練馬區旭町的租屋。

1967年

1月　4日，有生以來頭二次購進日記簿，將試一試能維持多久。

〔興〕舜、雪慧兄妹來住一晚，下午3時歸新橋。彩美給兄1,500，妹1,000壓歲錢。

到東京為雅萱買手提包二個，另梳子五個（計1,300×2＝2,600，180×5＝900）將於明日託齊藤兄帶去（另託帶救心5個，1,960×5＝9,800），5時回到家。

今天繼續整理三疊房之書，西山君處購來之鐘，不順另換一個。

彩美cyma修理，500元

大衣送去伊勢丹修補，8日可好。

太田勝洪、今村奈良臣二氏生女，自三越託送各500元之肥皂，另又給坂內送年始（同物）。
12日，榮大今年第一次上課。
領下薪水。
與裕郎約會於アルプス並代其改一下講演稿。
於木の內書店購《余之〔の〕台灣旅行》（吉田）50円，書內容寫明治末年台灣之甲狀腺病人，著者為東大教授。
另亦到勁草書店買藤井昇三之孫文の研究，960　並順便也代瀧川購一本。
5時到研究所，介鱗來電話說其夫人二月中要歸台省親。給介紹了抄寫工作。東南觀光巫君來電話說岩楯氏要我聯繫，9時11分赴其家已就牀，無人出來，アートコーヒ蛋糕自己吃也，裕郎請客在金門咖啡店（舊老金店）附近吃豬腳。
13日，再校正進行還順利。
3點老金來電報要我再去洪心園看毛慶藩夫人大原二三園長。大原女士還算正派，說話謹慎，不似毛其滑頭，浙江人是有其一類型的，尤其人國民黨治下出身者為甚也，沈油條亦然。
這個渦中不好進入也，辦學校無其可能，老金的一條心，朋友之誼不好不為其前赴也。
歸宅已12時，洗了澡就牀已1時半。
4點半赴登居支所領外人登錄濟證明書乙紙寄到溝口鈴

木事務所泉氏收（為三坪之地之登記也）。

14日，一朝開始給「見習」寫稿子，800字不易寫也，2點完成。山本兄雖說將給薄謝，不知如何。凡是見習協會的事，不好辭也。

3點出去給山本帶10個饅頭。西山處取錢4萬元，5時趕〔亞洲〕文化會館新年宴會，老調已成了興趣不讓濃，不過不得不奉一下陪，抽籤到滿我抽到了半打film，小宇也抽到一個，暫時可大照其像了。

託裕郎君在井上書店買的DORE、LAND REFORM IN JAPAN ，2,500。還算便宜。

在小田急 Dept〔department store〕給小宇買進毛衣乙件，880。

晚上9時半歸到宅，10時半就寢。

15日，天氣相當冷，上午繼續校正。晨9時初，春榮來一電報，要我幫一香港來人介紹翻譯，是日本政府找的，說是日薪4,000，奇怪他這台獨還與日人有此種關係，浪費時間。加上關係可能複雜，準備明晨去電話辭其所請。4時出去幫彩美買菜，小商人是不老實硬要多算。順手給岩楯家送モンブラン洋點心330円，意思要他別拆爛污，三坪之登記是得搞完，看他是肯幫忙的。林瑞池這個獻堂走狗太壞了，一個小資產階級，他好似百億富翁姿態，據說專看不起窮人，雅萱寄來彩美二件旗袍，還合身，登居這個小弟不很可造就，要錢的日期到了他會來信，這種小聰明人只能作一點小事罷了，希望念完了歸台，算我們義務完了，益快益好。

16日，上班，小林保人不易找也，老蕭來電話，說是念台老死於青山一丁目，這位悲劇之老翁死的可憐也，還算是厚道人，國民黨人少有也。

鄭英明特為我送來書（加賀屋借去的《偉大なる道》二本），送他一本《アジア経済》台灣特輯，此人不很老實，二重人格、小心翼翼，討厭也。宗森5時20分來所一起去萬福，代翠香買酒。

繼續再校正苦也，9時前歸宅，繼續校正，2點20分記完日記上牀，天氣激冷。

17日，好似來日以來最冷的乙天，水道都凍了，合同研究會，裕郎講「台糖的保證價格制度」，講得還不壞，講師禮是雙8000　。

再校正5時20分完，雖交了出去，還是有不安的，自己寫書才知道寫書出書之不易也。

索引禮拜六得交卷，只好再加幾天油了。

講談社的稿子只好遲幾天，後頭還有笹本委員會。

山本氏派富永氏送稿來看很客氣，太田君來電，約好明晨到國會圖書館看他去。

10時40分上牀。

18日，到國會圖書館看太田君並帶R.F一～七卷貸給藤村君，太田君說，世界的一班人馬曾提及我，這個不好惹也，多寫一些學術論文好些吧！

伊斯蘭寄來2,000　伊勢丹商品券，意思大概是幫他們介紹了客人的謝禮罷了。

再校交給東大出版會，禮拜六得交出索引稿，只好加油了。

給登居寄出15,000。

明天是榮大最後一堂課，上完了只好緊張兩天作索引稿。

11點20分上牀。

19日，最後一堂課，上完了赴圖書館辦畢業閱覽表。

文里書院買一下台灣有關書籍6,650円，宗文館買進台灣之教育與轉向980円。慶應，《戰後日本農業の發展》850，篠原書店《アジアの土地改革》450。

藤山返來1,000。

回來疲倦極了，洗了澡就上牀睡，12時。

20日，早上7點已醒過來，事情辦不妥精神不寧，睡不好也。

開始作索引之圈號，明天可得川村氏幫一點忙。

逸見副教授來電辭裕郎之報考，看樣子老曾再玩半年歸台算了。

小林文男返來1萬。

世傑來電話約下禮〔拜〕二見面並介紹其工作。

介鱗送來台銀季刊一部分。

圈號p150，曾君未來，就此上牀，11點20分。

21日，繼續作圈號工作，曾君雖來已12時，第二天一起上班，另找川村兄幫忙，下午再找介鱗兄來所幫忙，搞到10點50分離所止，疲倦極了。

22日，雖是禮拜天，照常到所，今天特請仁端來，與介鱗君一起搞，中午在萬福吃飯。

下午5時完，然再到新宿ボン吃點心散會。

晚上還修正一次，已是12時也。裕郎為了桌球比賽未來幫忙。

23日，今朝交出索引鬆了一口氣，出書之難，團結朋友辦事，效果之大為這乙次所修到的教訓。

24日，台研會最後乙次為川野重任之歸日報告，此仁兄已大改其看法。此人思想雖右，尚留有些俠氣。

2月 1日，一早到研究所，部長還在鬧政治病未上班。

下午部內研究會將開文化大革命之シンポジウム。

為避出面，中午到東大，中餐與老李赴朝鮮部落吃燒肉，看了狼狗準備後天來接回去。

2點在總合圖書館查閱《古今圖書集成．考工編》，並未查出《天工開物》造糖車圖，另查《欽定授時通考》，也無上圖，無意之中發現其兩書概有甘蔗圖也，以後可用之。

2日，一天在家寫講談社《世界地理百科》台灣篇。

太郎送至保健所（彩美），狗的皮膚病不易治也，掃了其宿地，並燒去其小屋子。

12點30分上牀。

3日，晨上所，年表已印出來非常滿意也，部長也高興。仁端君的文獻目錄也將付印，如何補償其勞力是問題，部長此人是無頭無腦也，有時做事非常輕易，怕上層〔的〕無權的可憐傀儡也。

下午赴東大醫院，李博士接回狼狗，取名為BOSS，看樣子過去受過訓練似的，但大狗，還得留心相觸〔處〕吧。

4日，7時起牀，領BOSS散步，BOSS算是聽話，大概受過訓練的。

介鱗來電話並到所來，贈一本年表給他，並談及8時。

東京ステーションビル買下紅墨水二瓶。

11時上牀。

5日，晨領BOSS散步，走到山上去繞一圈，山那邊還有田園。

上午整理三疊與報紙。

晚再與小宇領BOSS散步。

9時開始寫講談社稿。

12時上牀。

6日，7時起牀領BOSS上牀〔散步〕。

富士B.領出4萬貸給仁端。

給廖〔春〕榮書二本，一為山〔川〕均的《植民政府下的台灣》，一為《農業年報》。

此人〔係〕狂熱的獨立運動者，認為自己是絕對的正確者，說在其機關誌將批評我，讓他來吧，11時半上牀。

仁端以中壢酥糖相贈多包，分些給部長與瀧川氏。

講談社稿已寫好，明天交給川村氏也。

年表送濱、小島、《朝日》之吉田、外務省之田島、瀧川各乙冊。
農協中央會來中岡，借出台灣農會報。
7日，7時起床，BOSS已習慣了大小便都能在外面埔地排泄。
阿和會食於三丁目，送來《華僑年鑑》66年一冊。同惠贈《人生》創刊號。
晚上與瀧川兄會餐於長江飯店，花去2,800，不便宜也。
小鄭這個吝嗇鬼，只認錢不認朋友了。
11時10分上牀，繼續念羅論文。
8日，5點醒過來，出汗也，氣溫高至12度，只好下去換去衣服並繼續看羅論文。6時半再睡，晚了半小時7點半起牀，BOSS已放大便也。
介鱗守約送來譯稿，東電化工亦送來稿費。
玉軒亦送來譯稿，勁草書店田邊君來所要我寫仁井田陞先生紀念論文題為「台灣統治與法」。五月底交稿。
此將為我在日本學界占一席位之出發點也。
洗完澡，12時10分上牀。
9日，7時半起牀，但天在下雨無法帶BOSS去散步，只好拿入報紙在牀上閱之。上研究所，下午2時幼方氏來電，答謝我答應寫稿，禮貌周到。
仁端稿費事解決了，補其35天アルバイト也。
介鱗送書來與取款，此人能力強，只有一點小毛病愛吹，如何改其欠點補其長是問題。

託玉葉也帶一件毛衣與傘給彩美之媽。

另託瑞鳳小姐帶一件毛衣給大姊。

今晚三兄宴於吉田實君銀座大飯店，同席有小島、藤村（還其《中国文化大革命の論理と構造》）談得非常投機。此三人將為研究中國之中心也。比之德田、尾上是可憐，小林文夫有時愛虛，不老實也，川村可能天資差些，另加藤祐三將是人才。1點30分上牀。

10日，晨5時醒過來，只好看一下書，7時起牀。下雪，領BOSS小散步。

上研究所。今天開始準備「米援」論文，希望能於20日內寫完。

農林省遠藤氏來所共商其論文「農產品貿易」。此人亦不外是抱佛腳之類也。

劉進慶來所，給年表一份，他要我主持留學生之經濟研究會，本人已無此時間與心情也。

此人雖用功但卻不丟其小資產階級的地方主義，因而與台青亦有思想上的共鳴點也。

7時回到家，洗完澡10時上牀。

11日，6時起床，雪下得很大，今天休暇早到領BOSS散步，然給孩子們照像。中午彩美要我滑雪，後頭載著小宇滑了幾次，小宇高興也。但雪質不良，不好滑也。

彩美在趕翻譯，我自從精神狀態不好，書看不下。

陪著孩子看電視，糊塗又過了一天。

11時上牀。

羅論文看完。

15日，今天部內研究會有小倉武一氏的研究展望，故特請讓我旁聽，結果非常失望。年輕一輩好似論客臨場卻是一團傻瓜蛋，曾經與小島君談，將是「粉紅不專」，還得走其老路。

所中，山口君算是好些也，高橋彰雖不錯，但其感情與理智亦無分開也。

歸路與瀧川兄喝咖啡，大談年輕諸君眼見之短也。

天氣轉冷，融雪之故。

11時上牀。

16日，7點起牀散步如舊，晨赴富士B.，改寫手形〔分期付款手續〕，只剩55萬円，〔新宿〕西口支店之橋本調查役，調到本鄉支店，碰上面寒酸幾句。

完後赴慶應書房購入舊書共花9,000大円。再轉神保町東邦出版社，看樣子好轉，舉〔據〕藤山說下月可出「共和事件」準備大賺其錢，我希望他能成功。

11時20分歸到家，小寧有一點小毛病，正華來信訴苦，美國不是天堂也。

1時就寢。

17日，晨7點20分起牀，〔領〕BOSS散步，小寧有小毛病吐水，彩美帶去看阿部醫生。

12點起溝口北稅務所，報稅，能退回7萬之譜，額外收入，幫忙可不少也。

3點20分到研究所，介鱗、仁端已來，交代了他們的差使，另幫部長寫信多謝外務省法規課惠贈外地法制誌。

8點歸到家，彩美言，小寧已好多了，石傳請帖到，3月3日本鄉學士會館舉行婚禮。

11時半作剩書出售價單，明日給郭氏寄出。12時上牀，很冷。

22日，朝上宋越倫來電話，說是陳大使將於三月初請我一談，答允之，不知其倆人有何事來談。

晚6時赴王光逖兄宅，同道有王進昇、老金，金門高粱的確不錯，話談得亦不壞，此人學識尚可，人品還不壞，向其借出《希望》雜誌一本，準備ゼロックス（zerox）其所載張學良手記一節。並贈其《アジア経済》台灣特輯。12時歸到家，臨川書店的書已寄到。

23日，介鱗晨10點30分來取滑雪用具，吃了中飯後一同出去東京。

下午3～5點有飯塚浩二東大教授的講演，內容並不鮮，此人有貴族趣味（學習院出身），說話處處帶有輕視他人之氣慨，與仁井田教授差之萬里也，內容亦不富，高橋彰氏可能就是因其博士論文審查請他來的吧（一笑）。

王光逖兄的第九篇終於登出來了，《聯合報》來言可說是一個創舉，但在日本生活的人士來看，卻是平常之事也。必陽令弟必駿寄來信與茶葉，可惜未能碰上面就回台去了。

24日，今天天氣突然轉冷，並下有細雨，郭君來電話說是老金已改行期。歡送會又改期也。
波多野太郎橫濱市大教授來電話說是收到信謝我，明午約於新宿見面敘談。
張學良的《西安事變懺悔錄》摘要已電子照出來。文章雖短，亦有隱痛，但絕多部分卻吐露其真情也。
摘要，可惜也，應該有其全文，則將給中國現代史有個好資料也。
雪黛說已訂婚，恭其喜也。
25日，朝上在所裡寫「米援在各部門的運用」的大綱，駒木君又來相談赴台事，此人迷迷糊糊好似女人，約束又不守，談得真是不痛快。下午3時會波多野太郎教授，沒有想到他已經年〔紀〕已那麼大，借給他《學士會會報》與《龔德柏回憶錄》二本。然〔後〕到內山買了《燕山夜話》一、二集，與司馬璐的《瞿秋白傳》，然〔後〕會邵中權於キャンドル咖啡店，談到8時，此時才赴羽田接齊藤一夫歸日。10點半完事回到家已12點，洗澡後上牀已1時半也。秋鳳姊夫來信並寄來兩張老家的照片，倍懷鄉也。
26日，9時醒，但忘了TBS〔於〕9時的中國核試片節目，在牀上看《野馬傳》，40分下樓才憶起，痛恨忘記又來不及也，領小宇與BOSS散步。
中午振民突然帶其長男來訪，不及10分，老金、老郭、慶生嫂亦領孩子們來，共談及3時半至離開。
下的毛毛雨教人不舒服，晚始看《電力之話》，增加知識不少，明天再找出岩波新書，「電力」大概可開始寫論文了，望能於六日前趕完，繼讀寫土地改革也。

西山不守信用又是不來，混蛋一個。12時10分上牀。

27日，又是浪費乙天，早上與齊藤一夫辦移交，寫信與秋鳳及沈宗瀚，途中還來了個遠藤肇要資料。

齊藤帶回來雅萓2萬二個Ring，他自己還送我英雄牌鋼〔筆〕一支。

晚上宴請山田主任於地球飯店，此人的確不錯。

藤山返來1,000，如此下去得俟50年後才能算清也，慢來吧。

彩美眼睛腫，明晨希望他〔她〕能到醫生處看一下，在電車上開始看《瞿秋白傳》，司馬璐目的雖是借此反共，是否能有效卻是問題也。手琢開始動工，裝配晒台。

28日，朝上讓彩美去看醫生，中午幫濱君託島谷氏購買《西望寺與政局》，打九折。

郭榮桔氏連上了電話，他準備買下我的多餘之書。

交給濱君《蔣經國傳》，我認識的蔣介石、孫立人事件三本託他代為照上マイクロ。

晚上黃崑煌夫婦會餐於隨園，並返其10萬　。

西山返來35,000。

1點上牀。

3月　1日，已進入三月，米援的稿尚未動手心有不安，郭榮桔氏遲到1小時，11時半到所來，買去，勸他能設立

「台灣文庫」。

中午陪老金赴鄭家買真〔珍〕珠，雪黛要者。另給雪黛代買內裙三，送其小白提包一，到上野松阪屋碰上廉價出售（スチール）抽屜17,500，繼續到廣瀨無線購洗衣機，上乙次買的是恰恰用上五年，這個可不知能用多久，26,800，本月用款特多。

借給郭氏《台灣事情》S.14統計新書一冊。

4月　22日，神谷老師seminar於東京農大。每月一次例會。

9月　17日，二兄三周年忌於壽屋旅館。

23日，東大中國同學會於東大山上會議所。放手尋購台灣相關史料與書籍。

1968年

2月　8日，開會於京大人文研究所。

9日，赴枚方市訪天野元之助老師。

10日，給楊德和、陳舜臣二人電話。

26日，調查研究部笹本（部長）研究會請殷章甫（東大農經系畢業、前監察委員）做台灣經濟近況報告。

28日，笹本研究會請林先生報告。（為了本年編輯的《台灣經濟總合研究》（上、下））

1969年

8月　4日，被吊銷的護照獲重新發給（一年有效，彭孟緝大使獲知戴要與亞洲經濟研究所同仁去東南亞六國做研究調查，而懇請設席宴請東畑精一、穗積五一兩位日本的

「良心」與自由主義者，以及戴夫婦，並在席上保證戴平安無事出入台灣，戴能回台灣看看。戴因此把經由台灣放入預定行程。此為出國14年第一次返台）。

9月　22日，與彭孟緝大使會見。

10月　28日，華僑研究會。

11月　13日，台灣研究會。

16日，在台灣停留數日。

1970年

1月　4日，到新加坡等六國做研究調查旅行。

31日，去千葉西習志野看正在施工的書庫與住宅現場。

2月　8日，演講「台灣民間信仰的特徵」於成城大學。

3月　5日，去京大人文研究所。

6日，訪問神戶大學教授山口一郎。

24日，會陳育崧。林以文會長（華僑總會與地球飯店會長）宴請於地球飯店，晚上6點。

29日，自川崎市生田搬家到千葉縣船橋市西習志野。

5月　16日，東大中國同學會總會（一年一次）。

6月　16日，世界史之會。

11月　27日，竹內好老師慶祝會。

12月　16日，與神谷老師去紀伊國屋書店。

19日，亞洲文化會館（理事長穗積五一）忘年會。

1971年

吳濁流旅日（4月17日～5月22日）為商榷自著在日本出

版事宜與訪友，曾住敝舍。

與同好者頻開東寧會（多在星期六下午，後發展為台灣近現代史研究會）與華人研究會。常受邀演講並在雜誌、報紙寫文章。

2月 17日，演講於《東洋經濟》。

3月 10日，演講「馬來半島的華僑與當地社會」於長期信用銀行五樓。

11、13日，與社會思想社編輯田村研平為商洽自著《與日本人的對話》，及吳濁流著作在日本出版等而見面。

23日，江丙坤來亞洲經濟研究所。

29日，與黃烈火懇談。

4月 26日，引介吳濁流與田村研平見面。

28～30日，與竹內好、吳濁流、瀧川勉（亞洲經濟研究所同事）等數人遊湯河原溫泉。

5月 3日，吳濁流回東京與竹內好老師相會。

13日，宴請吳先生於知味飯店。

15日，東寧會。

20日，瀧川勉宴請吳濁流。

22日，吳濁流歸台。

6月 2日，河原功來所。

5日，東寧會。

10日，華人研究會。

7月 7日，若林正丈來所借去吳先生的〈波茨坦科長〉。

19日，《齊民要術》研究會。

8月　9日，《齊民要術》研究會。
10日，論文〈金關丈夫與台灣〉（未尋獲）期限到。
23日，《齊民要術》研究會。

9月　9日，東京駒込女子榮養大學授課開始（始於1965年4月，至1972年3月）。

10月　2日，晚上見蔣（彥士）博士於銀座第一飯店。

1972年

7月　5日，第一次見碩學比嘉春潮，訪問有關連溫卿事宜。（中村ふじゑ的引介），比嘉為連先生在日本的世界語及思想上的琉球人知音，此時借閱的有1954年9月24日連寫給他的私人信件，以及「旅行を了りたる人の日記」
（〈連溫卿日記—1930年の33日間—覚え書〉，《史苑》122號，1978年11月）。

8月　15～28日，歸台參加「海外學人建設研究會」。

10月　12日，河原功來所。

11月　26日，長女興夏誕生。（是日有某位世界級大老在東京演講，雖牽掛臨盆妻子，又不願錯過世紀良機以致遲遲歸）

1973年

持續主持東寧會（台灣近現代史研究會）、華人研究會等，平均每個月開會一次。（其主持研究會均自掏腰包只憑研究台灣與華人的熱誠，同好會員的去留不設約束，並無私地提供私藏的珍貴資料與書籍給同好使用，及介紹會員發表成果的場地，只求同好應有三點共識：1.不忘初心；2.不拘泥於「正統」；3.不涉政治）

2月　24日，第二次訪談比嘉春潮，有關連溫卿事宜。（比嘉將連先生給他的信的拷貝、託管的三稿件——「台湾における日本植民政策の展望」（1930年8月13日）的後記；光復後在台灣執筆的《土地收奪過程》的出版合約的「內容目次」，以及樣本的一部分〈六節　收奪的進化〉。等轉交戴保管，現有與另一剪報貼本〈蠹魚的日記〉典藏於中研院人文社會科學聯合圖書館戴國煇文庫中）

27日，演講「華人問題」於農業開發財團。

7月　23日～8月10日，擔任貿易中心主辦的地域研究第4期東亞（負責日本與台灣）講師。

26日，演講於三和銀行。

12月　2日，演講於青少年中心。

14日，演講於銀行俱樂部。

1974年

1月　24日，演講「近代日本與中國——以台灣為中心」於日中友好國民協議會青年講座。

2月　5日，演講於銀行俱樂部。

19日，參加座談會「東南亞報導的課題」於日本新聞協會。

20日，在日本農業開發財團講課。

21日、4月24日，NHK電視上場。

23日，演講「亞洲與日本」於亞洲經濟研究所第八會議室。

3月　1、8、15日，到□中心講課。

11日，赴大阪演講。

14日，演講「日本人的東南亞認識」於虎之門葵會館。

18日、4月11日、5月7日，與阪谷芳直相會。

4月　1日，獲聘立教大學文學部史學科非專職講師，教「近代中日關係史」。

18日，演講於亞洲經濟研究所。

5月　4日、5月16日、12月23日，演講於YMCA。

13日，吳濁流參加東寧會。

25日，演講「以在東南亞諸國華僑勞動者的教育與意識為中心」於「思考台灣農業之會」。

30日，演講於八王子都立青年之家。

6月　11日，演講於早稻田大學日中友好學生協會。

19日，部內研究會討論「萬隆體制與中國的華僑政策」。

26日，演講「馬來西亞的華僑」於國際開發中心。

7月　11日，演講於貿易中心。

19日、8月5、8日，藤井sizue來所借史料。

22日、12月9日，慶大學生武見敬三來接受論文指導。

23～27日，去大島中村家別墅家族旅行。

9月　24日，赴福岡演講「以日本、中國、亞洲——華僑的動向為中心」。

27日，演講「東南亞反日運動的底流」於豐島共同研究會（豐島區民中心）。

10月　1日，葉榮鐘參加東寧會。

3日，參加演講討論會於一橋大學。

6日，演講於早稻田大學和平學會。

16日，請講師來講「人民公社」。

19日，演講「華僑研究的若干問題——以東南亞為中心」於現代中國學會，在橫濱國立大學開會。

11月　8日，演講於慶應大學。

26日，演講於JETRO。

12月　6日，北海道新聞座談會「對霧社蜂起自由主義者與無政府主義者的發言」（未尋獲）。

26日，樹大招風，所內布告欄貼出虛構組織名的匿名——兔子，《日中交流消息》第1號的「大字報」，以莫須有的理由指控戴是國府・台灣派來策動「一中一台」、「二個中國」。戴因是外國籍且珍惜時間置之不理。大字報上同時被點名的矢吹晉奮而反攻，獲得50多人聯名支持，在所內遂未出現「大字報」第2號，但卻在所外刊物寫文章做不實指責，最後便不了了之。戴因壓力而患重聽。所謂兔子有二隻，濱勝彥、真田岩助即是，在此特指明之。）

1975年

（除了亞洲經濟研究所的本職外，兼任幾所大學講師以及文部省文明懇談會專門委員，又參加將近十個研究會，而後藤新平研究會也起步了。幾乎每個月都要交一、兩篇稿，還有《日中經濟協會會報》編輯會議，還要應付諸多演講的邀約。《日中經濟協會會報》的鈴木章雄私下詢問戴國煇什麼時候看書。的確戴手上隨時有書，日後有人證明他一有空檔會乘山手線看書）

1月　9日，12頻道（TV東京）。

20日，日本TV上場，談有關原皇軍士兵中村輝夫。

21日，演講「自原點台灣看日本與亞洲——從原皇軍兵士中村輝夫的生還談起」於代代木的亞洲大學。

2月　25日、5月22、27日、9月25日、10月17日，給慶大學生武見敬三君指導論文。

5月　2日，《北海道新聞》座談會。

17日，赴京都演講。

23日，於藤澤市立村岡公民館講課（10月30日講有關「第三世界」）。

27日，演講「自原點台灣看近代日本與台灣」於豐島區教育委員會青年教室。

6月　29日，接受有關「思考日本與亞洲應有的關係——讀了《日本之中的亞洲》」的提問，於外國人記者俱樂部大廳。

7月　17日，（國際）開發中心虎門葵會館講課。

24日，聽史華慈（Benjamin I. Schwartz, 1916～1999，中國近代史、漢學家）演講於帝國飯店。

9月　20日，文部省文明懇談會「亞洲與日本文化」的主題做了「從亞洲所看的日本」的報告。

10月　15日，演講於《中日新聞》。

16日，演講「東南亞的華僑、華人問題」於三菱研究所。

28日，於川崎市教育委員會中原成人學校講課（「近代日本與中國」；11月11日，「日本企業的東南亞進入與華僑問題」；11月18日，「日本之中的亞洲——自內部國際的嘗試」；12月15日，「自東南亞所看的日本——在反日感情底流裡的東西」）。

30日，於東大農經系講課。

11月　6、12日，盧修一來所洽借撰寫學位論文史料（有關台共史料）。

15日、12月6日，擔任「思考國際交流集會」的討論者於神奈川縣廳（縣政府）。

29日，天野元之助出版紀念會。

1976年

（為了孩子的教育，以及自4月起受聘為立教大學文學部史學科教授的方便赴校授課，3月30日，舉家搬至東京都杉並區宮前3-12-6。同時辭去亞洲經濟研究所調查研究部主任調查研究員之職。

開始每月一次在自宅開沙龍，廣邀日本社會有學養有見識之士——如日本醫師會長武見太郎、國際文化會館會長松本重治、日本農政會長小倉武一伉儷、名婦產科醫師謝國權、恩師神谷慶治、名建築家郭茂林，共享時論與佳餚。

東寧會改稱後藤新平研究會，並且改在每月某星期四下午6點於立教開研究會（1月8日、2月12日、3月11日、4月15日、5月13日、6月10日、8月12日、10月21日、11月17日）。參加殖民史研究會、華人研究會——月例會，對華僑研究已有心得，常做相關演講，積極參與客屬崇正會活動。）

2月　25日，NHK電視上場。

3月　12日，請高崎隆治到亞洲經濟研究所演講。

13日，文部省文明懇談會於Hotel New Otani。

24日，座談會於YWCA。

25日，座談會於《現代Vision》雜誌社。

30日，由船橋市西習志野搬家到東京都杉並區宮前3-12-6。

31日，從亞洲經濟研究所退職。

4月　1日，就任立教大學史學科教授。

5月　1日，在自宅開始每月一次某星期六辦沙龍。聆聽有識之士的談話與自由論戰，共享美酒與女主人親手做的料理。來者二十多位，都盡興而忘歸。

11月　21～23日，參加南島史學會於大阪。

1977年

1月 21日，與王光逖（司馬桑敦，《聯合報》特派員，曾經是東大研究生）相會。

22日，戴家沙龍。

26日，演講於發展協會。

2月 5日，（戴家沙龍）邀請大野力講談亞洲。

12日，（戴家沙龍）武見太郎來宅。

21日，《每日新聞》記者來校採訪。

26日，學生諸君來宅（及5月14日）。

3月 2日，（星期三於亞研）後藤新平研究會（4月13日戴報告）共8次。

5日，演講「我的日本體驗」於「生活之智慧社」。

10日，竹內好老師告別式於千日谷會堂。

11日～4月3日，約三星期的第一次美國之旅。遊洛杉磯、聖地牙哥、史丹佛、迪斯奈、賭城拉斯維加斯、舊金山、夏威夷等地。訪問了許多移民、留學美國的華人朋友、看美國社會與大學，諒必對華人研究有助益與心得。

6月 2日，立教大學史學科聯歡會。

4日，福士昌壽（NIRA，同為竹內好門生）來宅（及7月9日）。

10日，與永井道雄談心會於朝日新聞社。

12日，台灣年輕有為的一群人到西習志野。

14日，參加《婦人之友》舉辦TOFU（豆腐）座談會

（彩美同席）。

20日，演講於丸之內工業俱樂部。

7月　31日～8月8日，參加福岡UNESCO國際研討會。

8月　11～14日，立教大學討論課學生到西習志野家集訓。

9月　3日，謝國權來宅。

11月　1日，石川英夫來宅。

12日，三國一朗來宅（及12月3日）。

12月　9日，聽艾力克斯・哈雷的演講。

1978年

2月　6日，演講「有關日本人對外國的態度」於國際文化會館。

17日，《日中經濟協會會報》編輯會議（至12月14日，共12次）。

3月　16～18日，於大學Seminar House講課。

27～29日，於國際文化會館講課。

5月　21日，演講。

6月　21日，演講「東南亞的國家建設與華僑問題」於學習院研究會。

8月　17日，演講於國際交流基金會。

9月　2日，演講「華僑問題」於A. A（亞、非）研究會。

13日，赴國際文化會館。

27日～10月13日，與日本客屬崇正總會的鄉親一行，參加於美國三藩市召開的世界客屬第四次懇親大會（每二

年舉行一次）

11月　13日，《現代Vision》對談。

14日，演講於早稻田奉仕團。

12月　9日，擔任評論員於定居外國人研究會。

15～17日，在大學Seminar House講課。

1979年

3月　8日，開八王子Seminar的預備會於一谷私學會館。

19～21日，於八王子Seminar House講課。

4月　21日，湯恩比（Toynbee，1889～1975，英國歷史學家）之會，演講「中越紛爭與華僑問題」於東京會館。

6月　27日，於立教女學院講課。

7月　6日，參加第一屆國建會。

18日，安排康寧祥與《朝日》資深記者吉田實見面，於立教大學。

8月　18～24日，赴新加坡。

9月　17～21日，於八王子Seminar House講課。

25～28日，於朝日文化中心講課。

10月　2日，盧修一到立教研究室訪問，籌借博士論文資料。

13日，安排經由日本逃亡美國的許信良在東大山上會議所，向同鄉報告。

14日，安排同鄉們宴請許信良並替許募款。

11月　15日，演講有關「難民問題」於YMCA。

26日，演講「華僑的實像與虛像」於經團連。

12月　6日，演講於YMCA。

8日，本年最後一次沙龍兼忘年會，郭茂林先生光臨敝舍。

16～17日，參加國際研討會於福岡UNESCO。

18日～12月21日，鹿兒島大學集中講課。

25日，東大東洋文化研究所研究會（殖民地研究會）。

1980年

1月　18日開始，每月某個星期五、5點半為李約瑟研究會於NIRA（2月15日、3月21日、4月25日、5月30日、6月27日、7月18日、8月8日、9月26日、11月21日、12月5日）。

19日，演講於東大。

28日，演講於經團連。

2月　15日，山川出版編輯會議。

3月　14日，講「關於客家研究」於研文出版宴會（《華僑》出版慶祝會？）。

18日，演講「從我的經驗，談在日外國人的社區生活」於早稻田「在日韓國・朝鮮人要求國民年金之會」。

4月　9日，立教東洋史一行在戴家宴會。

21日，6點半台灣鄉土文學研究會討論王拓作品。

5月　11日，蔣彥士宴會於新宿東京大飯店（11桌）。

16日，日本NHK電視拍《新日本日記》收錄「華僑與日本社會」獲邀上電視，NHK第3頻道放映日期為5月20日與24日。

6月　7日，（戴家沙龍）西川潤來宅。

7月　1日，因《台灣霧社蜂起事件》編輯（與負責編輯的社會思想社田中先生常相會，本日之外，尚碰面於8月7日、11月13日、11月22日、12月12日）。

6日，國建會（及12月29日）。

9月　8日，電通演講。

10月　5日，世界客屬第五次懇親大會於東京都品川的太平洋旅館大廳開幕，世界各地與會者超過千人。

6日，該會移至大阪寶塚Grand Hotel舉行。《朝日新聞》在11日特別以大篇幅報導會後座談會全文內容，並介紹華僑與客家。

11月　25日，演講。

1981年

參與《日中經濟協會會報》編輯會議（每月一次）。東寧會每月例會（1月26日、2月23日、3月24日、6月26日、7月24日、8月28日、9月25日、10月23日、11月25日）。

《立教》編輯會議的參與。

李約瑟研究會每月例會（2月6日、3月13日、4月24日、5月7日、5月22日、9月16日）。

1月　15日，上日本電視。

17～20日、2月1～10日，鹿兒島大學集中講課。

3月　9～11日，研究所學生集中訓練。

19日，演講於韓國商工會議所。

4月　1～3日，大學部學生集訓。

6日，訪池田敏雄宅。

5月　26日，宋欽章（宋屋公學校同班同學）早上8點半來電話。

6月　3日、7月15日，與《台灣霧社蜂起事件》的編輯田中吃中飯於東江樓。

5日，下午與岡部先生相會於東江樓。

7月　5日，與阪谷芳直吃晚飯於東江樓。

9月　5～8日，學生集訓。

10月　6日，殖民地研究會於東大東洋文化研究所。

15日，於京王大廣場飯店（Keio Plaza Hotel）見吳伯雄。

19日，陳鼓應自美國來。

11月　2日，與劉彩品吃晚餐於池袋東江樓。

譯按：東江樓，世界客屬第五次懇親大會在日本舉辦後，客家華僑在池袋開的東京第一家客家菜館。近鄰立教大學。從此戴常在東江樓與來訪者吃飯。

1982年

1月　18日，與阪谷芳直相會。

3月　14日，舉辦研討課學生歡送會於戴家。

17日，拜訪費孝通於東京國際文化會館。

4月　22日，與阪谷芳直會餐於東江樓。

6月　18日，與阪谷芳直會餐於東江樓。

21日、7月27日，與阪谷芳直共同主持松本、岡崎、伊藤三老的回顧座談會於國際文化會館。

22日，與興寧的老師面談。

7月　24～26日，與研究班研討課的學生於千葉的家共炊集訓。

8月　1日，歡迎陳若曦於東江樓。

2日，安排康寧祥去NIRA演講。

6日，安排康寧祥與日本記者的懇談會。

12日，與岩波《世界》編輯岡本厚吃晚餐。

13日，上電視名主持人大橋巨泉晚上11點節目。

16日～9月5日，帶立教學生組團訪問菲律賓的山岳少數民族與之文化交流。

9月　6日，訪《中報》社長傅朝樞於東京帝國飯店。

10月　1日，與阪谷芳直吃晚餐於東江樓。

2日，蔣孝昌（大學同學）從夏威夷來日。

27日，於李約瑟座談會（於NIRA）當主持人。

11月　6、7日，與楊逵見面於東江樓，開歡迎宴會。

12月　20日，與《中報》社長吃早餐於帝國飯店；晚上東寧會忘年會。

1983年

1月　10日，惠泉女子短大講課。

29～31日，戴研究班研討課的學生集合於千葉的家集訓。

2月 12日，客家會忘年會（農曆）於東江樓。

25日，安排邱垂亮於日中經濟協會演講；戴送別會（3月底將赴美一年）。

3月 21日，林正子（林衡道先生的侄女）來西習志野，給其千葉家的鑰匙與三萬円管理書庫。

22日，與許介鱗見面於西習志野書庫。

23日，拿到飛機票，興寧（幫忙辦）入國管理局手續；晚上開再見派對；與許介鱗見面。

25日，向立教大學請一年長假，以訪問學者的身分訪美。搭中華002班機，自東京赴舊金山（國煇、彩美、興夏三人），興宇、興寧留東京上學。

4月 4日，興夏上美國小學。

22日，見張德銘於舊金山假日飯店。

28日，陳鼓應家請客，葉芸芸自DC來談創辦《台灣與世界》雜誌。

5月 13日，與張富美（前僑委會主委）於史丹佛大學初見面，葉芸芸從DC來與陳星瑩（陳逸松小女兒）在戴家用晚餐。陳鼓應也過來加入座談，談得很融洽。

14日，下午戴、葉芸芸、陳星瑩、陳鼓應夫婦去舊金山，江南設宴歡迎。

21日，郭德金老先生訪柏克萊的小租屋。因來訪者有一大批《台灣思潮》的同仁，車隊由洛杉磯開來，屋中擠滿大人、小孩。

23日，日本前東大教授丸山真男在UCB演講，晚上有晚會。

7月 17日，從芝加哥回到舊金山，於舊金山機場接興宇與他的日本人同學，他們三人準備租車到美國各地旅遊一個月。

9月 13日，陳星瑩驅車帶國煇、彩美、興夏自柏克萊出發去黃石公園。

10月 4日，戴去芝加哥。

5日，中午與陳映真、小蔡、林孝信聚餐。

6日，住五十嵐曉雄處（芝加哥）。晚與陳鼓應、林孝信長談。

11日，與非馬長談，自芝加哥回加州。

16日，《台灣與世界》派對於老鄧家，有趙夫婦、孫隆基、小王、陳星瑩、葉芸芸等。

17日，已由柏克萊搬到Albany寄房租給房東許大夫。

25日，單獨飛DC，陳文典（葉芸芸丈夫）接機，住陳家。

26日，開始整理座談會稿（應是與陳映真對談的「台灣人意識與台灣民族」）。

28日，夜宿李哲夫家。

11月 7日，在胡鑫麟老（故台大名眼科醫師）女兒家長談共度一日。

8日，燕京圖書館。

9日，上午燕京圖書館，下午與哈佛大學教授張光直會談。

10日，下午燕京圖書館，與傅高義（Ezra Vogel）會談。

11日，上午燕京圖書館，下午赴LA。

12日，參加廖運和兄女兒婚禮。

14日，參觀加州大學中文圖書館。

16日，晚宿好友馬必陽五姊馬必棟家。

20日，中午看電影《火燒圓明園》，晚宿侄婿陳慶隆家。

21日，回Albany家。

12月 1日，寄稿給王耀南（《中報》）；寄信給張光直。

2日，陳映真演講。

3日，陳映真來宅午宴。

5日，下午2點去UC柏克萊王教授研究室；3點演講。

13日，去LA。

14日，與劉宜良（江南）兄會於亞美圖書館。

19日，在LA訪問。

20日，《論壇報》請中飯，赴Rose Hill為王光遜掃墓；晚看電影《垂簾聽政》。

21日，《中報》社長傅朝樞請中飯；晚參加LA華人街獅子會與阮大方長談。

23日，早上金英（侄女）送到LA機場回SF。

1984年

1月　15日，林海音在UCB的教授俱樂部大廳演講，戴與她會面。

19日，聽楊振寧博士演講。

24日，寄稿給林孝信。

27日，給葉芸芸寄稿，每月一次。

29日，《台灣與世界》辦派對。

1日，飛LA。

2月　2日，晚上宴請市岡夫妻、馬必棟、蘇西於小東京，鄉姊鐘翠香女士與夫婿西山虎夫開的日本餐館；夜宿馬必棟家。

3日，晚市岡宴請我家於湖畔朝鮮菜館，老譚、蘇西陪；夜宿五姊馬必棟家。

4日，南下聖地牙哥。

5日，赴提瓦那。

6日，看了《海洋世界》，晚歸Albany。

11日，打電話給江南。

20日，寄房租，訂《美麗島》雜誌年費80美元，轉寄日本。

22日，林孝信來訪。

23日，與孝信、李遠哲共進午餐。

24日，與李宗一共進午餐，陳鼓應、易富國、伯淵相陪。

26日，去LA住老羅小馬家。

3月　6日，寄稿與信給高信疆。

7日，賣車3,500美元，寄許大夫房租638美元。

8日，赴紐約。

16日，飛LA。

17日，回SF。

18日，舊金山好友們歡送我們。

20日，立教大學教授富田虎男自日本來小住。

27日，從LA到夏威夷Honolulu，蔣孝昌來接，住蔣家。

31日，舉家回日本，由夏威夷Honolulu飛東京羽田，4月1日回到日本。一整年美國之長假圓滿結束。

4月　28日，立大熱海寮集訓（東寧會）。

5月　17日，給NY寄稿（《台灣與世界》）。

29日，晚走訪鄰近的中央通訊社資深記者李嘉。

6月　4日，寄《民主台灣》稿。

19日，王曉波到日本。

22日，晚上6點舉辦王曉波歡迎會於東江樓。

29日，季刊《三千里》對談。

7月　13日，寄稿給洪銘水、王耀南。

27日，蘇慶黎赴美經東京小住。

8月　9日，接受大使（李炯才）邀宴於新加坡大使館晚宴。

19日，張光直來日。

9月　19～22日，研究班集訓。

24日，與味全黃烈火董事長餐會於帝國飯店。

10月　3日，回請李炯才大使於東江樓。

9日，寄二二八事件相關稿給王曉波。

15日，江南被暗殺，陳星瑩電話相告。

11月 5日，寄第三、四次稿給王曉波。

7日，「日本事情講座」（以及11月14、21、28日，12月5日）。

27日，演講「日本の中のアジア」於惠泉女子短大。

12月 9日，若林正丈常到千葉西習志野書庫借書與資料。

12日，演講「香港問題と華僑の動向」於朝日文化中心。

21日，為若林正丈赴廈大（日本政府的派遣）深造送別會於東江樓。

24日，《季刊三千里》對談。

1985年

1月 17日，開始朝倉書店每月一次例會，為《圖說世界文化地理大百科中國》的出版（1988年6月）進行討論與準備。

18日，《日中經濟協會會報》編輯每月例會。

25日，東寧會每月例行研究會。

2月 5日，中午馬樹禮代表擬宴請，因被召回國接中央黨部代表而取消。

26日，東寧會。

3月 2日，立教大學棒球隊台灣遠征組團式，於立教大學校長室舉行。

7～13日，立教大學棒球隊由羽田機場搭華航班機，校長濱田（亦為棒球部長）與戴領團。返日。旋回台參加楊逵葬禮。

19日，中午亞東協會招宴立教大學棒球隊於海宮；下午6點朝倉書店編輯會議；夜會康寧祥於新宿王子飯店。

22日，安排康寧祥記者會。

26日，近現代史研究會。

4月　《台灣近現代史研究》創刊號出爐。

5月　25日，慶祝恩師神谷慶治教授80大壽。

6月　16～17日，全國客屬崇正會。

7月　2日，若林歸國，與其吃晚飯於東江樓。

30日～8月2日，帶留學生於富士山集訓開研討會。

8月　9日，參加新加坡大使的晚會。

31日，與沈君山會面於希爾頓飯店。

9月　4日，邱延亮夫婦來小住。

12～19日，赴香港買書。

20日，交給許介鱗10萬圓又$600。

30日，與張昭鼎相會於紀伊國屋書店。交給許介鱗5萬日圓。

10月　3日，與許介鱗會於紀伊國屋書店二樓，一起吃飯。

7日，三井銀行房屋貸款還完。

8日，與張富忠（黨外人士，倒扁紅衫軍幹部之一）會於東京站山平線前。

17日，寄稿給王耀南。

22日，寄稿〈兩個尺碼吳濁流論〉給台北《牛頓》雜誌高源清。

11月 9日，寄第五次稿給王曉波，與司馬（文武？）吃晚飯於東江樓。

10日，寄稿給司馬。

22日，寄曉波資料。

26日，講課「日本之中的亞洲」於清泉女子短期大學。

12月 16日，許介鱗到西習志野書庫。

22日，帶興宇赴台灣。

23日，乘自強號去花蓮，再往南台灣一週之旅。

29日，返台北。

30日，與《牛頓》雜誌社社長高源清共進早餐於飯店。

31日，上午拜訪馬樹禮祕書長。

1986年

1月 1日，會高惠宇與沈君山暢敘於福華飯店。

2日，張德銘（時任立委）餐敘。

3日，於吳伯雄家用早餐，搭吳的用車由總統府二號門入內見副總統李登輝，單獨與之長談。

7日，返日。

16日，與陳鼓應約會於東江樓；朝倉書店編輯月例會。

20日，與江春男（司馬文武）會於東江樓。

21日，《日中經濟協會會報》編輯月例會。

25日，受邀韓青（韓國青年商工會）座談會。

2月　17日，見高源清於池袋王子飯店。

25日，東寧會月例會本年度開始。

3月　18日，參加懇談會於一橋大社會學部會議室。

23日，立教大學謝師宴。

25日，立教畢業典禮；於東寧會報告。

4月　5日，立教大學入學典禮；第一次科長會，被推舉為文學部史學科科長（二年）。

11日，岡崎嘉平太先生派對於東京王子飯店。

12日，一橋大學講課（每週六）。

15日，寄稿給《日本文摘》（《牛頓》雜誌社高源清）。

28日，弘文堂三德先生來千葉家取序文（《更想知道的台灣》）。

5月　1日，安排《日本文摘》座談會於記者俱樂部（東京）。

16日，李嘉家（商量座談會）。

6月　12日，立大每週四有聯絡會與教授會、科長會。

13日，與松本健一（麗澤大學教授、評論家）會面談關於座談事。

16日，亞東協會新聞組鍾振宏（多年朋友）相會；洪小姐（《日本文摘》編輯）第五次見面；邱延亮抵日。

17日，弘文堂出書（《更想知道的台灣》）宴會。

21日，延亮赴美，開國建會（會前會）於東京大飯店。

7月　10日，綠蔭書房南里友樹借去《警察沿革誌》三冊（復刻用）。

11日，給江炳倫寄信與稿。

14～15日，福岡UNESCO開會。

9月　25日，做台灣警察沿革誌有關報告於台灣近現代史研究會。

28日，沈君山來，談一國兩制與台灣政界話題。

12月　7日，李哲夫來日。

10日，與高源清會於紀伊國屋書店。

1987年

1月　3日，會邱垂亮於新宿。

4日，林毓生自美來，借住杉並區的家。

8日，每月第一個禮拜四有聯絡會（全校）、科長會、教授會。

10日，朝日文化中心講課。

17日，朝日文化中心講課。

2月　8日，丁果來千葉書庫借書找資料。

16日，《日中經濟協會會報》編輯月例會。

18日，民進黨訪問團開派對。

3月　12日，給中山大學寄稿（台灣）。

4月　11日，一橋大開始（每星期六）。

14日，寄《鏡報》、《九十年代》、《廣角鏡》訂購費。

15日，學習院開始（每星期三）。

5月　25日，演講於經團連（講師謝禮很高，10萬日圓）。

6月　29日，陳映真演講於東寧會。

7月　4日，飛紐約。

8日，郭冠英請客，陸（鏗）兄陪。

11日，到華盛頓市。

12日，演講於李哲夫教授處。

15日，由紐約返成田。

21日，慶應大學舉辦國際中心懇親會。

8月　22日，早上9點自聯合報社上車往南園開會。

26日，到廣州街拜訪蔣彥士。

27日，見林洋港於司法院，上午10點；中午《中國時報》社長余紀忠招宴；下午4點由總統府二號門進入見李登輝。

28日，晚上與農林廳長余玉賢會餐。

29日，早上訪問台大大陸研究社；下午到《客家風雲》演講「日本往何處去？」。吳伯雄家晚宴，為之圈請28位學界、媒體、企業、出版、政界、醫學界各行菁英共享盛會。

31日，返東京。

9月　11日，成大教授林瑞明來室（在立大做研究學者），下午2點。

25日，馬紀壯代表宴請。

10月　26日，陸鏗從美國來，為之安排在《朝日》上報（吉田實訪談），與在日中經濟協會演講以籌措旅費，借住於戴家。

28日，送陸到李嘉家。

11月 21日，見許常惠。

29日，馬代表請客。

12月 2日，六大學國際中心相關人士來戴家開忘年會派對。

1988年

1月 7日，立教大學今年第一次聯絡會、科長會、國際中心委員會、教授會（每月第一個禮拜四）。

8日，立教開學。

23日，國際文化會館館長松本重治派對。

26日，沈君山來日。

29日，赴台。

30日，參加台灣史研究會於金華街政大公企中心綜合大樓202室。

1月 31日，台灣史研究會；見余玉賢於國賓飯店，早上7點半。

2月 1日，台灣史研究會；見林洋港於司法院。

4日，見李登輝於總統辦公室，上午10點半；晚上沈君山宴請。

5日，下午與康寧祥、張德銘一起見面；晚上《人間》宴請。

6日，上午9點訪問蔣彥士；下午演講。

7日，返東京。

18日，魏廷朝演講於日中經濟協會。

21日，新加坡大使館慶祝晚會。

4月　17日，客家大會。

24日，國建會於明治大學校友會館。

5月　28日～6月7日，赴台。

31日，余紀忠晚宴於來來飯店。

6月　1日，與余紀忠、王惕吾、余共同晚宴於來來隋園。

4日，中午邵玉銘招宴，味全（請吃）晚餐。

5日，中午與黃烈火見面於來來。

6日，吳伯雄部長家早餐；上午9點與許介鱗見面；下午參加在台大校友會館舉辦的《客家風雲》演講活動；與莊月清（記者）見面於來來，晚上10點。

7日，見蔣彥士，上午10點；返日。

26日，NHK到千葉家書庫借資料。

7月　16日，與魏廷朝見於池袋。

25日～8月5日，參加國建會。

27日，王曉波來室。

30日，參觀台視。

31日，早上林叔品（彭銘華侄女）來室。

8月　1日，晚柏楊來室。

2日，上午10點總統府二號門入內見李登輝。

4日，下午1點50分俞院長座談會；5點20分出發去總統府。

5日，早上與蔣彥士見於廣州街二號；中午與楊吃中飯於通天閣。

6日，下午3點味全來接；晚上10點仁愛路欣葉。

7日，去金門訪問一天；與許介鱗去KARAOK，晚上9點半。

8日，台北飛新加坡，李炯才大使招待。

12日，新加坡飛香港。

19日，香港經由台北返東京。

9月 28日，馬代表招宴於國際文化會館。

10月 5日，答應共同通信社寫書評。

20日，候（高）惠宇於池袋車站南口，同步至東江樓，五十嵐（曉夫）、內村（剛介）同席。

21～23日，由東京到廣島講演，再到大阪參觀神戶華僑博物館，回東京。

27日～11月3日，第一次到中國大陸，同行者立大校長濱田夫妻、國際中心祕書長赤木洋子，目的是到天津南開大學與之結姊妹校簽合約。

11月 10日，《東京新聞》記者來採訪有關與南開大學結姊妹校事宜。

16日，遠流出版公司王榮文董事來日本。

17日，安排王榮文參觀岩波書店、岩波書店倉庫、東販、日販、三省堂書店。

30日，與南開大學回訪的校長一行人員會餐。

12月 8日，教員研究會講課。

9日，與魏廷朝會於中央郵局（東京車站對面）。

1989年

1月　11日，學習院開始（每禮拜三）。

　　13日，一橋大學開始（每禮拜五）。

　　21日，赴台；夜沈君山來訪。

2月　6日，返日。

4月　4日，沈君山來日，會於希爾頓飯店。

5月　1日，與李香蘭會於Capital東急。

　　19日，余範英女士招宴。

　　25～26日，演講「台灣的近況與中台關係的未來」於福岡，返京夜宿千葉家寫稿。

　　27日，自千葉返京演講於國立教育會館。

7月　5日，寄稿件給遠流。

　　26日，興夏高二申請赴美當一年交換學生。

　　31日，與夏鑄九東京見面於中央郵局，下午6點。

8月　7日，開始寫松本重治有關稿子。

　　15日，由羽田出發飛台北。

　　16日，王榮文晚宴。

　　18日，余紀忠、王惕吾晚宴於時報大樓八樓。

　　19日，與《聯合報》高惠宇、王震邦會於來來，晚上10點半。

　　20日，下午3點到俞家拜訪俞大維老。

　　26日，晨與沈君山會於國賓大廳。

　　30日，與李遠哲會於華西街擔仔麵，晚上10點。

9月　3日，由台北飛華盛頓DC，給在美留學的興夏寄錢

（$1000＋1千、5千、1萬）與郵包。

9日，由華盛頓DC飛紐約。

15日，由紐約飛芝加哥。

17日，由芝加哥飛日本。

20日，由日本飛台北。

23日，丘如華早上來接。

24日，去味全牧場。

26日，返日。

27日，參加歡迎蔣緯國晚會於東京王子飯店。

10月 20日，寄林叔品《台灣總體相》。

11月 9日，下午3點半赴校長室商榷有關立教棒球隊再次遠征台灣之事宜。

17日，穗積五一夫人生日慶宴於金華飯店。

22日，飛台北（與台北棒球協會交涉立大棒球隊住宿事宜）。

25日，許介鱗來旅館大廳相會。

27日，訪東海大學（為交涉立教棒球隊訪台進行親善比賽事宜），王曉波來飯店。

28日，返日。

29日，亞東協會開會。

30日，東京六大學棒球賽，立教大學棒球隊獲得冠軍開慶祝優勝晚宴。

12月 1日，三省堂書店原稿（〈台灣——日本殖民地戰後的演變〉）3,200字。提報告五張。

11日，與陸鏗吃早餐於國際文化會館，早上8點半。

18日，開始寫三省堂書店所託原稿。

22日，飛台北。

24日，到鹿港看好友林曲園尊父林坤元大夫。

27日，訪東海大學。

29日，國關中心報到開會。

31日，《光華》雜誌陳淑美小姐來採訪於福華客室，中午12點。

1990年

1月 1日，好友吳祖澄來訪（農學院同學，台糖副總經理）。

2日，遠流出版公司董事長王榮文來訪。

5日，清大教授張昭鼎同行見尤清。

9日，返日。

19日，國建會（例年暑假於台北召開該會的事前準備工作）。

22日，王紀壯代表招宴於京王子飯店。

24日，濱田校長召見（立教棒球隊遠征台灣事宜）。

2月 1日，六大學國際中心開會於東大山上會議所。

23日，帶立教大學棒球隊到台灣做棒球友誼賽五天四夜，住台北棒球協會。

25日，晨許介鱗來訪；與侯孝賢、朱天文相會（商榷在日本即將放映《悲情城市》事宜），晚上6至8點。

26日，中午與馬英九餐聚；與侯孝賢重聚，晚上8點半。

27日，晨許介鱗來見；返日，濱田校長來機場迎接。

3月 2日，亞洲21世紀獎學財團餐會於日本出租車大廈。

13日，看《悲情城市》。

29日，研究所學生集訓於千葉家，魏廷朝也參加。

4月 1日，與張昭鼎見面吃中飯於新宿三越前。

5日，沈君山來日，於市谷Grand Hill（飯店）見面。

28日，飛台灣。

30日，立教大學校長濱田到台北。

5月 1日，與濱田先生拜會海工會、教育部、北市政府、台大，並致謝立教大棒球隊遠征台灣時的關照。

2日，與濱田先生赴台中拜會市政府、東海大學並致謝；夜宿日月潭。

4日，夜楊憲宏來福華飯店相會。

5日，早與許介鱗見面。

8日，返日。

10日，與郭茂林吃晚飯於京王Plaza南館34樓之3462室。

21日，與亞洲21世紀獎學財團事務長角田英一吃晚飯於新宿中村屋。

22日，參加六大學國際交流座談會於華僑大廈八樓。

6月 2日，聚會於經團連十樓ZEROX，談「亞洲與日本II——重新思索與近代化相關之諸問題」。

5日，去東京入國管理局與亞東關係協會辦理興夏留學美國所需文件與簽證。

10日，給研文出版社原稿。

11日，興夏從美國回來過暑假。（戴國煇）去台灣，同行者郭茂林與福士昌壽、簑原等，郭的組織計畫小組做環島旅行，以準備給李總統一個國土開發的建言，但李忙於政爭，似無暇分心。

15日，返日。

23日，乘國內線飛機去山形講課。

7月　4日，NHK宮崎來室訪問，去郭茂林建築事務所。

14日，開國建會於Capital東急飯店。

17日，與許介鱗會於新宿伊勢丹。

20日，NHK宮崎先生來研究室（為了「霧社」的錄影）。

29日～8月3日，羽田乘飛機去四國學院集中講課。

8月　5日，飛台北。

6日，李總統召見（郭茂林同時見）；與郭去味全。

9日，去香港開會。

17日，返日。

26日，興夏飛美，彩美同行，從德州轉到Maryland讀高三。

29日，到東芝（川崎）為其研修會講課。

9月　5日，郭茂林建築事務所晚宴。

17日，李哲夫來家小住。

21日，國建會（本鄉學士會館）。

26日，《廣辭苑》稿子完成（岩波辭典）。

29日，聽馬漢茂（德國人，為西德魯爾大學東亞研究科教授）演講於東大（用中國話），講題為「東西兩德對現代中國文學的接納」。

10月 1日，受邀參加Palace Hotel的熊平獎學會集會，熊平肇理事長餐會中特邀外山滋比古、奧田邦男、粕谷一希。

17日，與角田英一吃晚餐於新宿中村屋。

20日，中午與許信良相會於Sony大廈。

23日，與許信良吃晚飯於紀伊國屋書店。

26日，飛台北。

27日，楊憲宏來訪於福華飯店，晚上10點。

28日，找《中國時報》季季小姐請李霽野老寫「許（壽裳）、臺（靜農）、李（霽野）、沈仲九為何來台？」（不知結果如何？）；於耕莘文教院演講。

11月 1日，下午1點曾永賢來；6點楊憲宏來。

2日，中午高惠宇來。

3日，早餐於吳伯雄家；下午1點半與張昭鼎見面；3點與黃肇松喝咖啡於來來。

4日，張德銘10點來，接去中壢。

5日，返日。

26日，研文出版送新書來。

12月 4日，帶遠流出版社一行去參觀弘文堂，三德洋一關照。

6日，帶遠流一行參觀岩波書店。

8日，遠流一行到千葉家參觀書庫。

12日，與莊月清吃晚飯於Capital東急。

13日，山西大學來校做表敬訪問。

14日，在家宴請山西大學客人與中國大陸留學生。

19日，與角田英一吃晚飯於新宿中村屋。

21日，上午10點角田英一來室。

1991年

1月　8日，「日本農研」開新年會；軟禁半世紀以上的張學良90大壽慶生於圓山飯店，西安事件又勾起人間關心，NHK採訪張、放映的回響極大，「西安事件」為宴會熱門話題。

26日，在家開「萬會」新年會。

2月　10日，「國建會」宴會於東江樓。

3月　4日，侯孝賢與朱天文來到千葉家書庫找資料。

25日，訪曾永賢於旅館。

27日，乘華航飛台北。

28日，見李登輝。

29日，遠流出版社陳雨航來（談出書事宜？）；下午3點沈君山來。

30日，上午10點王榮文來，出發去新港；晚上6點半侯孝賢來飯店。

31日，中午徐宗懋來。

4月　1日，中午張昭鼎來飯店；下午5點20分的華航返日。

3日，晚上給在東京的曾永賢打電話。

10日，侯孝賢一行來千葉家的書庫。

13日，乘新航SQ012去洛杉磯。

15日，由洛杉磯飛華盛頓DC在陳文典、葉芸芸家，興夏（寄住陳家）、李哲夫夫婦等為戴慶祝61歲生日。

25日，彩美飛洛杉磯再轉機，27日到華盛頓DC。

5月　3日，夜宿紐約林雪黛、許達三好友家，住近處的王月慶（台中農學院同學）也來聚首。

4日，採訪林忠厚先生給郭正昭電話。

6日，採訪潘家牛先生。

7日，返華府採訪王啟蒙先生。

14日，與彩美飛倫敦。

15日，參觀大英博物館，巧遇遠流董事長王榮文，一起去拜訪戴瑞明代表。

19日，參觀劍橋。

20日，飛德國法蘭克福，住球友町田先生家。

21日，參觀附近的古城堡等名勝古蹟。

22日，赴Born，去日本留學過的越南華僑Hen來接。

23日，散步於萊茵河畔，赴Köln坐夜車去柏林。

24日，郭恆玉請客看「柏林之壁遺趾」。

27日，去看Munice新市廳舍、教會及中央車站。

28日，赴德國博物館。

30日，自Munice去Zürieh，在此過夜不滿意。

31日，去Luzern，在此過夜不錯。

6月　1日，去Basel，還好。

2日，去Strasburg一泊。

3日，離開德國去法國，住離巴黎很近的陳慶浩、譚惠珍Epinay的家。

4日，學坐電車去巴黎，看科學院與美術館。

5日，到南法Nice住一夜。

6日，去摩納哥巧遇國鐵罷工改乘公車，賭輸300法郎。

7日，早上去Cannes，在早市越南人賣萬金油與人參酒，因越南無商品，越南人表示回歸期未定，得看湊足旅費。乘TGY（鐵路）三分前趕到，坐頭等安然抵巴黎。

10日，返華府。

13日，到舊金山與金湘泉等老友們相聚，夜宿邵中權家。

14日，到洛杉磯住西山虎雄、鍾翠香夫婦家。

16日，返日。

24日，亞洲21世紀獎學俱樂部獎學金論文審查於工業俱樂部五樓。

25日，與唐（松章）君見於紀伊國屋書店，為其寫博士論文（有關印尼華僑問題）提意見（1.華僑問題與猶太人問題的比較；2.九三〇事件與印尼華人）與指點書與資料的蒐集。與弘文堂三德先生見於目白（為新書《更想知道的華僑》事宜）。

7月　1日，乘UA831飛香港（彩美同行）。

4日，飛北京。

5日，參觀故宮與景山公園。

6日，參觀天壇；下午4點半至5點半參觀釣魚台。

7日，參觀盧溝橋。

8日，遊長城，逛街購物。

13日，飛烏魯木齊市（民族委員會安排）。

14日，天池、米泉縣、阜康縣、蒙古包。

15日，早上聽韓斌主任簡報，下午參觀地氈廠。

16日，吐魯番盆地，訪葡萄溝、蘇公塔。

22日，飛越大沙漠（《西遊記》的火炎山在夕陽照映下，著實像燃燒著）到廣州。

24日，飛梅縣，參觀嘉應大學，改由陸路租車一路南下，到永定─南靖─船場、天寶─漳州─廈門。在永定訪吳家崇祠（吳伯雄祖父回去過）與李登輝家崇祠，參觀客家土樓（世界遺產）。

26日，到廈門。

27日，參觀華僑博物館。

28日，遊廈門與鼓浪嶼。

29日，訪廈門大學，陳碧笙老教授談吳石，戴建議他寫回憶錄「我與台灣」。寄回四大包書。

30日，飛上海，逛古書店。

31日，早上與僑連討論會；下午訪華東師大；晚看上海雜技團，技術高超。

8月　1日，寄立大六大包書，《文匯報》復刻本最值。

2日，飛北京，陳星瑩相會。

4日，玩頤和園感觸良多。

5日，與民委聯繫致謝。

9日，參觀首鋼、釣魚台，民族委員會接去看民族歌舞團。

11日，拜訪台聯；中午郭平坦兄招宴；晚民委宴請。

12日，葉紀東兄來接；晚上台盟晚宴。

13日，演講「東西德問題」於台灣研究所，由北京赴長春。

15日，看農村，下午於吉林青華書店收益不少，寄書二包；夜宿長白山賓館。

16日，赴吉林，看養鹿場。

17日，由長春赴瀋陽與陳水（建中同學蔡劍深）共餐；夜宿鳳凰賓館。

18日，由瀋陽赴天津，南開大學老樊來接；夜泊南開寧園。

19日，逛天津新華書店，南開校長毋國光宴請。

20日，見李霽野老於李宅談得甚好；返北京。

22日，張光直哥哥張光正來訪；寄書兩箱回東京。

23日，返日。

28日，飛台北，直接到政大教職員宿舍五樓，把行李卸下，在此將住半年。在政大史研所兼任教授，並將長年的宿願「二二八事件」寫一本書，彩美隨行。

9月　2日，返中壢，玉英姊謝世；晚上陳宏正兄招宴，有李怡、王杏慶、邱近思、王榮文、王震邦等同席。

19日，到政大歷史系，中午去參加亞洲論壇第三屆台北會議。

21日，開始上政大8點10分的課。

24日，上午9點由總統府側門進入見李登輝，王炯明來接。向李報告歐洲之行（統一德國之話題）、大陸之行（作物、農村之活力、他的老家永定的情形、北京會議「海峽兩岸學術研討會」的情形），二二八事件的話題與接班人事（建議不特意培養，不分省籍、有國際見識）；下午上課。

28日，杜繼平來宅。為《愛憎二二八》著書擬以口述方式請杜代為起稿事洽談；台視來電話要談「中日歷史恩怨──從經濟、民間、文化談」。

10月 8日，《中時》記者來訪。

12日，開始準備外交部的報告。

19日，報告「目前日本戰略思想問題」於外交部五樓505室。

30日，葉芸芸從美國來。

11月 3日，與蔣渭川女兒與女婿高欽福見面。

8日，與吳安家見面於國關中心（謀借二二八史料）。

14日，致電徐征（二二八受害外省人）夫人。

12月 8日，宋屋國校校慶，趕赴慶典。

20日，訪王作榮部長。

21日，聽李遠哲演講於國際會議中心。

29日，興宇、興寧自日本，興夏從美國回來相聚，請政大球友聚餐於圓滿飯店。

30日，全家與朋友和學生分乘兩部車一路南下，第一站岸內糖廠，由甘蔗收割到製成糖的全部流程一一參觀；下午遊尖山埤風景區，到新營糖廠招特所，適逢好友曾裕郎廠長的慶生會，同樂一晚。

31日，在糖廠技術服務處演講之後又南下；中午在台南杜康樓，南部的同學吳子謙兄等歡迎我們；夜泊高雄劉添貴家。

1992年

1月 1日，與陳良潮會合於高雄火車站，一路往墾丁，又繼續南下，遊墾丁國家公園；夜宿墾丁。

2日，墾丁出發一路北上，下午4點趕到味全埔心牧場。在此我們訂五桌，共60人，宴請彩美的同學與我的親戚們，夜宿牧場。

3日，興寧、興宇返日。

6日，興夏返美。

15日，錢復外交部長招宴於府上。

17日，華視採訪二二八於政大歷史所。

27日，早上9點半華視來政大歷史所採訪。

2月 6～8日，台東行。

19日，美國之音來訪。

21日，《聯合報》高惠宇小姐交稿，華視謝小姐交稿。

25日，好友廖運逢兒子結婚典禮於老爺飯店，下午4點。

3月 1日，在台中農學院參加系友會，夜宿鹿港林坤元伯家（採訪二二八有關事宜）。

9日，林衡道先生招宴於國賓，下午5點半。

10日，建中同學宴請陳暖玉老師（音樂）與夫婿汪先生於福華江南春。

14日，《時報》採訪。

16日，下午2點，《光華雜誌》採訪記者（張瓊方）來政大研究所採訪。

19日，外交部房金炎先生招宴於府上。

23日，上午10至12點國關中心；下午2至5點黨政研討會。

24日，黨政研討會，9至12點社會，下午2至5點經濟；晚上6點半《光華雜誌》招宴。

25日，上午11點曾永賢來史研所，一道去外交部；晚上丘如華招宴，王榮文也出席。

26日，演講「21世紀亞太地區的發展與台灣的遠景」，晚上6點半陳宏正兄招宴於季園，同席另有侯孝賢、沈君山、張昭鼎等。

28日，選題「近代中日關係研究」與日本學者討論事宜。9點半從總統府正門進去，李登輝召見40分鐘。

29日，李友邦學術研討會。

30日，與陸工會主任祕書楊明恆見面，就「近代中日關係研究」交換意見。

31日，許育銘上午8點來室，一起去黨史館。

4月 1日，與曾永賢見面於錦橋圖書公司。

2日，羅吉煊董事長招宴於北投彰化銀行招待所。

5日，一年假期屆滿，結束半年在政大的兼任教授職務，出發返東京。《愛憎二二八》準備就緒。

6日，到立教大學辦復職手續。

7日，彩美因故遲兩日返東京，寄給在美的興夏4,000美金。

8日，給葉芸芸寄5,000美金（明細：稿費1,000、興夏2,000，興夏寄養費2,000），興夏寄養陳家；與內川千裕（草風館出版社社長）、三德洋一小酌於水道橋。

17日，飛台北。

18日，上午8點去外交部；下午1點10分李將軍（友邦）紀念會於蘆洲。

21日，返日。

22日，宴請岩波書店米濱與楊威理於東江樓，為楊寫葉盛吉（台大醫師，共產黨嫌疑而犧牲）給搭線；寄給神谷恩師《愛憎二二八》與《華僑》，給蔡劍深寄《愛憎二二八》與《台灣總體相》。

5月 8日，飛台北。

9日，參加政大舉辦黃興（克強）學術研討會。

10日，晚上7點半與王榮文會於旅館大廳；10點半會尉天驄。

11日，早上與曾永賢喝咖啡於新公園，下午1點與張哲郎會於希爾頓大廳，晚上8點見李雲漢。

12日，中午12點見楊憲宏；下午5點20分返日。

13日，與角田英一吃晚飯於新宿中村屋。

20日，中午與岩波《世界》山崎見於目白，稿約400字×30頁。

30日，請小澤英輔醫師夫婦吃飯。

6月　3日，角田英一來研究室。

5日，黃昆輝宴會於新宿東京大飯店。

12日，為楊威理於某大學教職事宜與川村先生談妥。

20日，與蔡禎昌抵京大會館，參加「近代中日關係研究討論會」。

7月　5日，清大孫觀漢教授來日本就醫，關照並介紹好友小澤英輔醫師的醫院。

10日，返台。

12日，與吳克來相會於圓山大飯店。

13日，政大學生許育銘晚上10點來。

14日，外交部開會江丙坤加入，返日。

26日，與許介鱗會於紀伊國屋書店。

27日，飛北京投宿皇苑大飯店，參加「海峽兩岸學術研討會」。

28日，台研所宴請。

29～30日，早上講課「台灣形勢」於台研所。

31日，台聯會宴請。

8月　1日，演講「台灣結與中國結」。

3日，上午拜訪台盟；下午逛王府井。

5日，遊長城。

6日，彩美、興夏看京戲。

8日，早上於台研所第三次講課。

10日，去天津；夜宿南開大學。

12日，去濟南；夜泊山東大學留學生樓。

14日，去曲阜，在此過夜。

15日，登泰山。

16日，返天津，住南開大學。

24日，由北京飛日本成田機場。

27日，赴台。

28日，與曾永賢見面於正中書局。

29日，彰銀羅董請中飯，葉芸芸北上，許育銘、張良潮同席。

30日，中午藍博洲來一起吃午餐。

9月　2日，與杜繼平相會於國賓。

3日，張玉法請吃中飯於福華江南春；下午5點有車來接去總統府。

4日，返日。

5日，與NHK人士見於霞關大廈正門，上午11點；下午1點神谷老師慶祝米壽（88歲）。

7日，葉芸芸來。

22日，三井海上火災保險公司副社長小室俊一宴請。

29日，交流協會招宴，若林正丈同席姿態低，似對台獨有不信。

30日，唐松章來室。

10月 1日，《天下雜誌》採訪於研究室。

8日，雙十節宴會於東京王子飯店。

15日，《世界》稿到期。

18日，台灣專題討論會。

30日，廖一久介紹的學生曾俊富來室。

11月 20日，出發去洛杉磯。

25日，到舊金山。

30日，回東京。

12月 18日，飛台灣住福華。

21日，在台南。

22日，在高雄。

23日，做日本情勢報告於錢復外交部長家。

25日，吳克、沈君山來飯店。

28日，《中時》來攝影「日本近代化的世界史位置」。

29日，早上蘇志誠來電話，李忙而不能見；下午訪問朱昭陽先生。

1993年

1月 1日，自台返日。

19日，許遠東（故中央銀行總裁）來日，於帝國飯店見面。

21日，飛台（看選舉？）。

26日，早上許介鱗來飯店。

28日，返日。

3月 4日，寄給興夏15,000美金。

15日，與陸鏗兄見於帝國飯店。

23日，飛上海（彩美同行）。

28日，到蘇州購書兩包。

29日，夜到南京。

30日，看第一檔案館。

31日，寄書三包，看南京大屠殺紀念館與太平天國紀念館。

4月 1日，飛天津。

5日，去北京。

6日，早上8點台研所長姜殿銘來訪；中午全聚德；5點半去文化宮，民族委員會高處長招宴。

7日，返日，任立教大學大學院文學研究科史學專攻主任（二年）。

14日，創立一個新的嘗試（panel discussion）來打破因循守舊的教學方式，並方便學生。在立教大學「東洋史概說」一門課，試行公開教室方式，由上田、戴、森、設樂四教官輪流每禮拜上一次課，順序各講東亞、中國、東南亞、西亞的古代、中世、近代、現代。開始是四教官公開討論會「時代區分是什麼？」，每講完一個時代開一次公開討論會，最後討論「對亞洲史研究的展望」。

23日，給蘇志誠寄信（轉交總統），參加小島麗逸新書出版晚會，談「台灣地區現代化與21世紀的亞太地區兼談海峽兩岸關係之展望」。

28日，演講「中國古代史」於東洋史概說的公開教室。

29日，飛台灣，帶1,000萬日圓（約232萬台幣）回來（似已有意置產於台）。

5月　4日，金恆煒晚上6點來接，施明德招宴。

6日，晚上6點半張德銘、張哲郎來。

8日，隨王榮文去其好友的麗橋山莊暢懷玩一天，同樂者有山莊主人賢伉儷、王榮文與其家屬、葉芸芸，楊茂秀教授初次相見歡，夜宿山莊。

10日，總統府接去見李登輝。

11日，張昭鼎教授告別式；12點半公視採訪；下午2點半由朝代飯店出發，沈君山來相送，返日。

14日，與楊六生（楊茂秀胞弟，服務於東京辦事處）上校相會於紀伊國屋書店。

16日，與唐松章會於紀伊國屋書店，下午2點，唐兄為博士論文事頻與戴見面；與新加坡《聯合早報》記者卓南生會於新宿車站東口，晚上6點半。

18日，寄信與剪報給蘇志誠。

22日，答應亞洲21世紀獎學財團的主旨書寫好了。

27日，吳大猷先生寄快遞。

6月　1日，準備東洋史概說（司馬光與《資治通鑑》）；會楊威理。

3日，下午角田英一來室。

9日，城仲模宴請於三鷹。

15日，林金莖代表晚宴於本鄉學士會館。

16日，國際交流中心辦國際交流晚會。

21日，與周明相會於澀谷站忠犬銅像前。

30日，演講「中國中世史」（司馬光與《資治通鑑》）於東洋史概說的公開教室。

7月 2日，與楊六生會於紀伊國屋書店。

10日，下午2點穗積老師13年忌於駒込吉祥寺做佛事。

16日，飛北京。

21日，成都逛書店。

22日，中午到樂山住民族招待所；下午參觀郭沫若故居。

23日，遊峨眉山、萬年寺；晚返成都，住西藏飯店。

26日，到重慶，寄書六包；看《紅岩》之舞台的紅岩村。

27日，看大足石雕；夜泊大足。

29日，自重慶乘船；晚遊萬縣。

30日，三峽。

31日，岳陽樓，到武漢泊麗江飯店。

8月 1日，黃鶴樓。

3日，參加「兩岸經濟合作研討會」於寧波；晚上7點半至11點，與黃輝珍、耿榮水、卜大中、李明儒閒談政界的消息。

7日，夜宿紹興賓館。

11日，飛北京。

12～14日，於北京醫院做健檢。

16日，台研所講課「從兩德統一教訓看海峽兩岸關係的今後」。

20日，做「日本政情」報告。

21日，飛日。

25日，與楊六生吃晚飯於住友大廈52樓。

9月　5日，飛台灣。

6日，曾永賢來朝代飯店見面；晚上許介鱗來。

8日，唐松章請晚飯。

10日，做日本報告「日本政局的現狀與未來」於外交部。做「日本政局的現狀與今後」報告於錢復外長宅。

12日，到清華大學造訪張（昭鼎）太太，一同去掃墓。

13日，曾永賢來接，至總統府見李登輝。

14日，早上與曾永賢喝咖啡於新公園；下午2點華銀許（文苑）董事長；晚上9點會許介鱗。

15日，《中時》記者來採訪；晚上林洋港院長（司法）招宴；晚上楊憲宏來。

16日，吳伯雄家吃早餐；中午12點與王曉波吃中飯。

17日，上午10點《中時》記者來；返日。

10月　2日，赴台。

4日，與《中時》記者林照真吃中飯；下午返日。

12日，聽胡乃元演奏會於東京文化會館。

18日，與唐松章吃晚飯於茗荷谷。

29日，晚受邀岩波創店80年派對於帝國飯店。

11月 18日，飛台北。

19日，參加亞洲論壇會於凱悅報到。

22日，見李登輝；赴台中，夜宿中信日月潭飯店。

23日，返日。

12月 13日，台灣立法院外交委員會代表團訪日，僑委會在東京大飯店開派對，與謝聰敏長談。

31日，去伊東由加利莊家族旅行至（1994年）1月2日。

1994年

1月 12日，東洋史概說考試，結束一學年的公開教室，興夏返美，帶去9,500美金。

17日，與楊六生吃中飯於ANA Hotel。

21日，給遠流林淑慎小姐寄稿（《台灣結與中國結》）。

25日，與王榮文相會於青山一丁目President Hotel，下午5點。

28日，葉芸芸到日本住戴家。

2月 1日，葉芸芸去台北。

2日，赴三條苑見曾永賢與楊六生，一起吃晚餐。

4日，曹瑛煥來日，泊於池袋首都飯店。

8日，與楊六生見於池袋麥當勞，晚上7點。

24日，赴台，陳映真等人來。

25日，凱悅，上午8點王榮文來；9點半沈君山來訪。

26日，上午10點在彰銀總行；中午與楊憲宏一聚。

28日，返日。

3月　11日，給遠流寄校正稿。

25日，立教畢業典禮。

26日，赴台。

28日，訪遠流出版社。

29日，晚上8點楊憲宏來。

30日，林和星來。

31日，曾永賢來房間。

4月　1日，楊六生來圓山吃早餐。

3日，陳映真來，林叔品宴請。

5日，許介鱗來，一起去彰銀北投俱樂部。

6日，下午2點與楊憲宏去楊漢之兄家拜訪。

7日，早上曾永賢來飯店；下午林叔品來；返日。

9日，在家開派對，歡迎球友三井調回日本。

27日，NHK中塚來室。

5月　9日，與楊六生吃晚餐於紀伊國屋書店。

17日，與吉田實座談會。

26日，給蘇志誠去信（轉交總統）。

30日，NHK伊藤來室。

6月　2日，飛台，映真等人來共進晚餐。

4日，上午10點40分，去總統府；下午3點半，與許信良座談會。

6日，與楊六生、曾永賢、羅吉煊聚餐。

7日，與魏廷朝、謝聰敏、許介鱗、李阿青、許信良共進中餐，話題為5月15日成立的彭明敏文教基金會與總統直接選舉；返日。

10日，與角田英一吃晚飯於紀伊國屋書店。

11日，歡迎研討課學生派對於戴家。

24日，與楊六生吃晚飯於紀伊國屋書店。

25日，與徐宗懋吃晚飯於池袋第一客棧。

27日，下午1點《朝日新聞》三木一哉來室；晚上6點NHK伊藤來室。

30日，下午2點角田英一來室。

7月　26日，寄東洋文庫稿。

27日，與彩美乘中國國際航空飛機飛北京，住宣武區南菜園大觀園酒店。

8月　1日，興夏自美飛北京。

12日，去內蒙古，弔王昭君墓、騎馬。

13日，呼和浩特出發赴大同。

14日，大同出發赴北京，依興夏之願住進北京飯店。

16日，北大張寄謙教授在北大西門相迎；上午9點半史學系座談會；午餐在全聚德。

18日，晚乘車赴太原。

19日，早上抵太原與郭潤偉（立大留學生）電話聯絡；晚受山西留學立大學生款宴。

20日，去五台山；住五台山。

21日，由五台山出發，途中參觀閻錫山故居。

22日，「慕名悠遊杏花邨，柳青美酒飄然醇」，遊杏花村即興作，玩天寧寺。

23日，參觀喬家大院，受山西大歡送宴，晚上8點半出發去北京。

24日，到北京書城購書。

25日，興夏先回東京，擬趕回美國上課，和彩美赴天津住進津利華酒店。

26日，早上去見曾昌明老先生（台胞）；天津台聯會邀午宴；下午4點至晚上10點與曾長談，受請晚宴。

27日，早上再赴曾宅長談。

29日，返北京。

30日，晚與拓和提（立大留學生）家共餐於又來順。

31日，飛日本。

9月　1日，與楊六生吃晚飯於紀伊國屋書店。

2日，寄蘇信（轉總統）。

4日，黃昆輝招宴於都飯店。

9日，飛台灣。

10日，與曾永賢、彰銀羅董事長吃晚飯。

19日，返日。

22日，與楊六生約於紀伊國屋書店見面。

30日，與角田英一吃晚飯於紀伊國屋書店。

10月　3日，中午與楊憲宏見面於三越。

4日，與岩波電影的相關人士晚餐會。

6日，雙十節前夜祭於大倉飯店、平安之間。

14日，與南開大學來訪者午餐會於聖保羅會館。

17日，與《每日新聞》土田吃晚飯。

26日，查江南造船廠資料；《每日新聞》土田來訪。

31日，陪曾永賢鄉兄短遊鎌倉，作詩「楓樹未紅大佛寺，秋遊鎌倉情已至」。

11月 7～9日，遊仙台詠「萬樹斑紅天守閣，怪巖奇石秋意遲」，偕美遊秋保（溫泉）而作。

13日，寄興夏9,100美金。

14日，《讀賣》記者來室訪問；看嚴浩的《兒子的告發》於新宿電影院；與楊六生吃晚飯於紀伊國屋書店。

17日，與三省堂編輯伊藤雅昭見於西荻窪站。

21日，與《東京新聞》清水日見面；參加國民黨派對於Hotel Okura。

24日，《每日新聞》土田先生來室。

26～27日，堺市博物會；「楓樹斑斑龍興山，萬會歡聚雪陵庵」，又「楓樹斑斑南宗寺，枯山水遊憶利休；方丈威容清茗趣，萬朋歡聚酒興醉」，1994菊花之季與「萬會」遊，戲作於雪陵庵。

12月 5日，與三省堂伊藤先生吃晚飯。

13日，與《讀賣》記者會於聖保羅會館，下午3點。

22日，赴台；晚王榮文飯局，金鏞提2週李答應，江、鄧、蔣對談。

23日，正中書局會曾永賢吃中飯。

24日，與楊憲宏訪楊漢之。

25日，晚上6點半陳映真來接。

26日，早上與興盛（侄子）往新店看房子（預售屋）。

29日，上午9點半去總統府；10點40分到吳伯雄辦公室。

30日，下午3點去外交部。

31日，政大歷史系教授張哲郎來，一起吃晚飯。

1995年

1月　1日，上午7點吳伯雄來接赴楊漢之家；晚上吳祖澄（台糖副董事長）請吃飯於欣葉。

2日，中午念中來旅舍。

3日，赴高雄。

4日，與王傳釗見於高雄台糖試驗所，下午3點。

6日，中午台北《日本文摘》社長高清原與編輯楊小姐來旅舍。

7日，晚上6點李招宴至10點結束，龍顏大悅。

8日，上午9點半與楊漢之通電話談李李、李吳、李宋配；晚上9點半王杏慶來。

9日，上午7點半至8點40分與部長談；彩美中午離開台北返日；晚上10點許介鱗來。

10日，上午7至8點林之來；下午1點半返日。

17日，文學部好友高橋秀教授最終講義（退休前最後一次公開講課＝演講）。

18日，《每日》土田晚上6點來室。

24日，與三省堂伊藤會於三越，晚上6點。

25日，寄給張光直等《台灣總體相》、《台灣結與中國結》等書。

27日，寄早大教授安藤彥太郎前《愛憎二二八》、《台灣結與中國結》兩冊書。

29日，早上蘇志誠來電話說李登輝託購岩波文庫全套。並感謝1月7日的安排，《聯合報》的報導李說沒關係。

2月　2～3日，許育銘來見面。

4日，與楊六生吃晚飯於紀伊國屋書店。

10日，給《中時》寄稿，寄書給曾永賢。

15日，接歷史研究會的稿約，5月底2萬字，暫題為「以『台灣』解讀戰後50年」。400字×50頁，5月底截稿。歷史研究會《歷史研究》〈回顧戰後50年，探索「台灣人」的認同與生活方式〉。

18日，城仲模晚宴於學士會館。

19日，開始寫《讀賣》原稿，將登於《THIS IS讀賣》雜誌，1萬字，暫題「請糾正二元論的台灣認識」。

3月　10日，寄信給《讀賣》丸山；國建會。

15日，寄興夏1萬美金。李雲漢招宴於東京大飯店，晚上6點半。

16日，回請李雲漢於新宿朝鮮料理。文部省懇親會於目白Richmond Hotel，晚上6至8點。

19日，寄相片給國統會，給陳昭瑛信。

20日，給蘇志誠信（轉交李登輝）。

22日，與楊六生、安藤夜宿於伊香保溫泉。

26日，返台。

28日，沈君山來朝代飯店。與王曉波等聚宴於朝天鍋。晚上10點楊憲宏來。

30日，總統召見郭茂林父子。

31日，訪問楊漢之兄宅。

4月 6日，於第三屆研究委員第一次會議於總統府二樓會議室；與映真喝咖啡於金石堂。

7日，與李遠哲見於中央研究院；與施克敏見於中央通信社；與張玉法、李雲漢、蔣永敬、陳（？）三井飲茅台於福華江南春；晚上10點念中來。

8日，第十次全體會議於總統府三樓大禮堂。（曾永賢翻譯到早上2點才譯完）；老康（台獨沒有輒）；晚上10點許介鱗來。

9日，上午11點羅吉煊來接，與彭明敏一起吃午飯於國賓前，11點半；下午2點楊憲宏來；5點王榮文來；與陳昭瑛等吃晚飯，6點。

10日，返日。

19日，「吉野作造」稿約3,200字，四月中；與拓和提、《每日》土田吃晚飯。

25日，名古屋NHK來室。

5月 5日，與姜殿銘吃晚飯於紀伊國屋書店。

17日，會楊六生於紀伊國屋書店。

19日，中華文化復興委員會於都飯店舉行。

21日，寄興夏3,000美金。

23日，與錢歌川、小島吃中飯於Palace Hotel。

6月 1日，與《讀賣》丸山、姜殿銘（北京台研所所長）吃中飯。

5日，晚會角田英一於紀伊國屋書店。

6日，晚會唐松章於芝大門。

15日，飛台灣。

16日，見政大鄭校長；下午5點半林照真、吳克來；晚上10點許介鱗來。

17日，曾永賢來共進早餐。

18日，返日。

7月 5日，晚三德洋一、春山明哲來室。

6日，晚《每日》土田來室。

9日，晚去郭茂林家（託帶一部分《岩波文庫》）。

10日，寄李總統信。與三省堂伊藤先生見於紀伊國屋書店。

13日，與楊六生吃晚飯於紀伊國屋書店，晚上7點。

15日，返台參加國建會（於凱悅飯店）。

16日，報到；曾永賢兄來室。

17日，在凱悅正門等郭純佑（郭茂林之子）到總統府一同見李登輝。

19日，晨於國建會做報告；陳映真來；王榮文來。

20日，總統召見。

21日，政府新形象研討會；晚宴。

22日，閉幕式。

23日，飛香港。

25日，入深圳住車站旁香格里拉飯店。

27日，飛江西，夜宿南昌。

28日，由南昌到廬山。

29日，下午與唐樹備會談。

31日～8月1日，參觀。

8月　3日，景德鎮。

5日，由南昌飛北京。

14日，返日。

16日，與楊六生吃晚飯於紀伊國屋書店。

18日，成田飛高雄。

25日，文大教授蔣義斌來大門等，一同去訪問孫主任（文大史學系主任）。晚上7點陳昭瑛來。

26日，早上訪楊漢之；下午5點半去味全牧場訪黃烈火老董事長；弔大姊。

28日，訪文大，與王教務長、林校長、張董事長談1996年後專任事。

30日，與羅吉煊吃中飯；晚上8點半許介鱗來。

31日，吳克兄來；等吳伯雄祕書長於朝代飯店大廳；總統府二號門進入見李登輝一小時；曾永賢託信。

9月　2日，飛東京。

3日，與楊六生吃晚飯於紀伊國屋書店。

4日，飛北京。

6日，桂林。

10日，香港。

13日，成田。

10月 3日，西荻窪車站接林照真（《中時》記者），她來查「白團」，給她指點與意見。

4日，與唐松章見於紀伊國屋書店。

5日，NHK前田先生來採訪有關他參加的三個會議：1995年國建會、廬山海峽兩岸學術研討會、紀念抗戰勝利50周年（香港）。

14日，與矢吹晉在機場碰頭出發參加台灣大學教授許介鱗召開的專題討論會。

16日，總統召見與會學者專家並交談；房金炎次長招宴；上新店山上看房子設計。

17日，上午10點半林照真來；潘國史館長招中宴；台視派人來來來飯店大廳接。

18日，晨見楊漢之；中午黃肇松招宴；返日。

20日，看電影《脫出》於新宿文化中心。

21日，與楊六生吃晚飯於紀伊國屋書店。

25日，晚上6點半《每日》土田來室。

27日，給蘇志誠寄信（轉交總統）。與三省堂伊藤雅昭會於西荻窪站，晚上6點。

31日，返台。

11月　2日，郭茂林先生來接上山（新店）。與曾永賢共進午餐，曾的學生張榮豊（對戴有歧見，兩國論策畫者之一）陪。

3日，去看楊漢之兄；與許介鱗的哥哥許介圭吃晚飯；去看孫大川主持的雜誌社。

4日，晨曾永賢來旅館。

5日，訪魏廷朝選舉事務所捐1萬元。

6日，總統府二號門入，總統召見；與許介圭吃晚飯。

7日，謝金河請中飯於台菜館；返日。

16日，寄給《台灣與世界》（在美發行的雜誌）小文。

22日，《中國導報》記者來訪。

12月　7日，給興夏寄14,500美金。

10日，與楊六生吃晚飯於紀伊國屋書店。

25日，美國張健行飛北京途次來小住。

28日，下午3點台視來室。

29日，去千葉西習志野書庫取《警察沿革誌》與《金瓶梅》。

1996年

1月　20日，開始構想最終講義（退休前的最後一次公開講課＝講演）。

24日，最終講義。晚宴於立大第一學生食堂。

2月　21日，給文大孫主任寄表格（申請專任教授）。

3月　4日，中午12點於新宿中村屋三樓見長野女士（為戴的

新書《台灣という名のヤヌス》畫封面）與伊藤雅昭先生，並給伊藤最終原稿磁碟片。

17日，與小林弘二（《朝日》記者）先生一起飛台看選舉。

18日，參觀二二八紀念展。與小林等吃晚飯於朝天鍋，晚上7點。

20日，上午11點，見王榮文；下午2點半，與陳映真見於正中書局。

23日，投票。

24日，返日。

25日，畢業典禮（立大）。

26日，許育銘婚禮，又赴台。

27日，去政大系裡填表格（申請兼任教授）。

4月　2日，由總統府二號門進去見祕書長。下午4點，見丁懋時國安會祕書長。

3日，返日，開始年金生活，每月486,087日圓。

5日，與《每日》土田吃晚飯於新橋。

8日，飛北京。

13日，飛貴陽。

14日，遊黃果樹公園。

15日，遊紅楓湖苗寨、侗寨。

16日，飛海南島、海口。

17日，遊蘇東坡五公祠。

18日，赴三亞泊興隆溫泉，興隆農場為印尼、馬來西亞華僑經營的。

19日，由興隆回三亞夜泊三亞，夜聽春雷。

20日，訪天涯海角，訪鹿回頭，下雨。夜泊三亞。

21日，回海口，對海南島的印象，俗氣、過剩投資、外華內貧的典型。

道路、水、電氣（電信）都有，剩下的問題是勞動者的質、衛生環境、水的處理（大樓內）與管理問題。

22日，飛北京。

24日，由北京飛東京。

25日，吳克泰兄來東京，與其會晤。

26日，與角田英一會於紀伊國屋書店，下午4點。

27日，寄給李登輝信（為擬邀請諾貝爾文學獎的大江健三郎與岩波書店社長訪台事做報告。為李「諾貝爾和平獎」活動的一環）。

28日，赴台。

5月　1日，與《中時》念中吃中飯於靜園。與許介鱗吃晚飯於台大，晚上6點。

2日，與曾永賢吃中飯於靜園。

3日，至總統府（見李登輝），談70分鐘。

4日，見吳祕書長與丁懋時祕書長於總統府。給黃肇松電話，談妥以《時報》邀請大江與安江。

6日，《時報》林照真來旅館大廳要請戴為之寫序文（林照真著有關白團的書）。

7日，訪王作榮部長。

8日，飛返日本。

9日，新書《台灣という名のヤヌス》三省堂樣本出來。

10日，晨到岩波見安江。

11日，新書出版派對。

17日，日本各界友人為我們舉行歡送晚會於銀座東急飯店，與會者150名，溫馨情篤感人。

19日，返台。總統選舉。

20日，晴天，李（登輝）之勢，不知有止境。

21日，由昨夜下起雨來，李氏真可謂幸運兒也。

25日，由一號門進總統府。

28日，台菜（福華）與柏楊晚餐。

31日，總統府送聘書至敝舍。

6月 3日，與黃肇松喝咖啡於福華，下午2點。

4日，與黃肇松喝咖啡於來來，下午3點。

5日，名譽教授（立大）審議。與廖運逢吃中飯於正中。

6日，與王杏慶晚餐於菊之鄉。

7日，上班，一號門進內。

13日，映真來聚餐（為陳信德先生日文著作翻中文出版事洽談）。

15日，拜訪埔心牧場黃烈火仙。

16日，聽胡乃元演奏會。

17日，殷宗文局長來訪並送禮。

19日，晨拜訪楊漢之。中午去中央研究院。下午3點，會議於祕書長室。與羅吉煊吃晚飯於圓山飯店，晚上6點半。

23日，在家請遠流相關人士中餐。

29日，曾永賢透露一小時之內（消息）即傳遞過去（「可疑者」約有二十人），語出驚人，府內諜影幢幢，莫非是自己影子嚇自己？莫非已開始疑心暗鬼去菁存蕪了？

30日，中午文大蔣義斌、歷史系孫主任來宅小敘。

7月　5日，飛日處理雜事，為搬書回台做安排。

10日，名譽教授祝賀會於池袋首都飯店25樓。

11日，駐日代表招宴於都飯店。

15日，搬貨（書、家具、畫等）。

18日，返台。

23日，祕書長室開會。

26日，東大台灣農經會監察委員殷章甫辦歡迎會於來來福園。

8月　6日，貨物抵基隆港，胡象賢去辦通關。

8日，曾顧問會議。

10日，興夏回來台灣學中文（師大語言中心）。

13日，下午3點，大溪開會。

16日，岩波編輯林建朗來台。

20日，開會於曾顧問室。

24～25日，開始整理搬回的圖書。

9月　3日，曾顧問會議、專案小組第三次會議。

4日，赴國關中心拜訪邵玉銘主任。大陸組吳安家、詹志宏、廖光生。

11日，潘館長光臨敝舍。

17日，曾顧問會議。

19日，唐松章招宴於彭園。

24日，政大歷史系招宴於有名堂。

25日，政大上完課飛新加坡。

29日，返台。

10月　1日，於曾顧問室開會。

10日，國宴於台北賓館。

11日，建中同學蔡萬德招宴。

12日，去彭榮次（李登輝台日關係重要民間聯絡人）別墅訪問，此人由批金（美齡）到擁金與李右傾軌跡一致。

15日，會議於曾顧問室。

19日，中午與陳永善（映真）研談：1.新書翻中文事；2.序文；3.《世界》雜誌事；4.白色恐怖國際研究會之事。成大蔡教授來訪。

22日，楊漢之先生過世，到楊宅並送靈柩赴火化場。祕書長政情報告。晚角田英一抵台北。

23日，中午與角田英一會於北城飯店。下午角田來訪。

24日，飛東京。

25日，出席參加亞洲論壇會，於大阪舉行。

26日，與原東大教授佐伯懇談。

28日，中午與伊藤雅昭見於三越。

30日，見立教森弘之教授。

31日，與伊藤吃晚飯於西荻窪站。

11月 2日，與高橋秀（前立教大學教授）吃晚飯於濱田山。

5日，返台，準備黃教授演講稿（陽明大學）。

8日，還富邦60萬元，尚剩249,031元。

14日，會議於曾顧問室。

19日，會議於曾顧問室。

23日，參觀「50年枷鎖——日本帝國主義下的台灣照片展」，於力霸大樓七樓舉行，陳映真主辦。

27日，下午記者曾清嫣來。

28日，戴飛日。演講「展望21世紀華僑問題」於神戶華僑許淑真的華僑研究會。

30日，《史苑》（立大史學會出版）之約稿。

12月 2日，與莊銘耀代表吃早餐於大倉飯店五樓。

5日，返台。參加殷局長晚宴於晶華酒店20樓。

7日，參加鹿港林坤元伯告別式。

11日，文大會餐，孫大川來聚。

12日，交流協會部長隈丸優次來訪戴家。

16日，訪王院長（回復頗慢也）。

18日，去交流協會回訪。

21日，政大學生來宅。

23日，上午11點，探望林衡道先生，其住亞東醫院加護病房。

24日，國家戲劇院看京戲。

26日，當代日本綜合研究會第一次來宅開會。（宋明順、張捷昌、蔡禎昌、曹瑞泰、林蘭芳、李朝津、戴等人與會。）

27日，台灣東大農經會晚宴於東海酒樓。

28日，台南訪問顏世鴻大夫，夜宿台糖招待所。

1997年

1月 2日，莫那能、陳映真、王曉波等來宅，晚用餐於國際學舍。

5日，連文彬大夫與二公子昭志、曾永賢、張榮豐來宅，中午在敝舍用餐。

7日，寄書三冊給連昭志。晚上6點，看楊憲宏於全民電視。

8日，帶蘋果去探望張光直（生病已出院）。吳祖澄等諸友來，晚餐於國際學舍吃。

17日，王震邦來共中餐於正中。晚上遠流餐會。

28日，於遠流開會（當代日本綜合研究會）。

29日，資生堂李阿青董事長請中飯於大三元。

30日，與陳忠信吃中餐於正中。

2月 1日，倪摶九顧問、蔡鼎新董事長、劉瑞生先生在宅餐聚。因倪顧問介紹蔡先生為圖書室寫招牌。

6日，除夕，回中壢老家拜祖先。

11日，中午會吳克於正中，同赴牛排店。

16日，葉榮鐘夫人施纖纖女士生日，赴台中慶生。

17日，總統召見。

18日，宴請葉芸芸、葉兄夫婦、李俊義、徐夫婦於國際學舍。

19日，開日本綜合研究會於遠流，下午3點。每月例會一次。

20日，與葉芸芸晚聚於正中。

23日，系友會於台中。

25日，中午12點，會徐勝（韓國人）君於正中書局。

26日，左營參加拉法葉級巡洋艦編入儀式，總司令顧崇廉上將為建中同學，同時受邀的有李厚白、厚業兄弟、黃士嘉、唐松章等。

3月 1日，中午中興大學農經系同學會宴會於國際學舍。晚李厚業宴請。

3日，呈研究報告給總統。

4日，推薦蔡隆盛君（日本野村證券公司課長）給中央銀行總裁許遠東，許來電話願見蔡。與蔡隆盛吃中飯於正中。

7日，中央銀行許總裁召見蔡隆盛。

10日，孫大川兄來（推薦孫給李總統，李召見孫30分鐘）。

18日，去原住民委員會看孫大川兄。

19日，開日本綜合研究會，結束後於稻香村晚餐。

20日，下午2點，井尻秀憲來訪。

22日，孫大川來訪，於國際學舍吃晚飯。

26～28日，金安榮子與友人二女士來戴家小住。

28日，中央大學客家研究中心籌備事宜受校長劉兆漢、籌備處主任賴澤涵邀約晚宴於凱悅。

29日，小倉武一先生夫妻來台住圓山大飯店。訪合作金庫三樓李連春先生（糧食局長時代的老相識）。

30日，原台灣近現代史研究會員，中京大學教授檜山二人來家拜訪。

31日，晚陸委會副主委林中斌招宴於禪亦林。

4月　3日，託徐勝帶書給韓國朋友。

8日，許遠東總裁來電話，問蔡隆盛1.何時能回來；2.希望的職位與薪金；3.詳細的履歷表。與楊六生於靜園吃中飯。下午2點，曾永賢有事找。

9日，飛日。與內川千裕吃晚飯於新宿中村屋。

10日，與代表懇談於東京代表處。

12日，在家與興寧談他蓋房子的構想。

13日，立大濱田總長夫妻招宴於第一生命地下日本料理店。

15日，給漢城西江大學國際關係大學院教授曹瑛煥寄《台灣という名 のヤヌス》。赴亞洲文庫蒐集李登輝所要的文獻。駐日副代表馬乾意夫婦宴請於六本木。

16日，與矢吹晉、武見敬三聚餐於新大谷飯店16樓。

18日，中午莊代表招宴。晚小倉武一招宴於府上。

20日，返台。

21日，與柳本會於正中書局吃中飯。

23日，開日本綜合研究會於遠流。

28日，呈上手信，並送岩波文庫解題三冊給李總統。

29日，與許總裁見於中央銀行並送上蔡隆盛資料。

30日，文大來宅上課，夜宴於國際學舍。

5月　1日，歡送顧崇廉上將出國當大使晚宴於晶華飯店。給盧先生寄出黃帝陵祭文。

3日，孫大川餐會於國際學舍。陳大姊（楊漢之夫人）來訪。

4～5日，圓山飯店開會。

7日，開日本綜合研究會於遠流，下午3點，宋明順教授做報告。

10日，世新大學開會。翁松燃、沈君山、邱近思、張忠信來訪晚宴。

11日，彭榮次夫婦來吃中飯。

13日，助理由曹瑞泰換為戴振豐。

23日，中央銀行許總裁召見蔡隆盛。

31日，林中斌伉儷來訪。

6月　1日，戴小娟（侄女）嫁女。

8日，竹中同學李政光兒子婚禮於來來飯店。

14日，飛東京。

17日，亞洲21世紀獎學財團論文審查委員會。

18日，會岡本（《世界》總編輯）於岩波書店。

20日，返台。

24日，呈送日文報告給李登輝。世新招宴。

25日，呈送中文報告給李登輝。

26日，交流協會與隈丸優治會於希爾頓大廳。

28日，林中斌招宴。

30日，與蔡隆盛吃中飯於正中書局。

7月　1日，與孫大川吃中飯於希爾頓。

4日，去泰國（彩美同行）。

5日，許志偉代表夫妻招宴（夫人顏粹哖為彰女同班同學）。江丙坤、施□榮同席

6日，許代表來接去吃海鮮。

7日，換旅館。晚上7點，建中同學吳祖儀來接。

8日，吳祖儀接去打高爾夫。

9日，曼谷李園用早餐。已感到李登輝光環已失。

10日，許代表的黃祕書來送機，返台。

18日，與楊威理吃中飯，在正中書局會面。

23日，在家宴請後藤利一、隈丸優治、黃肇松、孫大川、羅吉煊諸先生。

27日，去清華探望張昭鼎兄家族、公子於校門口等候，張夫人出國不在。中午沈君山兄宴請我們夫婦與邱近思共四人於清華。

31日，去見劉泰英談李登輝紀念圖書館事宜。但李已無心於文化事業，談不出結果。

8月　1日，胡鑫麟先生與陳文典先生來宅。

10日，興宇到台北，直接接到淡水打高爾夫球。

12日，興宇的女朋友三笠小姐來。

14～15日，與彩美、興宇、三笠小姐遊花蓮。

16日，邱創壽先生宴請，邱、戴兩家聚餐於世貿大樓瑪瑙廳。

17日，興宇、三笠返日，卻因興宇入境時不知須辦役男該辦的手續而出不了關，費了一番周章。

18日，颱風。

19日，興宇平安返日。

27日，赴交流協會後藤利一家宴。

28日，興夏辦戶口（因出生日本在台灣沒有戶籍）。

9月 4日，《聯合報》王震邦兄來。李總統訪中南美共16天。

8日，下午與張健行夫婦會於正中，王津平等人來宅談話。

10日，與河原功會於南天。

23日，邱創壽夫婦招宴於邱家，另有柯建銘、顏慶章兩夫婦初見面。

24日，日本綜合研究會。

25日，給陸委會張、林（中斌）寄稿本（美日指南）。給柯建銘、顏慶章寄書。

10月 3日，葉家（二姊夫）告別式。

10日，赴國宴。

19日，國史館書評會於福華地下月桂廳。

20日，出發至福岡UNESCO開演講討論會，住福岡東映飯店。

23日，與杉浦氏晤談於議員會館。與莊代表敘餐於六本木瀨里奈。

24日，晚與林建朗敘餐於中村屋。

25日，晚與矢吹晉、星野、鈴木敘餐於新宿中村屋。

27日，與馬乾意副代表夫妻於六本木瀨里奈聚餐。

28日，代表處派車來接送至羽田機場，回台。

29日，開日本綜合研究會於遠流。

11月 3日，興寧來台。

6日，興寧返日。

7日，武見敬三君（在台留學）來，與胡鑫麟、葉芸芸於稻香村吃晚飯。

9日，中午歡迎葉芸芸於國際學舍。

13日，與郭茂林先生會晤於福華大廳。

14日，呈資料給今上。

15日，南下成大授課。吉田實（原《朝日》記者）訪台。

19日，開日本綜合研究會於遠流。

22日，成大授課。

25日，赴日。晚與西川潤敘餐於中村屋。

26日，開演講討論會於神奈川大學。

27日，中午與杉浦正健議員與莊銘耀代表會餐於山王飯店大廳。晚上與瀧川勉、矢吹晉、小島麗逸敘餐於老邊餃子館。

12月 2日，返台。

5日，完成國史館稿件。中午與謝金河會於福華大廳。

9日，曾永賢說，已上氣不接下氣（喻府內人事）。

12日，原住民委員會。

13日，上午9點，國安會。成大上課。晚與顏世鴻醫師與成大教授梁華璜敘餐。

20日，邱創壽兄嫁女兒，於晶華三樓舉行婚禮。

24日，下午3點，日本綜合研究會於遠流。

26日，與西川潤教授吃早餐，會於凱悅大廳。

27日，建中同學會。

1998年

1月 2日，團拜。摸到頭獎13,700元，好彩頭嗎？

3日，到國父紀念館。評呂實強論文（斷之為騙稿費）。

11日，長野ヒデ子母女來台住敝舍，戴文英（堂妹）嫁女在內政部為福樓舉辦婚禮，日本來客長野二女士也參加，體驗台灣婚禮習俗。

14日，參加遠流尾牙。

25日，胡鑫麟先生過世家祭。去新竹文化中心參觀民運先驅蔡式穀先生資料展覽會。

28日，飛日。

2月 4日，返台。

5日，南天書局魏德文社長晚上來宅。

9日，與林館長、魏社長商討研討會事宜於國立中央圖書館台灣分館。

12日，辦《民俗台灣》研討會於國立中央圖書館台灣分館。

18日，文大上課。日本綜合研究會於遠流。

22日，送別交流協會後藤利一氏於晶華21樓北窗廳，小丑彭榮次愈來愈醜，遠哲、崑巖見解可也。

25日，政大上課。

26日，後藤利一惜別宴。

27日，國安會。由台北出發去澳洲（彩美同行）。

28日，墨爾本。

3月　4日，雪梨。

6日，黃金海岸，宋欽章兄夫婦來接（宋兄招待）。

8日，新加坡。

9日，返台北。

15日，與葉紀東兄見於希爾頓大廳。

16日，到宜蘭林忠勝董事長辦的私立慧燈中學參觀。興夏學費3萬元。

17日，老闆突然來室（沒預告不敲門），問及訪澳事與研究近況，（吳）伯雄不准訪（大陸）由老人（？）直接溝通。

21日，政大企管所晚宴。

26日，送宋欽章夫人蔡富美書與稿（尊翁蔡式穀先生的

《蔡式穀行跡錄》代序稿）。並結清籌借款項。

31日，探望動手術的廖運逢兄（竹中前輩鄉兄）。

4月 4日，社會大學十年大慶於國際會議中心。

6日，赴日。

7日，阿部史子、美紗等立大同一班學生晚宴兼慶生（戴生日為4月15日）。

9日，與興宇、興寧、彩美聚餐於西荻窪家族為（戴國煇）慶生。

10日，與金安榮子吃中飯於池袋。晚與長野ヒデ子敘餐。

11日，返台。

12日，中壢老家重劃委員會開會。

25日，與周青面談於希爾頓。

26日，陳映真來宅，為陳信德著《現代日本語實用語法》（人間出版社）平林千鶴（陳夫人）女士序文事宜做推敲。

27日，錢復外交部長宴會。

28日，與曾永賢兄談：1.人民幣；2.國企改革與朱鎔基。

29日，日本綜合研究會於遠流。

30日，與張建國（日本華僑在台投資發生糾紛）會於來來大廳。

5月 7日，與陳映真會於東方書局，上午11點。

13日，文大謝師宴。

15日，客家音樂會於國家音樂廳。

17日，《聯合報》何振忠君來宅。

25日，國策顧問曾永賢對田弘茂、許介鱗二兄有評語。田弘茂（夏威夷）東西中心要求100萬美金，蕭、李遠哲好，不是研究皮條客。

27日，開日本綜合研究會於遠流。

6月　2日，謝金河、郭正亮、黃清龍、莊佩章諸兄來宅，家宴，談得頗歡。

4日，赴日。

5日，莊銘耀代表會見。附草風館社長內川千裕《證言台灣高砂義勇隊》（林えいだい著，草風館出版）書款70冊（2800日圓×0.7×70＝137,200日圓）。

8日，開評議會於21世紀獎學財團。

9日，返台。

10日，與許介圭吃中飯，會於希爾頓大廳。

11日，會最高法院林明德院長（建中同學），下午3點半。

12日，政大晚宴。

15日，帶興夏去見和泰汽車董事長蘇燕輝先生（商量碩士論文實習事宜）。

19日，赴日，蒐集當前工作所需的書，自民黨外交調查會《外交政策の指針》1997年3月版；《日米安保體制の今日的意義》1996年版；《日米安保共同宣言と今後の安全保障》1997年4月版；データハウス《台灣ロビ—》本澤二郎。

22日，會早坂義弘君（立大畢業生）於自民黨事務局。馬乾意副代表邀宴，於雅敘園細川日本料理。

23日，返台。

24日，晨與曾永賢談。下午4點，日本綜合研究會於遠流。何振忠君（《聯合報》）來電話（請戴談「21世紀初的東北亞與台灣」有關的話題？）。

26日，晨何振忠君來宅。上午10點半，開中華歐亞學會於聯勤信義俱樂部。

30日，送別林處長於國軍英雄館，兩林對話很玄妙。

7月 4日，準備演講稿：1.扶輪社；2.社會大學（「變與不變」）。

7日，與陳淑美吃晚飯，會於正中。

8日，演講於東門扶輪社。

9日，社會大學授課，反應尚可。

14日，農委會午宴於大三元二樓。

18日，長庚開球，錢復部長、邱創壽兄二對夫婦同遊，話題為張瑞猛（？）與鄭淑敏、蘇志誠二密使的事。

20日，孫大川來室。在孫辦公室討論。

21日，帶馬乾意（已退休回台）兄去見和泰汽車蘇董事長。

24日，訪廖運逢氏。

27日，體檢。黃士嘉兄畫展於第一銀行中山分行二樓。會餐於國賓後巷旁春日日本料理。

29日，日本綜合研究會於遠流。

30日，見林明德（最高法院）院長（建中同學）。

31日，中廣新聞部二樓錄音室。江戶麒麟與諏訪、門馬理良（以上交流協會）、楊渡、徐宗懋、孫揚明會餐於晶華飯店地下二樓。

8月 1日，送別邦仁（侄孫）赴美晚宴於國際學舍餐廳。

10日，給亞太司司長張金鉤先生電話。

11日，任燿廷君邀宴，還有陳仁端、遠藤兄（均為東大農經系同窗）等自日本來的遠客。

12日，辦手續於平鎮地政事務所。

13日，接受《中時》記者張慧英小姐訪問。

14日，國史館朱副館長來宅。飛澳洲（彩美同行）。駐墨爾本辦事處沈祕書來接。晚在華埠上海館用餐，可也（味道）。

16日，李連輝夫妻（澳洲移民）來飯店。興夏傳真送來《中時》8月15日稿。

18日，赴墨爾本辦事處訪問梁英斌處長與沈祕書，交談甚愉快。

19日，飛雪梨，沈祕書來送行。

20日，早上林肇基（澳洲移民）醫師與林小姐來接，去看他的房子，晚林醫師請客，又約數位移民共敘，以了解台灣移民的生活與感想。

21日，乘計程車赴機場，飛黃金海岸，適逢移民開同樂晚會，我們也去湊熱鬧。

23日，由布里斯本飛新加坡。

24日，返台。林明德（建中同學）院長宴請於來來二樓，顧崇廉將軍、簡又新、李厚白（建中同學）、唐松章等同席。話題：蕭萬長住院攝護腺全除手術叫人憂慮；馬參選是非主流復辟之一環，吳亦是，若馬吳當選宣告李之路線失敗。

26日，與宋欽章夫妻會餐於圓山飯店。

29日，晚在家宴請和泰汽車蘇經理及幾位同事，以感謝接納興夏畢業論文實習。

30日，檜山午宴於華華大飯店。

9月　2日，日本綜合研究會改在聯勤俱樂部。

3日，原住民委員會孫大川副主委召開會。

10日，下午與魏德文赴國立中央圖書館台灣分館。

11日，國史館（周琇環）小姐來宅送稿。

14日，日本中小企業調查團（團長杉岡碩夫）來台。

15日，杉岡碩夫晚宴於美麗華。

18日，與曾永賢顧問見面，上午11點20分。

22日，蘇起兄午宴於大三元。

23日，政大上課。文大上課。

24日，正中柳本通彥來吃中飯。

25日，日本ＰＨＰ研究所訪談李總統於大溪官邸，每天約錄三小時，7～8次可成書（《台灣の主張》，1999年6月17日。中文譯本改題《我的主張》，遠流出版，內容有更改，戴代為之看稿）。

28日，與南天魏德文兄同赴國立中央圖書館台灣分館。

29日，黃春明受獎酒會於圓山飯店。

30日，日本綜合研究會於遠流。

10月 2日，會餐於孫大川兄處。台大校友會館齊老百年冥誕。於客家文化界、學術界鄉親聯誼晚宴於敦化北路蓮園，黃旺秀董事長做東。

3日，成大上課。

4日，與邱創壽兄球聚於東方球場。

9日，與黃旺秀兄談於伯仲基金會。

12日，政大晚宴於上海鄉村。

15日，原住民委員會開籌備會（台灣高砂義勇隊歷史回顧、系列活動、研討會，1998年12月18～31日）。柳本通彥與會。

17日，歐亞學會稿約三千字。

19日，會曾永賢閒談、林（？）碧炤兼四所、戰略暨和平研究所，國關（中心）無用也（李登輝不能掌控）。

20日，借給曾永賢兄《政壇秘聞錄》，師東兵著。羊（楊六生？）來訪閒聊簡（又新）代丁（懋時）、李可能再選、房（金炎）接莊（銘耀）推測。

21日，出發飛福岡開會（UNESCO）。

22日，與林榮代（《證言台灣高砂義勇隊》著者，日本草風館出版）、森川（林榮代祕書）先生用餐。

23日，休息喝咖啡，《朝日》記者三木一哉君來訪。

24日，飛東京。與吉田實吃中飯，會面於新橋第一飯店，請吉田確認李香蘭能否來台參加「高砂義勇隊歷史回顧研討會」。

25日，去看興宇預定蓋房子的土地，晚上一起用餐。

26日，與彩美會於新宿伊勢丹看電影。

27日，訪莊代表。返台。

28日，開日本綜合研究會於遠流。

30日，張慧英小姐（《中時》）來採訪，一號門進入。

31日，成大上課。

11月 2日，與魏老闆（南天書局）會於正中書局討論國立中央圖書館台灣分館將展出的台灣高砂義勇隊歷史資料回顧展布置事宜。

6日，飛關西（日本）。

9日，赴東京。

14日，會高橋秀（立教退休教授、好友）於吉祥寺吃中飯。

15日，與矢吹晉、鈴木、星野三兄會餐於新宿中村屋四樓。

16日，出發返台。

17日，高橋秀氏來台，與其會於老爺飯店。

20日，開會於孫大川處，高橋秀返日。

21日，成大上課（當日飛機往返）。

26日，晨參加「東亞區域安全與發展論壇研討會」於信義俱樂部。下午與原委會主委華先生談。

28日，胡象賢來接，赴國父紀念館演講「日本的社會教育與一般市民生活」，巧遇台塑董事長王永慶。吳坤燦兄、徐小姐（台大法律系）等人，禮金4,000元。

12月 1日，拿資料於孫大川處。魏德文來宅。

2日，日本綜合研究會於遠流。

6日，成大上課。

7日，彭作奎主委（農委會）晚宴。與葉芸芸會於六和客棧，晚上8點半。

11日，開會於丁懋時祕書長室。

15日，赴國安局簡報。

16日，與丘校長（丘念台先生千金）會晤於永和市竹林路竹林小學。

17日，看展覽會準備的情形於國立中央圖書館台灣分館。《讀賣新聞》支局開局宴會於晶華三樓宴會廳，編輯局長老川祥一、支局長河田卓司與會。

18日，與謝（金河？）大法官聚餐於國賓12樓，小島麗逸到台。

19日，伯仲文教基金會、原住民委員會座談會。

21日，上午9點，舉辦台灣高砂義勇隊歷史回顧研討會。會後小島麗逸返日。林榮代、森川女士、內川千裕都來與會。

26日，會林和星（旅日華僑），晚上6點。與林一（音樂家林二胞兄、日本昭和醫大教授）會於麗晶大廳。

29日，見葉日和總經理與呂代書於伯仲基金會。

30日，當代日本綜合研究會於信義俱樂部，該會自此由遠流出版社移至此，繼續每月的例會。

31日，中午與陳淑美會於正中書局。

1999年

1月　3日，去台南，夜泊劍橋飯店（成大講課？）。

11日，中午，正中林照真來。

12日，新豐開球與謝森展、（謝）森中球聚。晚上7點，南天魏德文來宅。

14日，與陳映真敘餐於民謠餐廳。

15日，林明德院長來電話。范德助公子婚禮於來來地下二樓。

18日，中午與曾永賢吃中飯於大三元。

20日，下午3點日本記者丸山、北原、辻田來訪。下午4點，（日本）綜合研究會。

25日，拿淑美書於光華三樓。

28日，志揚（吳伯雄長子）開派對於來來金鳳廳地下二樓，上午10點。新聞局長程建人宴會於晶華20樓，晚上6點半。

29日，送丁（懋時）茶會，下午3點半。丁宴請於世貿34樓，晚上6點半。

31日，飛日。

2月　1日，訪莊銘耀代表。與興宇去司法書士事務所。

4日，與會計士久米英雄晚餐。

6日，返台。

8日，伯仲基金會（吳伯雄基金會）董事會。

9日，與曾永賢顧問談（府內風雲）。

11日，與隈丸優次（交流協會）球聚於林口球場。與杉崗碩夫吃晚飯，會於華泰飯店。

15日，返中壢老屋祭祖，並第一次宣示老屋解決方案。

18日，與鍾振宏（原駐以大使）、邱創壽、范德助球聚於長庚球場。

20日，與隈丸、朱昭勳律師球聚於東華。

22日，與林京能、黃旺秀夫婦、簡又新、一位宜蘭富商吃中飯於大三元。

24日，上午11點至11點半，某人言於英倫亂發稿（何及東元）讓李登輝不高興。

25日，上午10點，國安會議。

26日，與曾永賢、蔡隆盛吃中飯。晚上8點，南天魏老闆來宅。

27日，與鍾振宏、余玉堂（原警政署副署長）球聚於山溪地球場。

3月 1日，下午「中西□演講會」於台大總圖書館地下一樓。

3日，政大上課。

5日，受邀邱創壽家宴。

7日，與國科會副主委蔡清彥打球。

10日，中午與BBC記者郭冠英（新聞局）談西化與台灣於桃山（日本料理）。

12日，與《新新聞》林文政等敘餐於極品軒。客家晚會。

14日，中午陳國彥夫妻（原師大教授）家宴，宋明順（原師大教授）夫妻也列席。

15日，中午與曾永賢、胡俊秀、林希鵬聚餐於日本料理寶船。

16日，開當代日本綜合研究會於信義俱樂部。

23日，赴日。參加國際研討會；給興宇電話。

26日，晨訪莊代表。與社會思想社交涉《台湾霧社蜂起事件——研究と資料》譯成中文在台出版事宜，得到同意。與岩波林建朗吃飯於中村屋，晚上6點半。

27日，大媳婦娘家三笠家家宴於橫濱。

28日，返台。

4月 2日，找徐立德談李之事。

4日，會佐佐淳行（原日本內閣保險室長）於西華三樓元廳。

5日，會楊憲宏於凱悅，下午3點。晚上7點，耕莘文教院楊逵紀念會。

6日，晨國安會議。晚交流協會山下所長家宴兼隈丸送別會。

8日，赴日。夜宿西習志野。

9日，與社會思想社浦田編輯部長洽談於東京火車站飯店二樓咖啡廳，（戴國煇）編著《台湾霧社蜂起事件——研究と資料》的中文翻譯出版，取得同意。

10日，大兒子興宇與三笠小百合舉行婚禮於東京。

12日，返台。

14日，開日本綜合研究會。開始準備成大、逢甲大學之演講稿件。

19、26日，與沈君山會於福華晚餐。

21日，與宋欽章、宋霖岳（同為宋屋國小同班同學）聚餐於希爾頓大廳。

24日，興宇、小百合出發度蜜月旅行於義大利共16天。

26日，晚田中（在中野學校〔二次大戰時日陸軍訓練特殊間諜的訓練營〕學習過）之子來電話。

28日，借胡俊秀張秀哲著書於寶船。

30日，中午與吳伯雄深談；晚上7點，交流學會山下所長家宴，夫妻同伴，有黃世慶（心臟科）大夫夫妻、曾永賢、鍾振宏夫妻同席。

5月 1日，與王曉波閒談時事，斯時連宋配甚囂塵上。談吳伯雄是否支持。

5日，寄稿子給穗積一成（穗積五一〔戴保證人〕之子）。

11日，曾永賢來說，李登輝難於下手，告要重編（曾永賢應是掌握內幕或間接傳達戴不受續聘，其實戴早就感到宮中非棲身之處，萌生去意已久，只不知何時開口，躊躇之間先被將一軍，悔不當時遺恨千年）。

12日，日本綜合研究會於聯勤信義俱樂部。

15日，演講「台灣現代史的幾個問題」於成大，夜泊成大。

16日，涂永清教授來接，向台中出發，去逢甲大學參加「丘逢甲、丘念台父子及其時代學術研討會」當第七場評論人。專題演講「我所認識的丘念台先生」。

17日，與文大王吉林所長會於台大校友會館一樓。住進台大醫院。已被通知不續聘為國安會諮詢委員。

18日，體檢出院，胡象賢（三年來的司機，多蒙照顧，感謝！）來接。

19日，李登輝預定召見，卻改期。殷宗文、曾永賢於桃山歡送。劉處長陪著辭行。交返錢（付到月底的薪水又追收回去）、鑰匙及別針，步出府外，無官一身輕，兩袖清風。

21日，與蔡隆盛吃中飯於晶華20樓。與陳映真於歌唱餐廳，下午5點。晚上南天社長來宅。

25日，寫稿〈從奈伊博士的戰略思考考察東北亞三大火藥庫之未來〉。

26日，政大、文大上課。

28日，范姜群生招宴於大三元。

31日，與林和星餐敘。下午4點半吳伯雄來電話，問今後之去處，曾有無交代？似乎試探有無殃及池魚。

6月　2日，政大最後一堂課。下午2點50分，一號門進去，李登輝取消召見。晚與唐德剛等聚餐於永福樓。

3日，中午與陳映真會於重慶南路。晚吳伯雄來電話。

4日，與吳伯雄談30分鐘於伯仲基金會。會李薰山（李登輝加入中國共產黨介紹人之一）於士林中正路口。

9日，早上赴桃園縣新屋鄉領土地補償金。

11日，李登輝召見。南天書局預付100萬日圓版稅。

12日，《自由時報》辦研討會（？）於台大第二學生活動中心，上午8點半報到。

14日，南天書局預付15萬日圓。

15日，赴日。

16日，給武見敬三議員祕書齊藤打電話。與郭茂林、福士昌壽敘餐於霞關大廈。

17日，訪武見敬三議員於參議員會館521室。晚與近藤大博（原《中央公論》編輯）敘餐頗愉快。

20日（父親節），與三笠親家人餐聚，興宇請客。

21日，贈送興寧100萬日圓。

23日，返台。

24日，政大戴振豐論文審查，訪南天書局。

25日，與魏德文、孫大川會。

26日，成大學生來宅，一起吃晚飯。

27～29日，阿里山旅行。

30日，下午3點40分，葉芸芸到；開日本綜合研究會於信義俱樂部，4點。

7月　5日，魏德文來宅選看要放到新書上的照片。

6日，出發去夏威夷（彩美同行）。

7日，到達夏威夷，晚吃披薩，購球具，宋欽章夫婦與宋大小姐昭儀自美國來會合。

8日，到夏大購書，中午在北京飯店戴請，晚宋欽章請日本料理。

9日，晚上9點50分，從Honolulu飛Maui住宋先生別墅。

12日，從Maui飛Honolulu（與彩美準備飛塞班島，看二次大戰困擾日軍的日美激戰地）。

13日，從Honolulu先飛Guam，晚上給台北的興夏打電話。

14日，到達塞班島，投宿球場旁的俱樂部，設備簡陋，一晚176美元。天氣潮濕又熱，真難熬。除了高爾夫球場，服務業之外，幾乎沒什麼產業與特產，民生用品，仰賴夏威夷，為美託管區有美軍駐守軍事重地。

15日，坐一趟免費公車去繞街一次，除了幾處購物中心，幾乎就沒有什麼可參觀。

16日，單獨打高爾夫，104美金。

17日，單獨打高爾夫。乘日航飛機到成田。

19日，給館齊一郎（東大農經系同窗，在編《神谷慶治恩師紀念文集》）寄3萬日圓與小文一篇。去水道橋三省堂，給邦敏（侄孫，斯時在日留學）寄錢。

22日，訪大貫英範出版局長於東洋經濟（出版社）。

24日，參加興寧在千葉縣船橋市西習志野新蓋房子的上梁儀式。

25日，出發回台北。

27日，與陳映真吃中飯。託赴美的侄孫邦仁、邦敏兄弟帶書給宋家大千金卻未收到。

29日，下午5點，到甲桂林看房子（為方便文大上課，又好友宋欽章夫婦的建議令他動念）。

30日，與王曉波敘餐於緬甸餐館。

31日，宴請政大企管系研究所于卓民老師、于師母、王榮文於大三元，戴家三人感謝老師對興夏的照顧。

8月　8日，台中三姊（李姊葬禮）。

13日，付宋欽章340萬本票（為代墊房屋款之一部分）。

14日，苗栗之遊（魏德文、胡俊秀、李元勳、李、林希鵬夫妻、我們夫妻），夜泊通霄鎮南和李老家。

15日，苗栗之遊與友人分道南下台中，夜宿富王飯店。

16日，台中社會大學上課。

17日，乘火車返台北。楊六生、余玉堂、蔡清彥、范姜群生、鍾振宏皆來，於大三元，曾永賢缺席，傳出殷宗文肺癌，簡又新可能接。

26日，曾永賢招宴於大三元，「許文龍以100萬元購彭榮次」話題當下酒菜，說三道四。與彩美在衡陽路碰頭一同去天母。

27日，蔡禎昌來接，耕莘醫院急診。

28日，住院，興寧自東京來。

30日，轉院到台大醫院。

9月　10日，出院。

15日，下午王正一教授內科門診於台大醫院。

17日，與周順圭（同時期在日本留學的上海人）吃晚飯，會於福華。

18日，潘館長宴請於信義俱樂部。

19日，付宋欽章62,500元。清掃天母房子，陳良潮幫忙。

20日，政大上課。王榮文午宴。

21日，台灣大地震死傷損失慘重，彩美在日本電話不通。與陳封平（斯時為興夏男友）、興夏去天母，宋欽章夫人送桌椅。

22日，文大城區部上課。

23日，赴市公所遷戶口到中山北路七段。

28日，於台新開支票45萬還宋欽章，下午郵局停電不能辦。

29日，蔡素貞（文大博士班學生）來接。文大上課。台大醫院門診，預約耳科、內視鏡科。

10月 2日，訪莊教授於遠東聯合診所，感謝轉院至台大醫院時的協助照顧。

6日，晨蔡素貞接去文大上課。下午2點，去南天；3點半，與陳映真敘會。

7日，中午12點，甲桂林門口，吳嘉陵（文大碩士班學生）來接。

13日，上午內視鏡檢查。

16日，早上南下成大，晚上返台北。

17日，虞義輝主任（國安局）來宅，為撰寫博士論文事宜與（國煇）商量。下午2至4點，於凱悅新書發表會

（可能是《台灣史探微》）

18日，與陳映真中飯於新生南路24H咖啡。

19日，早上到吳府，餘鍊兄送油畫。

20日，內視鏡檢查。

25日，助聽器25,000元。借給南天魏德文兩本震災史，新竹、台灣昭和10年（1935）。

27日，內科門診。

29日，新店家門口等車子。總統府一號門進入，開會，民所所長楊三、文大碩士王治國、台大總教官陳福成、徐（立德）、吳東明。

30日，南下成大，夜泊台南。體重 69.2公斤。

31日，離開成大，趕赴圓山飯店報到。晚宴。體重68.8公斤。

11月 1日，看唐（松章）論文。體重70.4公斤。

2日，第七次討論會於故宮行政大樓大廳。體重69.6公斤。

3日，碰上周順圭（1960年代在東大同時期留學的上海人〔？〕，現住美國）。體重70.8公斤。

6日，飛台南成大講課，夜泊台南。體重70公斤。

7日，返台北，體重70.8公斤。

8日，侯君（國史館）在政大等候。與林和星會於台大校門，夜泊天母。體重69.2公斤。

11日，飛羽田。

13日，三笠親家於横濱晚宴。

14日，返台。

16日，中午與王震邦（《聯合報》）等人聚餐於亞泰飯店三樓。晚上與龍應台局長、王曉波教授敘餐於復興南路朝天鍋。

17日，與楊憲宏晚餐於凱悅。

19日，與木宮圭造（東大農經系研究所同班同學）吃早餐於六福客棧。

21日，成大，晚返台北。

22日，與陳映真對談於新生南路24H咖啡店。晚不能吃，翌日內視鏡。

23日，內視鏡，兩個月後追蹤即可以，可不結紮。傍晚發高燒。

24日，下午耳科助聽器特別門診。

26日，候魏德文訪楊（翠華，楊克煌女兒）小姐於孫大川大樓前，談得滿愉快。晚與王曉波敘餐於台大前緬甸餐廳。

27日，開始準備文化大學演講（12月4日）「司馬遼太郎與我暨台灣」（暫定）。

28日，一起遊苗栗的友人們在敝舍晚宴。

29日，碰見徐立德於晶華。

12月 1日，與成大副教授林德政會於台大取藥窗前，下午5點半。

4日，上午文大演講。下午飛台南，2點開會於成大大忠館。

5日，返台北。

7日，與陳映真午餐於新生南路，12點15分。與南天魏社長敘餐，晚上6點半。

8日，中午與金神保會於政大大門談一小時。

10日，參加「台灣抗日活動研討會」於民權東路六段25號二樓，上午10至12點。

12日，成大上課。飛返台北。

15日，門口候虞義輝主任車子，與主任敘餐。

22日，當代日本綜合研究會忘年會。

24日，夏珍來電話。與夏珍餐敘。

25日，飛台南，成大上課。

27日，台商會於福華二樓，陳淑美也來。

30日，戴家宴請宋欽章夫婦與二位千金於天母芳群餐廳。

2000年

1月　3日，政大最後一堂課，到系裡拿考卷。中午與葉光南（葉榮鐘長子）敘餐於福華台菜館。

7日，商討二二八紀念事宜於市政府四樓東北區文化局大會議室。

9日，赴文化局長龍應台宅。

10日，政大考試，金神保來教室。

11日，國父紀念館。

13日，文大大學部考試。返老宋（欽章）60萬元＋40萬元。與虞主任敘餐於法式素食餐館。

14日，參加遠流尾牙於希爾頓。

15日，下午4點，成大學生來宅。

16日，中壢魏廷朝告別式，香奠3,000元。

17日，中午12點，與陳淑美會於南天，還南天60萬元。

18日，（彩美同行）預定乘長榮BR802飛香港，塞車遲到，改乘下班飛機，晚至東莞台商會。

19日，參觀靴廠PRIMAX，與葉宏燈（東莞台商子弟學校與東莞台商育苗基金會董事長、東莞東聚電業公司創辦人）談五小時，晚與婦聯會共用餐。

20日，葉董車來接，參觀歐式家具廠，午餐在大嶺山，與郭董等三人敘餐。

21日，自東莞去廣州，住廣州中國大飯店，台幣2,800元，不含早餐。

23日，自廣州到香港，住灣嘴港島香格里拉飯店，受日本時事通信香港支局長椛澤克彥之邀24日演講。

24日，集合。午餐。洪哥（在港台商）來會於飯店大廳。晚與椛澤夫婦聚餐於香格里拉飯店。

（28日，南天魏德文策劃戴與原台大教授陳正祥對談，陳正祥人已在香港，不知為何還有顧忌，對談失敗，陳淑美也在席。）

29日，第一次遊澳門。

2月　3日，返台。

5日，廖運逢夫妻來宅。

7日，去陳純真（陳虛谷三男）家聚餐，尉天聰、陳映真、王曉波、戴、陳純真五對夫妻新年會。

9日，內視鏡門診。葉芸芸來住。

11日，與楊六生吃早餐於天母廣場「回轉桌」，談一小時。國家圖書館188室漢學中心（真是混蛋事，杜等人無能），下午2點。

12日，中午國家圖書館1B，不欲再辦也，勞費時間也。

14日，飛日，帶《台灣史探微》給嶋倉民生等人。

15日，請求外國人登錄證、印鑑證明各四份。

16日，去入國管理局辦手續，去神保町。

17日，上午與興寧辦事。晚與矢吹晉、星野、近藤大博、高橋政陽、鈴木敘餐於新宿中村屋。

18日，辦再入國手續。與金安榮子會於紀伊國屋書店一樓，一起用餐。

19日，訪莊代表。乘華航，返台北。

20日，與林和星見面於YMCA。與《朝日》堀江會面於來來。

21日，政大開始上課。

22日，小林伊織（現就職TVBS電視）審查碩士論文於政大東亞所。普通門診臉部小手術。

23日，文大開始上課。

26日，與王震邦、夏珍聚餐於遠企大樓日本料理。

3月　4日，王榮文母堂告別式；柏楊80大壽慶生於福華。

5日，台北飛台南成大教書。返台北。

6日，與總統府顧問倪摶九、唐松章聚餐於福華。倪千金為唐媳婦。

7日，與虞義輝主任吃早餐於中山北路七段「回轉桌」。柏楊與野口座談會（戴促成並做翻譯）。

13日，政大，去遠流請王麗雪（王榮文侄女）做報稅申告書。血液檢查。與郭茂林會於希爾頓大廳。

14日，與夏珍餐敘。與近藤大博、辻田誠司、高橋政陽、橫堀聚餐於圓山大飯店。

18日，南下成大。

19日，返台北。

25日，與三和銀行香港調查班（箱崎太〔京大〕、高橋克彥、橫尾忠生）吃早餐，會於老爺飯店。晚與「心に刻む會」的人會面於YMCA。

26日，國科會審查論文。

27日，會夏珍。

28日，到柏楊家。

29日，與夏珍敘餐於晶華地下三樓。與檜山君等六人聚餐於極品軒，遇徐立德，談政治情勢與人事預想，建議郭茂林去找陳（水扁）談。

30日，虞主任早餐會，談及宋楚瑜不會回（國民黨），曾文惠運美金赴美而過不了關，全額遣返，持兩本護照等甚囂塵上的小道消息。接受史學會學生訪問。與郭茂林會於福華大廳。

31日，飛香港再轉機飛北京。

4月　1日，買了一本《北京四百名醫》做參考選了三個大夫，預約後準備一個一個去看，由此中選定一個。

2日，看醫生、買書、休息、吃藥，專心為求醫來北京。

9日，返台，帶一禮拜的藥與藥方。

11日，與宋欽章夫妻聚餐於天母家。與王震邦（《聯合報》）會面於希爾頓二樓。

13日，帶《出埃及記》錄影帶。研究室等韓國留學生。

15日，成大學生來上課於敝舍。

24日，台大校友會館徐世傑（1960年代同在東大留學時的友人）。與王榮文、曾志朗聚談。

26日，王吉林所長宴請於芳群。

27日，給大阪「心に刻む會」的六田小姐寄資料。

28日，去三重看中醫。與蔡清彥、王榮文、我們夫婦於日本料理店聚餐，榮文做東。

5月　1日，做腹部超音波檢查於台大醫院舊大樓。

2日，大嫂告別式於中壢。與楊六生、范等人相會於善導寺前逸鄉園。

3日，訪謝金河於辦公室。羊會（羊年生，企、學、官界名人會）於來來金鳳廳地下二樓。

5日，與朝日鈴木會於來來。文大碩士班謝師會於福華地下一樓。

6日，與虞義輝吃早餐於回轉桌。成大學生來宅上課。邱明哲（建中同學，住東京）歡迎會。

7日，日本人田中來電話，想要見面。

8日，會王曉波。

10日，門診。

14日，與邱（創壽？）、范（？）打球於美麗華，難得打三個PAR。

15日，與王榮文長談。與廖運逢會於泰順街。

18日，與阮美姝（二二八受害者遺族）會於台大校友會館。去三重看中醫，12日份的藥4,800元，窮人生不起病也。

21日，晚上不吃東西，準備驗血。

25日，畢業考試。

28日，李阿青（台灣資生堂董事長）招待打球於美麗華。與錢復、程建人（？）兩部長球聚。

31日，與夏珍敘餐於汀州路泰國料理店。

6月 1日，史4謝師會於亞都。

2日，桃山、矢島誠司（《產經》記者）晚宴於來來。

3、4日，成大博士班來宅上課。

5日，王作榮院長深談。

7日，中午柏楊招宴於大三元。晚上蔡禎昌招宴於天母。

8日，飛東京。買《國民の歷史》於大月書店。

12日，審查論文於亞洲21世紀獎學財團。

13日，見岩波書店《世界》總編輯岡本厚。見林建朗（岩波），在書店看新刊書，也看檔案法關係書，夜泊千葉興寧處。

14日，請書店以快遞寄書來，夜泊千葉興寧處。

15日，出發去永田町。參議員武見敬三來室，與矢吹晉三人共敘。

16日，開中國研究懇談會於赤坂JETRO別館。

18日，返台北。

19日，審查台大黃教授門生之論文，22日交還孫院長（文大文學院）。驗血。還宋欽章155萬日幣。

20日，確認新黨結黨於1993年8月10日，以FAX通知岡本厚。

23日，客家菁英論壇於老爺飯店。

26日，與陳淑美會於來來大廳。台灣客家記錄影帶發表會於行政院新聞局視聽資料處第一科（怪哉，局中大官們來問安），天津街二號。

29日，師大審查論文1,400元。

30日，朱昭勳律師招待，台大校門。晚間6點半，許育銘胞弟婚禮於新店捷運站福臨門餐廳。

7月　3日，因檢查八小時不能吃東西。

5日，與諏訪君（交流協會）會於亞太飯店，下午4點半。

9日，歷史學會於台大應用力學研究所國際會議廳。

10日，彰銀本行解約還宋欽章45萬元。與廖運逢會於國賓。楊志堅（文大碩士生）來見於晶華大廳。

11日，與王作榮對談（第一次）於王公館，《中時》夏珍記錄，上午9點半至中午。

13日，雙面神像7,000元付趙太順（文大韓國留學生）。

14日，血液檢查，寄台胞證。

15日，與穗積一成會於國賓二樓富宜春，張先生宴客。

17日，還宋70萬元。

21日，檢查血液。

22日，總統府國策顧問倪摶九夫人公祭於榮總懷遠廳。

23日，天母大門等楊志堅。葉榮鐘新書發表會。晚宴於西華三樓漢廳。

24日，給旅行社電話。與廖運逢會於國賓（為了校對魏廷朝譯、戴國煇編著《台灣霧社蜂起事件──研究與資料》事商榷）。

25日，與王作榮對談（第二次）於王公館，辦好郵局支票100萬元還宋欽章。

26日，與馬以工、王榮文會餐於芳群。

27日，與王曉波、吳瓊恩敘餐於緬甸料理仰光。

31日，血液檢查。

8月　1日，總統府祕書柳嘉峰安排見陳水扁，預定50分鐘。

8日，丁懋時（《聯合報》）請辭資政。

9日，與王作榮對談（第三次）於王公館。台大校友會館林小姐送機票來，18,100元。門診。

11日，去南天書局。參加吳守禮新書（遠流）發表會於視聽覺劇場，下午3至5點。

13日，飛大阪。給六田電話。給東京角田英一（亞洲21

世紀獎學財團）電話。

15日，晚「心に刻む會」（萬會）派對。

16日，飛東京。

18日，宋欽章、蔡富美夫婦投宿上野Park Side Hotel，晚相會於上野，宋請客。

19日，宋欽章來看北習志野（船橋市）興寧的新房子。

20日，宋欽章夫婦來興宇新房子附近的車站自由丘會合，興宇請客。

23日，由成田飛北京。

27日，興寧由東京飛北京與戴和彩美會合。

28日，王榮文在北京住金朗飯店，馬以工也在北京。

29日，戴和彩美、興寧飛黃山，晚上泊山下。

30日，上黃山，住山頂。

31日，飛上海，去領會上海的變化。

9月　1日，返北京，給馬以工電話。

2日，接受指壓於光明診療所。

3日，興寧先回東京。

4日，看電影《生死抉擇》。

5日，去大連。

6日，去旅順港，參觀日俄戰爭激戰之山頭203高地，巧訪《生死抉擇》的鏡頭，旅順港風景極佳。

8日，由大連飛北京。

12日，CA925由北京飛成田。

14日，下午2點，於公證人役場（做遺書）。與岡本厚、馬場、莫君晤談，夜泊興宇家。

15日，返船橋興寧家。

18日，返台北。

19日，與王作榮對談（第四次）於王公館。與蔡禎昌會於師大正門。

20日，與近藤大博早餐會，辻田誠司也來。文大上課。門診。

21日，體重72.8公斤。

22日，在天母公園見到劉添貴（宋屋公學校、竹中學弟）之姊及羅吉煊，羅到敝舍小聊。

23日，與王津平吃中飯，會於聯經。

24日，宋欽章邀請日本料理。

25日，體重73公斤。

26日，體重71.4公斤。送陳菽芊（侄孫女）書於水源市場正門，祝考取台大。與王曉波會於聯經。

28日，與王作榮對談（第五次），上午9至12點。

10月 3日，與徐宗懋見面於誠品咖啡廳。

4日，與鍾雷章（鄉弟）會於國賓大廳。

6日，與陳振盛（寫李登輝故事後與李不歡）會於晶華飯店。

11日，門診。王正一大夫說恢復得好。

12日，宴請彭明敏、女祕書、羅吉煊夫婦與千金共七名於芳群。

13日，與陳映真會面於聯經。

14日，與王院長作榮對談（第六次）。與王津平會於希爾頓大廳。與《朝日新聞》台北支局長田村宏嗣會於老爺飯店大廳。

15日，蔡清彥長男婚禮於圓山大飯店12樓。

16日，與馬永成主任電話聯絡。

19日，寄書給林叔品、丁果、葛英、馬必陽、楊六生。送蔡隆盛書於晶華大門。送陳純真書於老爺飯店。

20日，由正門陳總統召見。與國安會祕書長莊銘耀會談。送王震邦與林琳文書於聯合報大門。會柳嘉峰祕書於總統府正門。

22日，誠品見吳克。

23日，國安會倪祕書交書類，遠流。立航林小姐送來機票。

24日，與王作榮對談（第七次），上午9點半至12點。

25日，飛福岡UNESCO開會。

28日，福岡飛東京。

30日，與郭談於郭茂林事務所。與岡本厚談於新宿，夜泊興宇家。（興宇要求乃父不要太操勞）。

31日，返台。

11月 4日，與王作榮對談（第八次）於王公館。

6日，真相TV採訪。

10日，楊建銘（文大藝術系學生）送自己的畫來，45,000元。

11日，與福田（立大畢業生）吃早餐於老爺大廳，傍晚陳封平母親胡女士來敝舍。

15日，門診。

17日，會莊銘耀祕書長。

18日，與王作榮對談（第九次）於王公館，上午9點半至12點。

20日，晚與王曉波敘餐於緬甸料理店仰光。

21日，與陳映真喝咖啡於聯經隔壁咖啡廳。與唐松章會於敦化遠東大廳，中午12點。

25日，王作榮院長對談（第十次）。

26日，東京放送高橋政陽到台灣。

28日，若松（日外務省分析官）來新店敝舍訪問。

12月 2日，晨與虞主任會於中山北路七段「回轉桌」前。上午8點50分，到東吳大學。

5日，岡本厚、谷口長世到台。在國賓大廳等他們。

6日，總統府車子下午1點20分來國賓接。與岡本厚（岩波《世界》總編輯）、谷口長世同去訪問陳水扁，台日雙方由（戴國煇）做斡旋、調整、聯絡，幫忙擬訪問提問的項目，戴只期望陳水扁不要被李登輝牽著鼻子走，與中國大陸建立良好關係，讓台灣的未來在政經安定下繁榮，所以他不做檯面人，不具名，以促成好事為快，題目為「我已坐在對話桌的這一邊」，內容項目為現代是「和解」「對話」的時代／「一個中國」的定義／尊重中華民國憲法／軍事演習的事前通告，做釀成信賴氛圍的措置／日本殖民地統治，雖不愉快，但是歷史的一部分／終止核四是自己的信念。登載在《世界》第684號，2001年2月。晚宴於晶華20樓。

8日，下午1點10分，到福華。1點半至2點10分，見陳（水扁？）。見莊銘耀。

12日，《世界》以傳真送來訪問稿。（由戴校對、順句）。

13日，馬永成派王超亮司機來新店敝舍取稿回總統府，讓陳水扁過目。下午許瓊丰碩士論文審查。

14日，上午10點10分至12點，日本史。

15日，（台灣）中部抗日士紳的思想與行動（記事本上這天寫下的，〔戴國煇〕腦子裡去來的是什麼？）。

16日，擴大院務會議於（文大）大恩館11樓。

19日，國史館周琇環小姐來取稿（《台灣霧社蜂起事件——研究與資料》中文譯稿）。

28日，中午12點，在研究室，興寧自日本帶小林《台灣論》來，蔡素貞帶（戴）回甲桂林拿了《台灣論》趕去唐湘龍主持的電台接受訪談。

29日，文大博一最後一堂課程為「司馬遼太郎史觀與日本戰後史」。這天總結講日本的天皇制，期末報告的題目是「我觀日本天皇制與亞洲侵略」，正好小林善紀的《台灣論》經《中時》特派員介紹到台灣而引起很大的風波，戴帶了七至八本有關報導天皇的雜誌之外，還帶了小林《台灣論》和12月20日在《聯合報》上戴專談該書的資料佐證，評論《台灣論》。下課後由吳嘉陵（文大博一學生）送戴到中山北路七段附近的方家小館，宋欽章夫婦與宋昭儀（大千金）夫婦、戴家（國煇、彩美、興寧）聚餐，宋先生請客歡迎興寧之後，大家慢慢徒步回甲桂林，興寧去辦護照。

30日，與李薰山會於中山北路七段台銀前。

31日，戴家（國煇、彩美、興寧、興夏）與陳封平用餐，晚上戴對大家特別是年輕的三個人講了很多話。

輯三◎生平資料目錄

生平資料目錄

自述

戴國煇　後記〔あとがき〕《中国甘蔗糖業の展開》東京：アジア経済研究所　1967年3月15日　頁193～194

戴國煇　我的發言——台灣研究的態度〔私の発言——台湾研究の姿勢〕《エコノミスト》第47巻第45號　東京：毎日新聞社　1969年10月14日　頁51

戴國煇　我的發言——台灣研究的態度〔私の発言——台湾研究の姿勢〕《日本人との対話》東京：社会思想社　1971年8月15日　頁111～113

戴國煇　憂慮新亞洲主義的抬頭〔新アジア主義の擡頭を憂う〕戴國煇等編《討論日本のなかのアジア》東京：平凡社　1973年8月3日　頁5～19

戴國煇　序——應該承認有「他分」世界〔序——「他分」ある世界を認めよ〕《日本人とアジア》東京：新人物往来社　1973年10月15日　頁7～14

戴國煇　後記〔あとがき〕《日本人とアジア》東京：新人物往来社　1973年10月15日　頁276～277

戴國煇　《東南亞華人社會之研究》序文　〔序〕　戴國煇編　《東南アジア華人社会の研究（上、下）》　東京：アジア経済研究所　1974年3月

戴國煇　境界人的獨白——代序　〔境界人の　白——序に代えて〕《境界人の独白——アジアの中から》　東京：龍溪書舍　1976年8月15日　頁5～6

戴國煇　讓我們一同描繪在亞洲新生與轉生的構圖——《新亞洲的構圖》代序　〔序に代えて——ともに描こうアジアでの新生と転生の構図〕　《新しいアジアの構図》　東京：社会思想社　1977年6月15日　頁3～7

戴國煇　我的日本體驗　〔私の日本体験〕　国立教育会館編　《教養講座シリーズ31》　東京：ぎょうせい　1978年5月

戴國煇　我的日本體驗　〔私の日本体験〕　国立教育会館編　《現代教養講座15》　東京：ぎょうせい　1984年5月15日　頁225～318

戴國煇　我的日本體驗　〔私の日本体験〕　《台湾と台湾人》　東京：研文出版　1979年11月10日　頁47～120

戴國煇　《梅苑創史錄》緣起　〔「梅苑創史録」縁起〕　《梅苑創史錄》創刊號　1978年12月　頁1；第3號　頁1；第4號　1980年5月26日　頁1；第5號　1981年1月15日

戴國煇　文化接觸場所的大學與其周遭——從我的日本經驗談起〔文化接触の場としての大学とその周辺——私の日本体験から〕　《国際学生セミナー報告書：文化接触と日本》　八王子市：財団法人大学セミナー・ハウス　1979年7月27日　頁12～14

戴國煇　我的研究主題三個指標　〔私に研究テーマ：三つのターゲット〕　《エコノミスト》第2314號　東京：每日新聞社　1979年8月7日　頁87
戴國煇　我的研究並為本書之刊行而記──《台灣與台灣人》後記〔あとがき──私の研究と本書の刊行によせて〕　《台湾と台湾人》　東京：研文出版　1979年11月10日　頁321～326
戴國煇　代序──華僑的實像與虛像　〔華僑の実像と虚像──序にかえて〕　《華僑──「落葉帰根」から「落地生根」はの苦悶と矛盾》　東京：研文出版　1980年11月20日　頁1～26
戴國煇　後記──為自己立證　〔あとがき──自らの証しを立てるために〕　《華僑──「落葉帰根」から「落地生根」はの苦悶と矛盾》　東京：研文出版　1980年11月20日　頁297～301
戴國煇　序──關於霧社蜂起事件的共同研究　〔序──霧社蜂起事件の共同研究について〕　《台湾霧社蜂起事件──研究と資料》　東京：社会思想社　1981年6月30日　頁1～5
戴國煇　序──關於霧社蜂起事件的共同研究　《戴國煇文集10・台灣霧社蜂起事件──研究與資料（上）》　台北：遠流出版公司・南天書局　2002年4月1日　頁1～7
戴國煇　序──關於霧社蜂起事件的共同研究　《臺灣霧社蜂起事件研究與資料　上冊》　台北縣：國史館　2002年4月　頁1～7
戴國煇　「中國人」的中原意識與邊疆觀──從自我體驗來自我剖析

或解釋　《民主台灣》第36期　1984年9月1日

戴國煇　中國人的中原意識與邊疆觀（上、中、下）——從自我體驗來自我剖析或解釋　《中華雜誌》第261期　1985年4月　頁21～24；第262期　1985年5月　頁48～50；第263期　1985年6月　頁40～44

戴國煇　「中國人」的中原意識與邊疆觀——從自我體驗來自我剖析或解釋　《台灣史研究》　台北：遠流出版公司　1985年3月25日　頁110～140

戴國煇　「中國人」的中原意識與邊疆觀——從自我體驗來自我剖析或解釋　《戴國煇文集1・台灣史研究——回顧與探索》　台北：遠流出版公司・南天書局　2002年4月1日　頁110～140

戴國煇　「中國人」的中原意識與邊疆觀——從自我體驗來自我剖析或解釋　《戴國煇文集12（附冊）・戴國煇這個人——含生平事記與著作目錄》　台北：遠流出版公司・南天書局　2002年4月1日　頁170～204

戴國煇　跋　《台灣史研究》　台北：遠流出版公司　1985年3月25日　頁262～263

戴國煇　跋　《戴國煇文集1・台灣史研究——回顧與探索》　台北：遠流出版公司・南天書局　2002年4月1日　頁262～263

戴國煇　圍繞台灣史研究之諸問題　〔台湾史研究をめぐる諸問題〕*1　《社会科学研究》第10號　名古屋：中京大学社会科学研究所　1985年3月　頁1～33

*1 後改題為「身分與立場——環繞台灣史研究的諸問題」、「身分與立場——環繞台灣史研究的基本問題」。

戴國煇　身分與立場（一三）——環繞台灣史研究的諸問題　《前方雜誌》第4期　1987年5月　頁58～62；第5期　1987年6月　頁86～90；第6期　1987年7月　頁80～87

戴國煇　身分與立場——環繞台灣史研究的基本問題　《台灣結與中國結——罣丸理論與自立・共生的構圖》　台北：遠流出版公司　1994年5月16日　頁125～166

戴國煇　身分與立場——環繞台灣史研究的基本問題　《戴國煇文集4・台灣結與中國結——罣丸理論與自立・共生的構圖》　台北：遠流出版公司・南天書局　2002年4月1日　頁125～166

戴國煇　身分與立場——環繞台灣史研究的基本問題　《戴國煇文集12（附冊）・戴國煇這個人——含生平事記與著作目錄》　台北：遠流出版公司・南天書局　2002年4月1日　頁207～245

戴國煇　戰後台日關係與我——尋求中日兩民族的真正友好關係〔戦後日台関係を生きる——中日両民族の真の連繋を求めて〕　《世界》第480號　東京：岩波書店　1985年10月　頁165～118

戴國煇　戰後台日關係與我——尋求中日兩民族的真正友好關係《台灣結與中國結——罣丸理論與自立・共生的構圖》　台北：遠流出版公司　1994年5月16日　頁97～124

戴國煇　戰後台日關係與我——尋求中日兩民族的真正友好關係《戴國煇文集4・台灣結與中國結——罣丸理論與自立・共生的構圖》　台北：遠流出版公司・南天書局　2002年4月1日　頁97～124

戴國煇　《更想知道的台灣》序　〔序〕　戴國煇編著　《もっと知りたい台湾》　東京：弘文堂　1986年5月30日　頁i～ii

戴國煇　我的三本書　〔私の三冊〕　《図書》第454號　東京：岩波書店　1987年5月10日　頁51～52

戴國煇　中文版自序　《台灣總體相——人間・歷史・心性》　台北：遠流出版公司　1989年9月16日　頁7～11

戴國煇　中文版自序　《戴國煇文集2・台灣總體相——住民・歷史・心性》　台北：遠流出版公司・南天書局　2002年4月1日　頁7～11

戴國煇　跋　《台灣總體相——人間・歷史・心性》　台北：遠流出版公司　1989年9月16日　頁229～230

戴國煇　跋　《戴國煇文集2・台灣總體相——住民・歷史・心性》　台北：遠流出版公司・南天書局　2002年4月1日　頁229～230

戴國煇　亞洲與日本——從我的日本體驗切入　〔アジアと日本——私的日本体験からのアプローチ〕　富士ゼロックス・小林節太郎記念基金編　《第2回「日本文化を論ずる会」講演録——「アジアと日本」私的日本体験からのアプローチ》　東京：富士ゼロックス・小林節太郎記念基金　1990年4月　頁1～32

戴國煇　後記　〔あとがき〕　《台湾、いずこへ行く？！——診断と予見》　東京：研文出版　1990年11月20日　頁264～265

戴國煇　《更想知道的華僑》代序　〔序文にかえて〕　戴國煇編著　《もっと知りたい華僑》　東京：弘文堂　1991年7月10日　頁V～X

戴國煇　〔自序〕我是怎樣走上研究「二・二八」之路　《愛憎二・二八——神話與史實：解開歷史之謎》　台北：遠流出版公司　1992年2月16日　頁1～14

戴國煇　〔自序〕我是怎樣走上研究「二・二八」之路　《戴國煇文集3・愛憎二・二八——神話與史實：解開歷史之謎》　台北：遠流出版公司・南天書局　2002年4月1日　頁1～14

戴國煇　我是怎樣走上研究「二・二八」之路　《戴國煇文集12（附冊）・戴國煇這個人——含生平事記與著作目錄》　台北：遠流出版公司・南天書局　2002年4月1日　頁256～266

戴國煇　寫在前面——罣丸理論及自立・共生構圖的建構　《台灣結與中國結——罣丸理論與自立・共生的構圖》　台北：遠流出版公司　1994年5月16日　頁1～6

戴國煇　寫在前面——罣丸理論及自立・共生構圖的建構　《戴國煇文集4・台灣結與中國結——罣丸理論與自立・共生的構圖》　台北：遠流出版公司・南天書局　2002年4月1日　頁1～6

戴國煇　經濟發展與傳統文化——從中國（大陸・台灣）之旅談起〔「経済発展と伝統文化」——中国（大陸・台湾）の旅から〕　《結》：アジア21フォーラム講演要約手冊　「宗教と社会の対話第四回」　頁1～7　演講日期為1994年10月22日

戴國煇　立教大學的最後一堂課——我的日本40年與立教20年　〔立教大学に於ける最終講義（綱要）——私の日本40年と立教20年〕　未刊稿　1996年1月24日

戴國煇　台灣近百年與日本——從我的體驗來探討　〔台湾の近百年

と日本——私の体験からのアポローチ〕 立教学院チャプレン会編 《CHAPEL NEWS》第440號 東京：立教学院諸聖徒礼拝堂 1996年1月25日 頁10～23

戴國煇 後記 〔あとがき〕 《台湾という名のヤヌス——静かなる革命への道》 東京：三省堂 1996年5月20日

戴國煇 日文版後記 《台灣近百年史的曲折路——「寧靜革命」的來龍去脈》 台北：南天書局 2000年10月 頁233～235

戴國煇 日文版後記 《戴國煇文集7・台灣近百年史的曲折路——「寧靜革命」的來龍去脈》 台北：遠流出版公司・南天書局 2002年4月1日 頁233～235

戴國煇 我的日本經驗——大學的教育與研究 未刊稿 1996年12月19日

戴國煇 談我的求學、研究與教育並學生的建議*2 《史薈》第31期 1998年5月 頁9～31

戴國煇 對我影響最深刻的書和著者 《戴國煇文集12（附冊）・戴國煇這個人——含生平事記與著作目錄》 台北：遠流出版公司・南天書局 2002年4月1日 頁267～270

戴國煇 總序 《台灣史探微——現實與史實的相互往還》 台北：南天書局 1999年11月 頁v～xxi

戴國煇 總序 《戴國煇文集6・台灣史探微——現實與史實的相互往還》 台北：遠流出版公司・南天書局 2002年4月1日 頁v～xxi

戴國煇 總序 《戴國煇文集7・台灣近百年史的曲折路——「寧靜革命」的來龍去脈》 台北：遠流出版公司・南天書局

＊2 後改題為「對我影響最深刻的書和著者」（節錄）。

2002年4月1日　頁v～xxi

戴國煇　總序　《戴國煇文集8・台灣史對話錄》　台北：遠流出版公司・南天書局　2002年4月1日　頁v～xxi

戴國煇　總序　《台灣史對話錄》　台北：南天書局　2002年4月　頁v～xxi

戴國煇　台灣史探微序[*3]　《台灣史探微——現實與史實的相互往還》　台北：南天書局　1999年11月　頁xxvii～xxxi

戴國煇　台灣史探微序　《戴國煇文集6・台灣史探微——現實與史實的相互往還》　台北：遠流出版公司・南天書局　2002年4月1日　頁xxvii～xxxi

戴國煇　我並不是英雄主義者——序台灣史探微　《戴國煇文集12（附冊）・戴國煇這個人——含生平事記與著作目錄》　台北：遠流出版公司・南天書局　2002年4月1日　頁271～275

戴國煇　台灣近百年史的曲折路序　《台灣近百年史的曲折路——「寧靜革命」的來龍去脈》　台北：南天書局　2000年10月　頁xxxix～xl

戴國煇　台灣近百年史的曲折路序　《戴國煇文集7・台灣近百年史的曲折路——「寧靜革命」的來龍去脈》　台北：遠流出版公司・南天書局　2002年4月1日　頁xxxix～xl

戴國煇　代跋：對阿扁新政的期待——扁（李）體制？在發酵中的問題　《台灣近百年史的曲折路——「寧靜革命」的來龍去脈》　台北：南天書局　2000年10月　頁311～316

戴國煇　代跋：對阿扁新政的期待——扁（李）體制？在發酵中的問題　《戴國煇文集7・台灣近百年史的曲折路——「寧靜革

*3 後改題為「我並不是英雄主義者——序台灣史探微」。

命」的來龍去脈》　台北：遠流出版公司・南天書局　2002年4月1日　頁311～316

他述

黃揚報導　戴國煇的學術成就——消息傳來賀客盈門　《新聞天地》第962期　1966年7月23日　頁11

〔新生報〕　中壢青年戴國煇，喜獲日農經博士　《新生報》　1966年7月30日　8版

〔朝日新聞〕　矜持自己的出生，不被吸收也不敵對——華僑教育論〔出生に誇り持て、吸収されず敵対もせず〕　《朝日新聞》1979年2月21日

莊竹林（月清）　戴國煇的一份執著　《世界日報》　1984年3月22～23日

林長風　從「愛荷華對談錄」說起　《大公報》（海外航空版）1984年3月23日

林長風　「台灣結」與「中國結」　《大公報》（海外航空版）1984年3月24～25日

林長風　何來「台灣結」　《大公報》（海外航空版）　1984年3月26日

林長風　所謂「台灣民族論」　《大公報》（海外航空版）　1984年3月27～28日

林長風　認同與排斥　《大公報》（海外航空版）　1984年3月29日

林長風　台灣史學家戴國煇　《大公報》（海外航空版）　1984年5月25～27日

林長風　台灣史學家戴國煇　《戴國煇文集12（附冊）・戴國煇這個人——含生平事記與著作目錄》　台北：遠流出版公司・南天書局　2002年4月1日　頁135～139

楊憲宏報導　潛心研究台灣史，戴國煇卓然有成　《聯合報》　1985年3月11日　2版

陳仁　愛鄉愛土的學人典範——戴國煇教授歡迎餐會小記　《薪火週刊》第35期　1985年3月16日　頁49～50

陳梅卿　日本教授台灣行（上、下）　《中華雜誌》第265期　1985年8月　頁44～45；第266期　1985年9月　頁50～52

羅正義　深入了解、認同自己的文化——聽戴國煇的一場演講有感　《政治家》第137期　1986年1月18日　頁61～62

〔每日新聞〕　旅日31年間的軼事與歷程——「直言」是我的使命，世間的正循環很重要　〔戦前の台湾で生まれいじめられた日本に——立ち寄ったまま31年〕　《每日新聞》夕刊　1986年9月8日　4版　第8頁

邱文通採訪報導　戴國煇縱論政局——既是總統老友，願效直言諫臣　《民生報》　1988年7月27日　12版

曹郁芬採訪整理　戴國煇：從總體著眼的台灣史學者　《中國時報》　1991年11月1日　31版

曾清嫣報導　戴國煇治史，獨具隻眼——以台灣為主軸談中國歷史，台灣總體相一書在日暢銷　《聯合報》　1991年12月11日　29版

〔民生報〕　母校校慶，戴國煇贈書　《民生報》　1991年12月12日　14版

邱婷專訪　戴國煇研究血淚歷史——“愛憎2，28”是個開始　《民生

報》　1992年2月28日　28版

張娟芬採訪　《愛憎二二八》——戴國煇、葉芸芸因研究二二八結識，終於完成合寫二二八通俗本的心願　《中國時報》　1993年1月1日　31版

莊竹林（月清）　〈附錄二〉戴國煇的一份執著　《台灣結與中國結——睪丸理論與自立・共生的構圖》　台北：遠流出版公司　1994年5月16日　頁295～299

莊竹林（月清）　〈附錄二〉戴國煇的一份執著　《戴國煇文集4・台灣結與中國結——睪丸理論與自立・共生的構圖》　台北：遠流出版公司・南天書局　2002年4月1日　頁295～299

胎中千鶴　東洋史專題研究討論會2（戴國煇老師）〔東洋史演習2（戴国煇先生）〕　《立教大学史学科演習案內》　東京：立教大学史学会　1994年

林照真採訪整理　新聘國統會研究員，戴國煇心繫寶島始終如一——致力研究二二八事件逾二十年，與李總統深厚淵源讓人津津樂道　《中國時報》　1995年3月11日　17版

陳世昌報導　戴國煇，日本的「台灣通」—— 拿的是農業博士、談的是家鄉政治　《聯合報》　1995年12月30日　37版

陳世昌　戴國煇將返台到國安會任職　《聯合報》　1996年5月12日　4版

詹伯望報導　戴國煇漫談台灣史——成大歷史系三十週年慶，邀史學家演講　《中國時報》　1999年5月11日　20版

黃微芬報導　戴國煇成大暢談求學歷程，學子捧場　《中華日報》　1999年5月11日　36版

曹銘宗報導　戴國煇台灣歷史系列叢書「台灣史探微」問世　《聯合

報》 1999年11月29日 14版

許峻彬、曹銘宗報導 歷史學者戴國煇住院——細菌感染引發敗血症 《聯合報》 2001年1月7日 8版

張瓅文報導 歷史學家戴國煇病逝 《中國時報》 2001年1月10日 4版

夏珍 戴國煇，硬頸精神超然絕塵 《中國時報》 2001年1月10日4版

夏珍 戴國煇，硬頸精神超然絕塵 《戴國煇文集12（附冊）·戴國煇這個人——含生平事記與著作目錄》 台北：遠流出版公司·南天書局 2002年4月1日 頁146～148

許峻彬報導 歷史學者戴國煇昨病逝——細菌感染引發敗血症，享年七十歲 《聯合報》 2001年1月10日 4版

曹銘宗報導 不是統派、不是獨派是正派——戴國煇認為「歷史不可能有斷層，只是我們洞察力不夠而易於錯覺而已」 《聯合報》 2001年1月10日 4版

曹銘宗 不是統派，不是獨派，是正派 《戴國煇文集12（附冊）·戴國煇這個人——含生平事記與著作目錄》 台北：遠流出版公司·南天書局 2002年4月1日 頁151～152

王震邦報導 戴國煇，傾聽台灣近百年聲音——沒有特別的遺言，簡短交代「海葬」，回台五年，為台灣研究無法開展而抱憾 《聯合報》 2001年1月10日 4版

王震邦 戴國煇，傾聽台灣近百年聲音 《戴國煇文集12（附冊）·戴國煇這個人——含生平事記與著作目錄》 台北：遠流出版公司·南天書局 2002年4月1日 頁149～150

王震邦 戴國煇，傾聽臺灣近百年聲音 《中華民國褒揚令集續編

（十）——附有關史料》　台北縣：國史館　2006年11月 頁58～60

陳鵬仁　我的好友戴國煇　《聯合報》　2001年1月11日　15版

陳鵬仁　我的好友戴國煇　《戴國煇文集12（附冊）・戴國煇這個人——含生平事記與著作目錄》　台北：遠流出版公司・南天書局　2002年4月1日　頁33～34

陌上桑　戴國煇走了　《民眾日報》　2001年1月12日　2版

陌上桑　戴國煇走了　《戴國煇文集12（附冊）・戴國煇這個人——含生平事記與著作目錄》　台北：遠流出版公司・南天書局 2002年4月1日　頁102～103

唐湘龍　正派戴國煇　《中時晚報》　2001年1月14日　6版

唐湘龍　正派戴國煇　《戴國煇文集12（附冊）・戴國煇這個人——含生平事記與著作目錄》　台北：遠流出版公司・南天書局 2002年4月1日　頁153～154

孫大川　戴國煇與許常惠　《聯合報》　2001年1月18日　37版

孫大川　戴國煇與許常惠　《戴國煇文集12（附冊）・戴國煇這個人——含生平事記與著作目錄》　台北：遠流出版公司・南天書局　2002年4月1日　頁60～62

鍾年晃報導　陳總統明令褒揚戴國煇　《聯合報》　2001年1月21日　4版

〔中國時報〕　陳總統明令褒揚歷史學家戴國煇　《中國時報》　2001年1月21日　21版

林文義報導　魏廷朝譯台灣的主張戴國煇引薦——魏當時與李登輝約定，必須李卸任後才能說出，當時李還給魏21萬稿費　《聯合報》　2001年1月22日　18版

西冷　　懷師　新加坡《聯合早報》　2001年1月30日

西冷　　懷師　《戴國煇文集12（附冊）・戴國煇這個人——含生平事記與著作目錄》　台北：遠流出版公司・南天書局　2002年4月1日　頁120～121

黃國樑報導　王作榮真話：李登輝智商B+，很迷信——出版「王作榮與戴國煇對話錄」，王直言李登輝書唸得很普通、學術研究搶表面功，戴國煇質疑李登輝真的讀遍馬克思著作　《聯合晚報》　2001年2月4日　3版

黃國樑報導　李登輝，曾改日本名——戴國煇：改得太早了　《聯合晚報》　2001年2月4日　3版

黃國樑報導　王作榮：李登輝確曾想與大陸和解，搞翻了——對李是否開始即是台獨，持保留意見。戴國煇認為李未否認司馬遼太郎的台灣未定論是認知不清，可能非故意　《聯合晚報》　2001年2月4日　3版

〔聯合報〕（書摘）　李登輝：大陸發生什麼事，喬石都會告訴我——《戴國煇與王作榮對話錄》新書透露「李登輝對中共的管道絕對不只一個，至少兩個以上」　《聯合報》　2001年2月5日　9版

〔總統府公報〕　總統令　《總統府公報》第6381號　2001年2月7日　頁2

〔總統府公報〕　總統令　《中華民國褒揚令集續編（十）——附有關史料》　台北縣：國史館　2006年11月　頁56

陳映真　宿命的寂寞——悼念戴國煇先生　《中國時報》　2001年2月10日　21版

陳映真　宿命的寂寞　《戴國煇文集12（附冊）・戴國煇這個人——

含生平事記與著作目錄》　台北：遠流出版公司・南天書局　2002年4月1日　頁29～32
陳映真　宿命的寂寞　《中華民國褒揚令集續編（十）——附有關史料》　台北縣：國史館　2006年11月　頁83～87
陸鏗　戴國煇教授對台灣心存大愛——向台灣史研究權威致敬　《中國時報》　2001年2月10日　15版
陸鏗　戴國煇教授對台灣心存大愛——向台灣史研究權威致敬　《戴國煇文集12（附冊）・戴國煇這個人——含生平事記與著作目錄》　台北：遠流出版公司・南天書局　2002年4月1日　頁20～22
郭冠英　正派的戴國煇——他各派朋友的共同語言　《聯合報》　2001年2月10日　15版
郭冠英　正派的戴國煇——他各派朋友的共同語言　《戴國煇文集12（附冊）・戴國煇這個人——含生平事記與著作目錄》　台北：遠流出版公司・南天書局　2002年4月1日　頁66～68
張青報導　「愛憎李登輝」新書發表——王作榮推崇戴國煇是真正的學者，稱自己死後骨灰也要撒在台灣海峽　《聯合報》　2001年2月10日　4版
夏珍報導　戴國煇追思會，總統親臨致意——李連宋分致輓聯，戴骨灰將灑於台灣海峽　《中國時報》　2001年2月11日　4版
〔中國時報〕　台灣人的典型　《中國時報》　2001年2月11日　2版
〔中國時報〕　台灣人的典型　《戴國煇文集12（附冊）・戴國煇這個人——含生平事記與著作目錄》　台北：遠流出版公司・南天書局　2002年4月1日　頁155～156
楊湘均報導　戴國煇追思會，總統到場致意——李登輝致輓額、未出

席，呂麗莉演唱「松花江上」及「玉山之歌」　《聯合報》2001年2月11日　4版

李光真　哲人已遠，典範長存——悼許常惠、張光直與戴國煇　《光華雜誌》　2001年2月　頁61～63

戴國煇教授治喪委員會　戴國煇教授生平略傳　《海峽評論》第123期　2001年3月1日　頁39～40

曾健民　一個對人對弱小者和對民族抱著無限關懷的歷史家——悼念戴國煇教授　《海峽評論》第123期　2001年3月1日　頁44～46

曾健民　一個人對弱小者和對民族抱著無限關懷的歷史家　《戴國煇文集12（附冊）·戴國煇這個人——含生平事記與著作目錄》　台北：遠流出版公司·南天書局　2002年4月1日　頁69～74

曾健民　一個對人對弱小者和對民族抱著無限關懷的歷史家——悼念戴國煇教授　《中華民國褒揚令集續編（十）——附有關史料》　台北縣：國史館　2006年11月　頁66～72

耿榮水　不可言宣的遺憾——悼戴國煇教授　《海峽評論》第123期　2001年3月1日　頁54

耿榮水　不可言宣的遺憾　《戴國煇文集12（附冊）·戴國煇這個人——含生平事記與著作目錄》　台北：遠流出版公司·南天書局　2002年4月1日　頁75～77

李哲夫　壯志未酬：緬懷學長戴國煇教授　《海峽評論》第123期　2001年3月1日　頁42～44

李哲夫　壯志未酬：緬懷學長戴國煇教授　《戴國煇文集12（附冊）·戴國煇這個人——含生平事記與著作目錄》　台北：

遠流出版公司・南天書局　2002年4月1日　頁23～28

毛鑄倫　悼念戴國煇教授並抒感　《海峽評論》第123期　2001年3月1日　頁51～53

毛鑄倫　悼念戴國煇教授並抒感　《戴國煇文集12（附冊）・戴國煇這個人——含生平事記與著作目錄》　台北：遠流出版公司・南天書局　2002年4月1日　頁78～83

杜繼平　爝火不熄・長照天地——悼念戴國煇教授　《海峽評論》第123期　2001年3月1日　頁47～50

杜繼平　爝火不熄・長照天地　《戴國煇文集12（附冊）・戴國煇這個人——含生平事記與著作目錄》　台北：遠流出版公司・南天書局　2002年4月1日　頁84～93

杜繼平　爝火不熄・長照天地　《中華民國褒揚令集續編（十）——附有關史料》　台北縣：國史館　2006年11月　頁88～99

孫大川　松花江上　《聯合報》　2001年3月1日　37版

孫大川　松花江上　《戴國煇文集12（附冊）・戴國煇這個人——含生平事記與著作目錄》　台北：遠流出版公司・南天書局　2002年4月1日　頁63～65

王駿專訪　林彩美：金美齡曾向李登輝說戴國煇壞話——與金本為密友，因政治立場反目，金美化殖民地歷史令戴反感　《中國時報》　2001年3月16日　4版

林彩美　戴國煇的交友與藏書　《傳記文學》第466期　2001年3月　頁40～45

林彩美　戴國煇的交友與藏書　《戴國煇文集12（附冊）・戴國煇這個人——含生平事記與著作目錄》　台北：遠流出版公司・南天書局　2002年4月1日　頁5～12

王曉波　捍衛台灣人尊嚴的史學家——敬悼「出生於台灣的客家系中國人」戴國煇教授　《傳記文學》第466期　2001年3月　頁46～52

王曉波　捍衛台灣人尊嚴的史學家——敬悼「出生於台灣的客家系中國人」戴國煇教授　《戴國煇文集12（附冊）・戴國煇這個人——含生平事記與著作目錄》　台北：遠流出版公司・南天書局　2002年4月1日　頁38～49

陳鵬仁　緬懷戴國煇兄　《傳記文學》第466期　2001年3月　頁53

陳鵬仁　懷念戴國煇兄　《戴國煇文集12（附冊）・戴國煇這個人——含生平事記與著作目錄》　台北：遠流出版公司・南天書局　2002年4月1日　頁35～37

杜繼平　平生風義兼師友——追懷戴國煇教授　《傳記文學》第467期　2001年4月　頁43～47

杜繼平　平生風義兼師友——追懷戴國煇教授　《戴國煇文集12（附冊）・戴國煇這個人——含生平事記與著作目錄》　台北：遠流出版公司・南天書局　2002年4月1日　頁94～101

杜繼平　平生風義兼師友——追懷戴國煇教授　《中華民國褒揚令集續編（十）——附有關史料》　台北縣：國史館　2006年11月　頁73～82

葉芸芸　洗滌的靈魂——悼念張光直與戴國煇先生　《傳記文學》第467期　2001年4月　頁48～52

葉芸芸　洗滌的靈魂——悼念張光直與戴國煇先生　《戴國煇文集12（附冊）・戴國煇這個人——含生平事記與著作目錄》　台北：遠流出版公司・南天書局　2002年4月1日　頁50～59

林德政　台灣史學界永遠的損失——記戴老師晚年及與他交往之經過

《傳記文學》第467期　2001年4月　頁53～55

林德政　台灣史學界永遠的損失——記戴老師晚年及與他交往之經過　《戴國煇文集12（附冊）・戴國煇這個人——含生平事記與著作目錄》　台北：遠流出版公司・南天書局　2002年4月1日　頁112～116

丁果　痛失恩師——懷念我的老師戴國煇　《傳記文學》第467期　2001年4月　頁56～58

丁果　痛失恩師——懷念我的老師戴國煇　《戴國煇文集12（附冊）・戴國煇這個人——含生平事記與著作目錄》　台北：遠流出版公司・南天書局　2002年4月1日　頁107～111

蔡素貞　追憶恩師——壯哉此生，他——一生精彩、豐富　《傳記文學》第467期　2001年4月　頁59～60

蔡素貞　追憶恩師——壯哉此生，他，一生精彩、豐富　《戴國煇文集12（附冊）・戴國煇這個人——含生平事記與著作目錄》　台北：遠流出版公司・南天書局　2002年4月1日　頁117～119

郭冠英　正中昭煇——向戴國煇告別　《聯合文學》第198期　2001年4月　頁90～96

郭承敏　憂心歪曲的歷史像——緬懷戴國煇先生　《海峽評論》第125期　2001年5月1日　頁63～64

郭承敏　憂心歪曲的歷史像——緬懷戴國煇先生　《戴國煇文集12（附冊）・戴國煇這個人——含生平事記與著作目錄》　台北：遠流出版公司・南天書局　2002年4月1日　頁13～19

夏珍報導　戴國煇夫人：李為不續聘戴找藉口——「我先生非左派，如此貶損令人忿恨」　《中國時報》　2001年5月10日　3版

〔聯合報〕　李登輝：王作榮爭取退休待遇，戴國煇是半個共產黨——談身世高大身材遺傳自母親；談老友王希望安排房子、車子及司機…令他苦惱；評舊識找戴任國安會諮委，反而耽誤了很多事情推動　《聯合報》　2001年5月10日　4版

何振忠報導　戴國煇遺孀：李以怨報德——「只要跟過李登輝，最後哪個不是和他鬧翻」　《聯合報》　2001年5月10日　4版

小島麗逸　追悼戴國煇老師　〔追悼・戴國煇先生〕　《世界》第688號　東京：岩波書店　2001年5月　頁200～205

〔國史館館刊〕　戴國煇先生生平略傳　《國史館館刊》第30期　2001年6月　頁127～127

〔國史館編〕　戴國煇先生略傳　《國史館現藏民國人物傳記史料彙編》第24輯　2001年11月　頁603～606

夏珍　戴國煇生平略傳　《戴國煇文集12（附冊）・戴國煇這個人——含生平事記與著作目錄》　台北：遠流出版公司・南天書局　2002年4月1日

夏珍　戴國煇先生生平略傳　《戴國煇先生梅苑書庫入藏中研院人文圖書館紀念冊》　台北：中央研究院歷史語言研究所　2005年4月15日　頁3～4

林彩美　戴國煇沉默了一年　《中國時報》　2002年1月8日　6版

林彩美　戴國煇沉默了一年（後記）　《戴國煇文集12（附冊）・戴國煇這個人——含生平事記與著作目錄》　台北：遠流出版公司・南天書局　2002年4月1日　頁293～297

陳淑美　「失去母語的人」：追憶戴國煇教授逝世一週年　《海峽評論》第134期　2002年2月1日　頁59～60

陳淑美　失去母語的人　《戴國煇文集12（附冊）・戴國煇這個

人——含生平事記與著作目錄》　台北：遠流出版公司・南天書局　2002年4月1日　頁127～131

陳希林報導　畢生研究台灣史，戴國煇中文著作集，70冥誕問世——遺孀眼裡戴國輝孤寂、正義　《中國時報》　2002年3月10日　14版

〔總統府公報〕　陳水扁總統褒揚令　《戴國煇文集12（附冊）・戴國煇這個人——含生平事記與著作目錄》　台北：遠流出版公司・南天書局　2002年4月1日

楊中美　正派治史做人　《戴國煇文集12（附冊）・戴國煇這個人——含生平事記與著作目錄》　台北：遠流出版公司・南天書局　2002年4月1日　頁122～123

林蘭芳　紅帖白帖　《戴國煇文集12（附冊）・戴國煇這個人——含生平事記與著作目錄》　台北：遠流出版公司・南天書局　2002年4月1日　頁124～126

黃曼瑩　文史家戴國煇病逝　《戴國煇文集12（附冊）・戴國煇這個人——含生平事記與著作目錄》　台北：遠流出版公司・南天書局　2002年4月1日　頁140～141

田炎欣　戴國煇，愛台灣　《戴國煇文集12（附冊）・戴國煇這個人——含生平事記與著作目錄》　台北：遠流出版公司・南天書局　2002年4月1日　頁142～143

田炎欣　台灣史專家，專批日本殖民政策　《戴國煇文集12（附冊）・戴國煇這個人——含生平事記與著作目錄》　台北：遠流出版公司・南天書局　2002年4月1日　頁144～145

皮葉　沁園春——代賦悼戴國煇　《戴國煇文集12（附冊）・戴國煇這個人——含生平事記與著作目錄》　台北：遠流出版公

司・南天書局　2002年4月1日　頁157

吳嘉陵　戴老師的最後一堂課　《戴國煇文集12（附冊）・戴國煇這個人——含生平事記與著作目錄》　台北：遠流出版公司・南天書局　2002年4月1日　頁279～280

林彩美　戴國煇藏書軼事數則　《文訊》第214期　2003年8月　頁71～74

陳淑美　記「梅苑書庫」　《文訊》第214期　2003年8月　頁75～76

陳淑美　戴國煇教授所藏文學史料　《文訊》第214期　2003年8月　頁77～80

林彩美　吳濁流與戴國煇　《中國時報》　2003年11月29日　E7版

林彩美　今朝何幸喜相逢——吳濁流的詩與遺墨　《臺灣文學館通訊》第2期　2003年12月　頁6～8

林彩美　俯瞰群山百萬重——戴國煇珍藏吳濁流手稿與小說緣起　《臺灣文學館通訊》第2期　2003年12月　頁8～9

林彩美　消息傳來喜欲狂——吳濁流的信　《臺灣文學館通訊》第2期　2003年12月　頁4～6

林彩美　被詰問出來的臺灣文學收藏——《陳夫人》、《鄭一家》、《Nagare》　《臺灣文學館通訊》第2期　2003年12月　頁10～11

林彩美　楊逵與戴國煇　《臺灣文學館通訊》第4期　2004年6月　頁69

傅月庵　戴國煇和他的梅邨書庫——十年之後當思我　《中國時報》　2004年10月17日　B3版

林彩美　從「梅苑書庫」到「戴國煇文庫」　《戴國煇先生梅苑書庫入藏中研院人文圖書館紀念冊》　台北：中央研究院歷史語

言研究所　2005年4月15日　頁23～32

林彩美　從「梅苑書庫」到「戴國煇文庫」　《傳記文學》第516期　2005年9月　頁82～97

陳映真　戴國煇先生生平簡述　《傳記文學》第516期　2005年5月　頁100～102

林長風　臺灣史學家戴國煇　《中華民國褒揚令集續編（十）——附有關史料》　台北縣：國史館　2006年11月　頁61～65

採訪・對談（座談）

專書

戴國煇等編　《討論日本のなかのアジア》　東京：平凡社　1973年8月3日

戴國煇、阪谷芳直編　《我們生涯之中的中國》〔われらの生涯の中の中国〕　東京：みすず書房　1983年12月8日

戴國煇、王作榮口述，夏珍記錄整理　《愛憎李登輝——戴國煇與王作榮對話錄》　台北：天下遠見出版公司　2001年2月7日

戴國煇、王作榮口述，夏珍記錄整理　《戴國煇文集9・愛憎李登輝——戴國煇與王作榮對話錄》　台北：遠流出版公司・南天書局　2002年4月1日

戴國煇等編　《戴國煇文集8：台灣史對話錄》　台北：遠流出版公司・南天書局　2002年4月1日

戴國煇等編　《台灣史對話錄》　台北：南天書局　2002年4月

單篇

戴國煇等　故鄉的米・日本的米座談會　〔ふる里の米・日本の米〕《食生活》第58巻第8號　東京：財団法人国民栄養協会　1964年8月　頁38～44

戴國煇等　東大中國同學會幹事座談會　〔幹事の集い〕　《暖流》第6號　東京：東大中国同学会　1964年11月　頁2～13

戴國煇、杉岡碩夫　台灣經濟與日本投資　〔台湾経済と日本の資本進出〕　《經濟評論》第18巻第9號　東京：日本評論社　1969年8月　頁110～132

戴國煇、杉岡碩夫　台灣經濟與日本投資　〔台湾経済と日本の資本進出〕　《日本人との対話——日本・中国台湾・アジア》　東京：社会思想社　1971年8月15日　頁114～150

戴國煇等　從亞洲看日本座談會　〔アジアからみた日本〕　《政治公論》　東京：政治公論社　1969年9月

戴國煇等　從亞洲看日本座談會　〔アジアからみた日本〕　《日本人との対話——日本・中国台湾・アジア》　東京：社会思想社　1971年8月15日　頁173～227

戴國煇等　中國研究者的造反與自我批判座談會　〔中国研究者の造反と自己批判〕　《朝日ジャーナル》第12巻第10號　東京：朝日新聞社　1970年3月8日　頁17～24

戴國煇等　中國研究者的造反與自我批判座談會　〔中国研究者の造反と自己批判〕　《日本人との対話——日本・中国台湾・アジア》　東京：社会思想社　1971年8月15日　頁151～170

戴國煇、田中宏　真實的亞洲和日本　〔事実におけるアジアと日本〕

《構造》第9卷第9號　東京：經濟構造社　1970年9月1日　頁142～169

戴國煇、田中宏　真實的亞洲和日本　〔事実におけるアジアと日本〕　《日本人との対話——日本・中国台湾・アジア》　東京：社会思想社　1971年8月15日　頁26～69

戴國煇等　思考同學會應有的狀態——東大中國同學會歷屆總幹事座談會　〔同学会のありかたを考えて——東大中国同学会歴代総幹事座談会〕　《暖流》第13號　東京：東大中国同学会　1971年4月　頁3～16

戴國煇、尾崎秀樹　主觀的中國評論　〔やぶにらみの中国〕　《別冊経済評論：全面特集・中国人と日本人》增刊號　東京：日本評論社　1971年10月1日　頁19～31

戴國煇、新島淳良　做為思想方法的台灣　〔思想方法としての台湾〕　《新日本文学》第26卷第11號　東京：新日本文学会　1971年11月　頁6～18

戴國煇、松澤哲成　石原莞爾與中野正剛　〔石原莞爾と中野正剛〕　《現代の眼》第145號　東京：現代評論社　1972年1月　頁150～163

戴國煇等　亞洲座談會　〔アジア〕[*4]　《中日新聞》　1972年3月27日　第5頁；4月3日　第5頁；4月17日　第7頁；4月24日　第5頁；5月1日　第7頁

戴國煇等　自分與「他分」——日本人的亞洲認識座談會　〔自分と「他分」——日本人のアジア認識〕　戴國煇等編　《討論日本のなかのアジア》　東京：平凡社　1973年8月3日　頁

＊4 後改題為「自分と『他分』——日本人のアジア認識」。

21～69

戴國煇等　通往「現地化」的險惡單行道座談會（最終回）〔険しい「現地化」への一本道〕《週刊東洋経済》第3677號　東京：東洋経済新報社　1972年7月15日　頁42～49

戴國煇等　日本與亞洲座談會　〔日本とアジア〕*5　《中日新聞》1972年8月28日　第7頁；9月18日　第7頁；9月25日　第7頁；10月2日　第7頁；10月9日　第6頁；10月16日　第7頁

戴國煇等　惡的結構與贖罪意識座談會——從日本舊殖民地的觀點座談會　〔悪の構造と贖罪意識——日本の旧植民地からの視角〕　戴國煇等編　《討論日本のなかのアジア》　東京：平凡社　1973年8月3日　頁71～135

戴國煇等　七億鄰人眼中的日本——對「一點一滴逐漸恢復中日邦交」的擔憂座談會　〔七億の隣人によとっての日本〕　《朝日ジャーナル》第707號　東京：朝日新聞社　1972年9月29日　頁13～20

戴國煇等　亞洲人談亞洲座談會　〔アジア人、アジアを語る〕*6　《中日新聞》　1973年2月12日　第9頁；2月19日　第9頁；3月5日　第9頁；3月12日　第9頁；3月19日　第11頁

戴國煇等　圍繞越南戰爭——亞洲人談亞洲座談會　〔ベトナム戦争をめぐって——アジア人、アジアを語る〕　戴國煇等編　《討論日本のなかのアジア》　東京：平凡社　1973年8月3日　頁173～219

戴國煇、尾崎秀樹　日本殖民地政策與台灣——尾崎秀樹vs.戴國煇

---

*5 後改題為「悪の構造と贖罪意識——日本の旧植民地からの視角」。

*6 後改題為「ベトナム戦争をめぐって——アジア人、アジアを語る」。

〔日本の植民地政策と台湾〕　《中国語》第157号　東京：大修館書店　1973年2月　頁25～35

戴國煇等　今後的亞洲座談會　〔アジアこれから〕*7　《中日新聞》1973年4月2日　第9頁；4月9日　第9頁；4月16日　第9頁；4月30日　第9頁

戴國煇等　為誰的「開發中國家援助」——今後的亞洲與日本座談會〔誰にための「後進国援助」——これからのアジアと日本〕　戴國煇等編　《討論日本のなかのアジア》　東京：平凡社　1973年8月3日　頁221～257

戴國煇等　柳田國男與柳宗悅座談會　〔柳田國男と柳宗悅〕　《柳田國男研究》第3號　東京：白鯨社　1973年秋季號　頁2～82

戴國煇等　圍繞著戴國煇先生　〔JOCSを考える会〕　未刊稿　1974年3月25日

戴國煇等　傾聽亞洲的心聲座談會　〔アジアに声をきく〕　《經濟評論》第23卷第4號　東京：日本評論社　1974年4月　頁62～88

戴國煇等　亞洲報導的課題座談會　〔アジア報道の課題〕　《新聞研究》第273號　東京：社団法人日本新聞協会　1974年4月　頁6～19

戴國煇、青木保　「亞洲」論的前提　〔「アジア」論のための前提〕《展望》第189號　東京：筑摩書房　1974年9月　頁32～52

戴國煇等　恢復邦交兩年的歷程座談會　〔国交回復2年のあゆみ〕《日中経済協会会報》第16 號　東京：財団法人日中経済

＊7 後改題為「誰にための「後進国援助」——これからのアジアと日本」。

協会　1974年9月　頁16～26

戴國煇等　亞洲與日本座談會　〔日本とアジア〕　鶴見良行編　《アジアからの直言》　東京：講談社　1974年12月20日　頁135～200

戴國煇、宇井純　對西元2000年的摸索　〔2000年への模索〕　《北海道新聞》　1975年1月1日　第25頁

〔聯合報〕　日本軍閥脅迫下，山胞被驅作炮灰——前田等四人前車可鑑，居留在日本生活艱難　《聯合報》　1975年1月3日　3版

戴國煇等　新亞洲與日本座談會　〔新しいアジアと日本〕　《北海道新聞》　1975年5月4日　14版　第3頁

戴國煇等　不被公開的檯面下霸權論戰——匿名對談　〔語られざる霸権論議の舞台裏〕　《經濟評論》第24卷第7號　東京：日本評論社　1975年7月　頁76～95

戴國煇等　華人社會——何謂祖國座談會　〔華人社会——祖国とは〕　竹內好編　《アジア学の展開のために》　東京：創樹社　1975年9月25日　頁49～57

戴國煇等　技術——以原點為中心座談會　〔技術——原点を中心に〕　竹內好編　《アジア学の展開のために》　東京：創樹社　1975年9月25日　頁201～211

戴國煇等　十五年戰爭——善意與侵略之間座談會　〔十五年戦争——善意と侵略の間〕　竹內好編　《アジア学の展開のために》　東京：創樹社　1975年9月25日　頁243～264

戴國煇等　國際合作的現狀與展望座談會　〔国際協力の現状と展望〕　《文部時報》第1184號　東京：株式会社ぎょうせい　1976

年1月　頁12～26

戴國煇等　「神轎社會」的精神結構座談會　〔「おみこし社会」の精神構造〕　《現代ビジョン》第13卷第5號　東京：経営ビジョン・センター　1976年5月　頁14～21

〔東京新聞〕　闡明了現代的苦惱　〔解明された現代の苦悩〕　《東京新聞》　1976年7月8日　第6頁

戴國煇等　美味求真與農業復權座談會　〔美味求真と農の復権〕　《現代ビジョン》第13卷第9號　東京：経営ビジョン・センター　1976年9月　頁13～19

戴國煇等　東南亞的心與近代化——「亞洲人懶散嗎？」座談會　〔東南アジアの心と近代化〕　《海外市場》第27卷第303號　東京：日本貿易振興会　1977年1月　頁10～31

戴國煇、永井道雄　對大學再生的期待——永井道雄vs.戴國煇　〔大学の新生を期待して〕　《立教》 第82號， 東京：立教大学　1977年夏季號　頁2～12

戴國煇等　「援助」方與被援助方——亞洲的民族主義與日本座談會　〔「援助」する側、される側——アジアのナショナリズムと日本〕　《現代ビジョン》第14卷第8號　東京：経営ビジョン・センター　1977年8月　頁24～31

戴國煇、穗積五一　尋求真正的經濟合作：與亞洲的連帶為起點——穗積五一vs.戴國煇　〔真の経済協力を求める——アジアとの連帯を原点に〕　《現代ビジョン》第15卷9號　東京：経営ビジョン・センター　1978年9月　頁16～22

戴國煇、飯田經夫　思考亞洲與日本——飯田經夫vs.戴國煇　〔アジアと日本を考える〕　《現代ビジョン》第16卷第1號　東

京：経営ビジョン・センター　1979年1月　頁22～29

戴國煇等　参加舊金山客家大會座談會　〔サンフランシスコ大会に参加して〕　《客家之聲》第3號　東京：日本崇正総会　1979年4月1日　第2～3頁

戴國煇等　民族與文化——國際社會中的日本鼎談會〔民族と文化——国際社会における日本〕　《立教》第91號　東京：立教大学　1979年11月　頁2～15

〔月刊イニシァテヴ〕　被喻為波西米亞人——華僑所成就的文化經濟足跡　〔ボヘミアンといわれる華僑が果した文化経済の足跡〕　《月刊イニシァテヴニ》（総合キャンペーン誌）第103號　東京：中小企業政策研究所　1980年7月　頁26～27

戴國煇等　伊斯蘭・中國・日本的性與家族座談會　〔イスラム・中国・日本の性と家族〕　《月刊NIRA 》第2巻第7號　東京：総合研究開発機構　1980年7月　頁10～17

戴國煇等　重新燃起對民族統一之願望——回顧華僑「客家」世界大會座談會　〔民族統一への思い新た：華僑「客家」世界大会をふり返って〕　《朝日新聞》1980年10月11日　11版　第6頁

戴國煇、內村剛介　精確觀瞻四方的「吹牛大王」——內村剛介vs.戴國煇　〔確かな目配り「大風呂敷」〕　《歴史読本》第25巻第14號　東京：新人物往来社　1980年11月　頁256～273

戴國煇等　何謂近代國家、國籍、民族、國民、公民——中國國籍法制定的意義與背景座談會　〔中国国籍法制定の意義とその背景——近代国家・国籍・民族・国民・市民とは何か〕　《日中経済協会会報》第92號　東京：財団法人日中経済協

会 1981年3月 頁15～35

戴國煇等 中國社會的今日與明日座談會 〔中国社会の今日と明日〕《日中経済協会会報》第99號 東京：財団法人日中経済協会 1981年10月 頁4～17

戴國煇等 外國人教師談立教大學座談會 〔外国人教師、立教を語る〕 《立教》 第99號 東京：立教大学 1981年秋季號 頁2～17

戴國煇等 第三次國共合作提案分析座談會 〔第三次国共合作提案を分析する〕 《日中経済協会会報》第102號 東京：日中経済協会 1982年1月 頁14～27

戴國煇等 第三次國共合作提案分析座談會 〔第三次国共合作提案を分析する〕 《台湾、いずこへ行く?!——診断と予見》 東京：研文出版 1990年11月20日 頁107～132

戴國煇等 中國東南亞政策之變遷——從九三〇事件至中越戰爭 〔中国の東南アジア政策の変遷——9・30事件から中越戦争まで〕 《經濟評論》第31卷第2號 東京：日本評論社 1982年2月 頁38～49

戴國煇等 台灣現況與第三次國共合作 〔台湾の現状と第三次国共合作〕*8 《中央公論》第97卷第3號 東京：中央公論社 1982年3月 頁140～155

戴國煇等，陳中原譯 台灣現況與國共第三次合作 《七十年代》第148期 香港：七十年代雜誌社 1982年5月 頁68～74

戴國煇等，陳中原譯 台灣現況與國共第三次合作 《生活與環境》

＊8 後改題為「台灣現況與國共第三次合作」、「亦談海峽兩岸問題——和李嘉、陳鼓應鼎談於扶桑」、「亦談海峽兩岸問題——和李嘉、陳鼓應等先生鼎談於扶桑」。

1982年7月

戴國煇等，陳中原譯　亦談海峽兩岸問題——和李嘉、陳鼓應鼎談於扶桑　《台灣史研究——回顧與探索》　台北：遠流出版公司　1985年3月25日　頁238～255

戴國煇等　台灣現況與第三次國共合作座談會　〔台湾の現状と第三次国共合作〕　《台湾、いずこへ行く？！——診断と予見》　東京：研文出版　1990年11月20日　頁79～106

戴國煇等，陳中原譯　亦談海峽兩岸問題——和李嘉、陳鼓應鼎談於扶桑　《戴國煇文集1・台灣史研究——回顧與探索》　台北：遠流出版公司・南天書局　2002年4月1日　頁238～255

戴國煇等，陳中原譯　亦談海峽兩岸問題——和李嘉、陳鼓應等先生鼎談於扶桑　《戴國煇文集8・台灣史對話錄》　台北：遠流出版公司・南天書局　2002年4月1日　頁101～119

戴國煇等，陳中原譯　亦談海峽兩岸問題——和李嘉、陳鼓應等先生鼎談於扶桑　《台灣史對話錄》　台北：南天書局　2002年4月　頁101～119

戴國煇等　認識日本與中國的不同鼎談會——相互理解的可能性是……〔日本と中国の違いを知る——相互理解の可能性は…〕　《日中経済協会会報》第108號　東京：財団法人日中経済協会　1982年7月　頁4～17

兒玉哲秀　有想了解中國的文教族嗎？　〔「教科書」につまずいた自民党——「中国を知ろうとする文教族はいろのか」〕《朝日ジャーナル》第1229號　東京：朝日新聞社（增大號）　1982年8月27日　頁10～12

戴國煇等　思索1980年代的大學：亞洲與日本——思考今後日本的大學

任務座談會　〔一九八〇年代の大学を考える：アジアと日本——これからの日本の大学の役割を考える〕　《大学時報》第31巻第166號　東京：社団法人日本私立大学連盟　1982年9月　頁14～32

戴國煇等　被分割國家的人民對日本的要求座談會　〔分断られた民として日本に注文する〕　《中央公論》第1155號　東京：中央公論社　1982年10月　頁182～194

戴國煇等　一位台灣作家的七十七年——五十年後重訪日本的發言〔一台湾作家の七十七年——五十年ぶりの来日を機に語る〕[*9]　《文芸》第22卷第1號　東京：河出書房新社　1983年1月　頁296～311

戴國煇等，陳中原譯　作家楊逵的七十七年歲月——五十年後重訪日本的談話記錄（上、下）　《台灣與世界》第4期　1983年9月　頁36～43；第5期　1983年10月　頁30～39

戴國煇等，陳中原譯　楊逵的七十七年歲月——一九八二年楊逵先生訪問日本的談話記錄　《文季》第4期　1983年11月　頁8～30

戴國煇等，陳中原譯　楊逵憶述不凡的歲月——陪內村剛介訪談楊逵於東京　《台灣史研究——回顧與探索》　台北：遠流出版公司　1985年3月25日　頁202～237

戴國煇等，陳中原譯　楊逵憶述不凡的歲月——陪內村剛介訪談楊逵於東京　《戴國煇文集1・台灣史研究——回顧與探索》　台北：遠流出版公司・南天書局　2002年4月1日　頁202～237

＊9 後改題為「作家楊逵的七十七年歲月——五十年後重訪日本的談話記錄」、「楊逵的七十七年歲月——一九八二年楊逵先生訪問日本的談話記錄」、「楊逵憶述不凡的歲月——陪內村剛介訪談楊逵於東京」。

戴國煇等，陳中原譯　楊逵憶述不凡的歲月——陪內村剛介先生訪談楊逵於日本・東京　《戴國煇文集8・台灣史對話錄》　台北：遠流出版公司・南天書局　2002年4月1日　頁64～97

戴國煇等，陳中原譯　楊逵憶述不凡的歲月——陪內村剛介先生訪談楊逵於日本・東京　《台灣史對話錄》　台北：南天書局　2002年4月　頁64～97

戴國煇等　海峽兩岸的現狀與統一問題座談會＊10　《中報月刊》第36期　1983年1月　頁8～22

戴國煇等　兩岸的現狀與統一問題——和李嘉、夏之炎、傅朝樞等先生交叉談於日本東京、外國特派員協會　《戴國煇文集8・台灣史對話錄》　台北：遠流出版公司・南天書局　2002年4月1日　頁120～155

戴國煇等　兩岸的現狀與統一問題——和李嘉、夏之炎、傅朝樞等先生交叉談於日本東京、外國特派員協會　《台灣史對話錄》　台北：南天書局　2002年4月　頁120～155

戴國煇等　台灣當前局勢與民主統一前景座談會＊11　《中報月刊》第39期　1983年4月　頁8～21

戴國煇等　台灣當前局勢與民主統一前景——和中・日諸友座談於日本、東京池袋　《戴國煇文集8・台灣史對話錄》　台北：遠流出版公司・南天書局　2002年4月1日　頁156～183

戴國煇等　台灣當前局勢與民主統一前景——和中・日諸友座談於日本、東京池袋　《台灣史對話錄》　台北：南天書局　2002

＊10　後改題為「兩岸的現狀與統一問題——和李嘉、夏之炎、傅朝樞等先生交叉談於日本東京、外國特派員協會」。

＊11　後改題為「台灣當前局勢與民主統一前景———和中・日諸友座談於日本、東京池袋」。

年4月　頁156～183

〔國際日報〕　「紀念五四」・「展望中美日關係」中美日台教授柏克萊舉行研討會（另外訪問張宏毅、謝善元、陳鼓應）　《國際日報》　1983年5月10日

戴國煇等　現代的漢民族座談會　〔現代の漢民族〕　橋本萬太郎編《漢民族と中国社会》　東京：山川出版社　1983年12月24日　頁435～471

葉芸芸整理　談「台灣意識」與「台灣民族」（上、下）——戴國煇、陳映真愛荷華對談錄*12　《台灣與世界》第8期　1984年2月頁73～80；第9期　1984年3月　頁46～54

葉芸芸整理　《台灣人意識》、《台灣民族》的虛相與真相——戴國煇・陳映真　《夏潮論壇》第12期　1984年3月　頁19～28；第13期　1984年4月　頁62～73

戴國煇、陳映真　「台灣人意識」與「台灣民族」——與陳映真對談於愛荷華　《台灣史研究——回顧與探索》　台北：遠流出版公司　1985年3月25日　頁142～179

戴國煇、陳映真　「台灣人意識」與「台灣民族」——與陳映真對談於愛荷華　《戴國煇文集1・台灣史研究——回顧與探索》　台北：遠流出版公司・南天書局　2002年4月1日　頁142～179

戴國煇、陳映真　台灣人意識與台灣民族——與陳映真先生對談於美國・愛荷華　《戴國煇文集8・台灣史對話錄》　台北：遠

＊12 後改題為「《台灣人意識》、《台灣民族》的虛相與真相——戴國煇・陳映真」、「『台灣人意識』與『台灣民族』——與陳映真對談於愛荷華」、「台灣人意識與台灣民族——與陳映真先生對談於美國・愛荷華」。

流出版公司‧南天書局　2002年4月1日　頁3～63

戴國煇、陳映真　台灣人意識與台灣民族——與陳映真先生對談於美國‧愛荷華　《台灣史對話錄》　台北：南天書局　2002年4月　頁3～63

〔中報〕　戴國煇剖析海外華人情意節——認同祖國並無妨落地生根，抨擊台灣民族論者歪曲事實　《中報》　1984年3月13日　2版

葉芸芸整理　台灣的社會發展與省籍問題（上、下）——李哲夫與戴國煇的對談　《台灣與世界》第10期　1984年4月　頁44～49；第11期　1984年5月　頁37～41

葉芸芸整理　台灣的社會發展與省籍問題——李哲夫與戴國煇對談錄　《夏潮論壇》第8卷第6期　1984年8月　頁28～39

戴國煇、李哲夫　台灣社會發展與省籍問題——與李哲夫對談於華府　《台灣史研究——回顧與探索》　台北：遠流出版公司　1985年3月25日　頁180～201

戴國煇、李哲夫　台灣社會發展與省籍問題——與李哲夫對談於華府　《戴國煇文集1‧台灣史研究——回顧與探索》　台北：遠流出版公司‧南天書局　2002年4月1日　頁180～201

戴國煇、李哲夫　台灣社會發展與省籍問題——與李哲夫先生對談於美國‧華府　《戴國煇文集8‧台灣史對話錄》　台北：遠流出版公司‧南天書局　2002年4月1日　頁41～63

戴國煇、李哲夫　台灣社會發展與省籍問題——與李哲夫先生對談於美國‧華府　《台灣史對話錄》　台北：南天書局　2002年4月　頁41～63

王曉波　可恕而不可忘——戴國煇談陳中和、林少猫*[13]　《前進出版社・毎週一書》前進系列總號第67號　1984年7月5日　頁45～47

王曉波　附錄三：日據價值體系之批判——訪戴國煇教授談林少猫事件　《台灣史研究——回顧與探索》　台北：遠流出版公司　1985年3月25日　頁104～109

王曉波　附錄三：日據價值體系之批判——訪戴國煇教授談林少猫事件　《戴國煇文集1・台灣史研究——回顧與探索》　台北：遠流出版公司・南天書局　2002年4月1日　頁104～109

戴國煇等　雷根・中國・朝鮮半島——探尋東亞的安定化　〔レーガン・中国・朝鮮半島——安定化を模索する東アジア〕　《エコノミスト》第62卷第30號　東京：毎日新聞社　1984年7月24日　頁24～33

戴國煇等　雷根・中國・朝鮮半島——探尋東亞的安定化座談會　〔レーガン・中国・朝鮮半島——安定化を模索する東アジア〕　《台湾、いずこへ行く？！——診断と予見》　東京：研文出版　1990年11月20日　頁175～198

戴國煇、吉田實　從美國及香港看中國大陸・香港・台灣——吉田實vs.戴國煇　〔アメリカと香港からみる——中国大陸・香港・台湾〕　《日中経済協会会報》第132號　東京：日中経済協会　1984年8月　頁19～31

戴國煇等　與亞洲共處——現在為何要放眼亞洲座談會　〔アジアとともに——いまなぜアジアに目を向けるのか〕　《立教》第111號　東京：立教大学　1984年秋季號　頁6～25

*13 後改題為「日據價值體系之批判——訪戴國煇教授談林少猫事件」。

戴國煇等　台灣老社會運動家的回憶與展望——圍繞日本・台灣・中國大陸的情況　〔台湾老社会運動家の思い出と展望——日本・台湾・中国大陸をめぐる光景〕　《台湾近現代史研究》第5號　東京：台湾近現代史研究会　1984年12月30日　頁193～206

戴國煇等　臺灣老社會運動家的回憶與展望——楊逵關於日本・臺灣・中國大陸的談話記錄　《文季》第2卷第5期　1985年6月　頁26～42

戴國煇等　老社會運動家楊逵的回憶與展望——陪若林正丈先生訪談楊老於立教大學　《戴國煇文集5・台灣史研究集外集》　台北：遠流出版公司・南天書局　2002年4月1日　頁389～408

戴國煇等　在日、在美的朝鮮人和中國人　〔在日・在米の朝鮮人・中国人〕　《季刊三千里》第40號　東京：三千里社　1984年冬季號　頁108～120

戴國煇等　在日、在美的朝鮮人和中國人——與曹瑛煥及姜在彥兩教授鼎談於日本・東京『三千里』雜誌社　《戴國煇文集8・台灣史對話錄》　台北：遠流出版公司・南天書局　2002年4月1日　頁295～314

戴國煇等　在日、在美的朝鮮人和中國人——與曹瑛煥及姜在彥兩教授鼎談於日本・東京『三千里』雜誌社　《台灣史對話錄》　台北：南天書局　2002年4月　頁295～314

陳國祥　站穩在我們生活的大地上——訪戴國煇教授談當前一些問題　《自立晚報》　1985年3月13日　2版

陳國祥　附錄四：站穩在我們生活的大地上——訪戴國煇教授談當前一些問題　《台灣史研究——回顧與探索》　台北：遠流出

版公司　1985年3月25日　頁256～261

陳國祥　附錄四：站穩在我們生活的大地上——訪戴國煇教授談當前一些問題　《戴國煇文集1・台灣史研究——回顧與探索》　台北：遠流出版公司・南天書局　2002年4月1日　頁256～261

林鴻採訪　台灣從「慢性肝炎」步向「急性肝炎」——訪戴國煇　《前進》（週刊）第102期　1985年3月16日　頁48～49

戴國煇、姜在彥　日帝統治下的台灣和朝鮮　〔植民地下の台湾と朝鮮〕　《季刊三千里》第41號　東京：三千里社　1985年春季號　頁26～39

戴國煇、姜在彥　日帝統治下的台灣和朝鮮——與姜在彥先生對談於日本東京　《戴國煇文集8・台灣史對話錄》　台北：遠流出版公司・南天書局　2002年4月1日　頁269～294

戴國煇、姜在彥　日帝統治下的台灣和朝鮮——與姜在彥先生對談於日本東京　《台灣史對話錄》　台北：南天書局　2002年4月　頁269～294

戴國煇等　食指的思想座談會　〔ひとさし指の思想〕　《戦後責任》第3號　東京：アジアにたいする戦後責任を考える会　1985夏季號　頁2～19

楊憲宏報導　用歷史證據說話——日處心積慮淡化侵華戰爭罪惡感，四位學者專程來華探討史實真相（另外訪問姫田光義、粟屋憲太郎、石島紀之、森正孝）　《聯合報》　1985年7月6日　2版

戴國煇等　我的國家與日本——透過異文化接觸的所學所思座談會　〔私の国と日本——異文化接触を通じて学び、考えるこ

と〕　《立教》第115號　東京：立教大学　1985年秋季號　頁6～23

〔民生報〕　要改善抄襲模仿惡風，須先培育產業文化——戴國煇盼國人擺脫「一窩蜂」心理　《民生報》　1985年12月29日　9版

〔民眾日報〕　台灣經濟面臨轉型，應發揮「匠」的精神——戴國煇應邀發表專題演講時指出，文化經濟融合產生真正產業文化　《民眾日報》　1986年1月5日　2版

〔民眾日報〕　台灣教育素質較差，留學生以留美為榮　《民眾日報》　1986年1月5日　2版

〔夏潮論壇〕　龍與台灣史研究——戴國煇與張光直兩教授對談　《夏潮論壇》第51期　1986年2月　頁6～15

戴國煇、張光直　龍與台灣史研究——與張光直對談於台北圓山飯店　《戴國煇文集8・台灣史對話錄》　台北：遠流出版公司・南天書局　2002年4月1日　頁193～207

戴國煇、張光直　龍與台灣史研究——與張光直對談於台北圓山飯店　《台灣史對話錄》　台北：南天書局　2002年4月　頁193～207

戴國煇等　中國・亞洲的當前局勢——東南亞・台灣海峽・朝鮮半島與日本座談會　〔中国・アジア情勢はいま…——東南アジア・台湾海峽・朝鮮半島と日本〕　《日中経済協会会報》第155號　東京：財団法人日中経済協会　1986年7月　頁16～27

戴國煇等　留日三代鼎談——李嘉・許介鱗・戴國煇　《日本文摘》第6期　1986年7月　頁7～11

楊憲宏採訪整理　侵略罪行可恕不可忘——戴國煇正告日本政界應扮演利人利己角色　《聯合報》　1986年9月10日　2版

戴國煇、下河邊淳　《齊民要術》與東畑精一老師的回憶——下河邊淳vs.戴國煇　〔斉民要術と東畑先生の思い出〕　《月刊NIRA》第8卷第12號　東京：総合研究開発機構（NIRA）　1986年12月　頁40～47

戴國煇等　中國往何處去座談會　〔中国はどこへ緊急座談会〕　《朝日新聞》　1987年1月17日　14版　第6頁

戴國煇、下河邊淳　轉換期的國際關係與台灣・亞洲　〔転換期の国際関係と台湾・アジア〕　《日中経済協会会報》第163號　東京：財団法人日中経済協会　1987年2月20日　頁10～17

戴國煇、下河邊淳　轉換期的國際關係與台灣・亞洲　〔転換期の国際関係と台湾・アジア〕　《台湾、いずこへ行く？！——診断と予見》　東京：研文出版　1990年11月20日　頁199～216

戴國煇、下河邊淳　轉換期的國際關係與台灣・亞洲　《戴國煇文集8・台灣史對話錄》　台北：遠流出版公司・南天書局　2002年4月1日　頁314～328

戴國煇、下河邊淳　轉換期的國際關係與台灣・亞洲　《台灣史對話錄》　台北：南天書局　2002年4月　頁314～328

戴國煇、星野芳郎　渾沌的時代：亞洲與日本——星野芳郎vs.戴國煇〔混沌の時代——アジアと日本〕　《GRAPHICATION》第218號　東京：富士ゼロックス株式会社　1987年2月　頁4～16

戴國煇等　商業的中國邁向近代社會與產業社會的轉機座談會——檢驗

目前的中國・革命・思想座談會　〔いま中国・革命・思想を検証する〕　《日中経済協会会報》第162～164號　東京：財団法人日中経済協会　1987年2～4月　頁4～15、頁45～55

戴國煇、林憲　丘念台與2・28前後——戴國煇訪問丘念台私人秘書林憲*14　《人間》第18號　1987年4月　頁68～76

戴國煇、林憲　二・二八的前前後後與丘念台——與林憲先生對話於日本・立教大學　《戴國煇文集8・台灣史對話錄》　台北：遠流出版公司・南天書局　2002年4月1日　頁208～221

戴國煇、林憲　二・二八的前前後後與丘念台——與林憲先生對話於日本・立教大學　《台灣史對話錄》　台北：南天書局　2002年4月　頁208～221

〔臺灣時報〕　新觀念，新挑戰！——舊創傷不會諱言・尋求未來整合統一；戴國煇研究心得，籲朝野建立認同感　《臺灣時報》1987年8月23日　5版

〔自立晚報〕　台灣各族應建立出生尊嚴——戴國煇促自我認同，肯定自己尊重他族　《自立晚報》　1987年8月30日　2版

邊緯文採訪報導　這是一個好的開始——中共學者與東瀛客談大陸採訪　《美華報導》第110期　1987年9月　頁14～15

〔聯合報〕　海內外學者專家對開放探親的看法與建議（另外訪問文崇一、丘宏達、朱立、朱堅章等人）　《聯合報》　1987年10月15日　2版

戴國煇　突破中國結與台灣結的困境座談會　《中國論壇》第290期

---

*14 後改題為「二・二八的前前後後與丘念台——與林憲先生對談於日本・立教大學」。

（節錄） 1987年10月25日 頁10～25

戴國煇等 台灣，變化的底流是什麼？*15 〔台湾・変化の底流は何か〕 《世界》第506號 東京：岩波書店 1987年10月 頁140～151

戴國煇等 台灣，思考其變化的底流 〔台湾、変化の底流を考える〕 《台湾、いずこへ行く？！——診断と予見》 東京：研文出版 1990年11月20日 頁217～237

〔聯合報〕 玩弄字眼的把戲？ ——海內外學者評「民進黨」的決議案 《聯合報》 1987年11月11日 2版

戴國煇等 中國會認真地改變嗎？——開放與改革座談會 〔開放と改革——中国は本気で変わる！？——第13回党大会立ち遅れを直視した〕 《朝日ジャーナル》第1505號 東京：朝日新聞社 1987年11月13日 頁85～88

戴國煇等 留學生的大學入學考試及今後的展望專題討論會 〔留学生の大学入試と今後の展望について〕 《シンポジウム「21世紀への留学生政策の展開をめぐって（III）——留学生の日本の大学入学資格と教育上の問題のついて」（第7回JAFSA夏期研究集会報告書）》 東京：外国人留学生問題研究会 1987年12月10日 頁144～170

戴國煇等 1985「青年之船」座談會 〔総論的に〕 《'85「青年の船」報告書——新しき水平に向けて》 東京：在日本大韓民国青年会中央本部 1987年12月15日 頁151～183

〔三一書房〕 要培育健康的亞洲認識，應踏上亞洲之「旅」找回人性 〔健康的アジア認識を育むには、人間性をとりもどすアジ

---

*15 後改題為「台灣，思考其變化的底流」。

アへの「旅」を！〕　村井吉敬等編著　《アジアと私たち——若者のアジア認識》　東京：三一書房　1988年2月29日　頁104～111

戴國煇等　近代有關客家人的問題探討座談會——松平誠、林憲戴國煇等專題演講　《客家風雲》第5期　1988年3月　頁49～52

戴國煇等　華僑的家族文化・經營文化：與日本比較　〔華僑の家族文化・経営文化——日本との比較〕　《日本の選択》第12巻第30號　東京：財団法人日本経済研究会　1988年3月20日　頁18～33

陳澤禎報導　出售東京黃金地段，中共賣地皮，日本人頭疼——削價求售，中共留學生不滿　《聯合晚報》1988年4月9日　2版

戴國煇等　台北與東京的都市文化觀察座談會　《日本文摘》第27期　1988年4月　頁43～47

謝忠良採訪整理　海外台獨的美麗誤解——專訪戴國煇教授　《自由時報》　1988年7月29日　2版

黃絹絹報導　不准入境、尤清揚言看著辦——台獨色彩？學者看法大不同（另外訪問尤清、黃國昌、楊力宇）　《中時晚報》1988年7月29日　2版

陳依玫報導　戴國煇諷謔瞎扯主義者　《自立早報》　1988年7月30日　2版

謝忠良專訪　肚臍以下不屬政治事務？（另外訪問閔錫慶、楊力宇、李國威等）　《自由時報》　1988年8月3日　2版

〔中國時報〕　學人話鋒一轉挑上記者（另外訪問何啟建、李文朗、陳維德等）　《中國時報》　1988年8月4日　2版

〔聯合晚報〕　我們不鞭屍只說公道話——裕仁從未向中國人公開道

歉，學者感到萬分遺憾　《聯合晚報》　1989年1月7日　3版

〔民眾日報〕　本報舉辦「二二八」國是演講——邱垂亮：放寬心胸治癒傷痕；戴國煇：治史應嚴謹且負責　《民眾日報》　1989年2月1日

高惠宇、王震邦專訪　天皇在日人心中仍有尊貴地位，對日本政局有微妙的影響　《聯合報》　1989年2月23日　2版

〔臺灣時報〕　本報「從天安門事件後看中國前途」座談會紀要——集合全球力量解決中國問題（另外訪問小島麗逸、張發金、張滙濱）　《臺灣時報》　1989年8月27日　3版

戴國煇、松本健一　從台灣經營看近代史的斷面——松本健一vs.戴國煇〔台湾経営にみる近代史の断面〕　《知識》第92號　東京：彩文社　1989年8月　頁254～268

戴國煇等　留學生問題與私立大學——要求國際化聲音中的日本大學座談會　〔留学生問題と私立大学——国際性を求められている日本の大学〕　《大学時報》第222號　東京：社団法人日本私立大学連盟　1989年11月　頁14～28

陳澤禎報導　戴國煇：我們需要「知日派」——仇日媚日都無法開展兩國更新境界　《聯合報》　1990年7月14日　4版

徐東海專訪　探究「二二八」，如何理出真相——胡佛：找出病源解決問題；戴國煇：不明朗的應明朗化；賴澤涵：消除歧見值得肯定；張炎憲：民間說法應多參考　《聯合報》　1990年7月30日　2版

徐東海專訪　探究「二・二八」如何理出真相——不明朗的應明朗化　《台灣史探微——現實與史實的相互往還》　台北：南天書

局 1999年11月 頁178～179

徐東海專訪 探究「二・二八」如何理出真相——不明朗的應明朗化 《戴國煇文集6・台灣史探微——現實與史實的相互往還》 台北：遠流出版公司・南天書局 2002年4月1日 頁178～179

杜繼平訪問整理 歷史解釋權・二二八・台灣人原罪論 《美洲時報周刊》第320期 1991年4月13～19日 頁70～72

杜繼平訪問整理 歷史解釋權、二・二八、台灣人原罪論——杜繼平先生訪我錄 《戴國煇文集8・台灣史對話錄》 台北：遠流出版公司・南天書局 2002年4月1日 頁222～231

杜繼平訪問整理 歷史解釋權、二・二八、台灣人原罪論——杜繼平先生訪我錄 《台灣史對話錄》 台北：南天書局 2002年4月 頁222～231

戴國煇等 探求各種國際交流專題研討會 〔シンポジウム・さまざまな国際交流を求めて・パネルディスカッション〕 都市株式会社編 《留学体験をどう生かすか——シンポジウム「国際交流と留学生」の記録2・第二章》 広島（財）熊平奨学会 1991年10月10日 頁133～182

戴國煇等 留學生與日語的考察專題研討會 〔シンポジウム・留学生とともに日本語を考える・パネルディスカッション〕 都市株式会社編 《留学体験をどう生かすか——シンポジウム「国際交流と留学生」の記録2・第二章》 広島（財）熊平奨学会 1991年10月10日 頁219～271

《聯合報》專欄組策劃整理 民進黨「台獨黨綱」的衝擊座談會（另外訪問林嘉誠、朱雲漢、許慶雄等） 《聯合報》 1991年10

月14日　4、11版

孫揚明報導　北京急出「東京牌」對付華府——中共藉此抗衡美和平演變，積極營造與日關係密切　《聯合報》　1992年1月5日　9版

曹郁芬、張明祚、吳鯤魯採訪整理　政府應考慮先道歉，再談賠償問題（另外採訪許倬雲、張富美、李筱峰）　《中國時報》　1992年2月23日　3版

曹郁芬、張明祚、吳鯤魯採訪整理　學者認為政院報告，美中仍有不足——指出客觀性較以往進步，但欠缺歷史觀念　《中國時報》　1992年2月23日　3版

〔聯合報〕　「道歉、賠償與二二八的歷史情結」座談會：應否道歉？由誰道歉？——戴國煇：李總統代表政府道歉；賴澤涵、李筱峰：經立院決議由總統道歉[*16]　《聯合報》　1992年2月24日　3、4、6版

戴國煇等　應否道歉？由誰道歉？——「道歉、賠償與二・二八的歷史情結」座談會　《戴國煇文集5・台灣史研究集外集》　台北：遠流出版公司・南天書局　2002年4月1日　頁423～436

林美玲、梁中偉整理　費景漢、戴國煇、王作榮、陳其南談：從歷史看未來——中國能不能現代化座談會　《天下雜誌》第129期　1992年2月　頁150～158

林照真報導　李邦友逝世四十週年學術研討會昨舉行——戴國煇發表論文：現在探討釐清李邦友問題瞭解台籍人士在大陸活動；嚴秀峰：不是要為我的丈夫平反，要的是討回歷史公道；兩岸學者發表論文，台史會理事長林聖芬指出後二二八白色恐怖

＊16 後改題為「應否道歉？由誰道歉？」。

案件一一解禁，證明這是個融合前瞻與重構的時代（另外訪問鄭梓、陳小沖、陳映真等）　《中國時報》　1992年3月3日　4版

王丰　本省外省，有情份無情結　《時報週刊》第738期　1992年4月19～25日　頁116～117

張瓊方採訪整理　恨事不恨人，可恕不可忘（戴國煇專訪）　《光華》　1992年4月　頁98～99

張瓊方採訪整理　恨事不恨人，可恕不可忘——張瓊方小姐訪我錄　《戴國煇文集8・台灣史對話錄》　台北：遠流出版公司・南天書局　2002年4月1日　頁232～236

張瓊方採訪整理　恨事不恨人，可恕不可忘——張瓊方小姐訪我錄　《台灣史對話錄》　台北：南天書局　2002年4月　頁232～236

梶菊枝記錄整理　不在日本的一年——旅美、赴台見聞討論會　〔日本を一年留守にして〕　未刊稿　1992年5月29日　頁1～70

戴國煇、馮滬祥　台獨分析與化解之道——戴國煇教授對談記實*17　《國是評論》第4期　1992年10月7日　頁28～32

戴國煇、馮滬祥　如何看待台獨運動——馮滬祥先生訪我錄　《戴國煇文集8・台灣史對話錄》　台北：遠流出版公司・南天書局　2002年4月1日　頁237～247

戴國煇、馮滬祥　如何看待台獨運動——馮滬祥先生訪我錄　《台灣史對話錄》　台北：南天書局　2002年4月　頁237～247

〔聯合報〕　省籍對立激化令人憂，海外知識分子很關切——戴國煇：搶位，故做驚人主張，船翻，才會理性論證（另外訪問余英

*17 後改題為「如何看待台獨運動——馮滬祥先生訪我錄」。

時、林毓生）　《聯合報》　1993年1月18日　3版

戴文彪報導　學者表示不應強要辜振甫揹負前人包袱——戴國煇：隨意攻擊將混淆社會對正義的看法（另外訪問黃富三、李筱峰）《中國時報》　1993年4月24日　4版

林照真報導　戴國煇：盼台灣其他多數族群多關懷少數民族權益——桃園復興鄉角板山上三百多人舉行紀念會，家屬首次向外界陳述這場家庭苦難　《中國時報》　1993年10月4日　4版

戴國煇、吉田實　話說華僑與華人——吉田實vs.戴國煇　《留學生新聞》　1994年6月1日　2、3版

鄒篤騏報導　明年・終戰五十年紀念，關於戰爭日本有何反省？——太陽旗下甩不開歷史包袱（另外訪問周惠民、李國祁、李筱峰）　《聯合報》　1994年7月7日　39版

土田真靖採訪　論李登輝與台灣政局——土田真靖訪戴國煇　〔土田真靖氏は戴國煇に取材して〕　未刊稿　1994年10月17～30日

林琳文、蘇位榮報導　促進族群和諧，建構新台灣人概念——褪去二二八陰影，學者指李總統的「經營大台灣 建立新中原」提供很好的思考角度　《聯合報》　1995年2月28日　4版

林照真報導　「文明史上之台灣」研討會，討論「台灣何去何從」——與會人士：台灣推動經貿改革不可忽略環保問題　《中國時報》　1995年10月16日　4版

戴國煇等　外國人所看到的日本大學教育——新時代的國際文化交流座談會　〔外国人が見た日本の大学教育〕　《大学時報》第258號　東京：社団法人日本私立大学連盟　1995年11月　頁14～27

姜建強　兩岸應回到自立與共生的原點——立教大學教授戴國煇　《中文導報》　1995年12月7日

姜建強　兩岸應回到自立與共生的原點——姜建強先生訪我錄　《戴國煇文集8・台灣史對話錄》　台北：遠流出版公司・南天書局　2002年4月1日　頁259～266

姜建強　兩岸應回到自立與共生的原點——姜建強先生訪我錄　《台灣史對話錄》　台北：南天書局　2002年4月　頁259～266

〔朝日新聞〕　政治的成熟，最後加工之時——訪問前立教大學教授戴國煇　〔政治的成熟，仕上げの時〕　《朝日新聞》「奔流中國」欄　1996年5月29日

林一民記錄整理　後悲情時代的預告——戴國煇vs.許信良*18　《中國時報》　1997年6月8～10日　39版

林一民記錄整理　後悲情的暢快對話——與許信良先生對談於天母誠品書店　《戴國煇文集8・台灣史對話錄》　台北：遠流出版公司・南天書局　2002年4月1日　頁248～258

林一民記錄整理　後悲情的暢快對話——與許信良先生對談於天母誠品書店　《台灣史對話錄》　台北：南天書局　2002年4月　頁248～258

楊羽雯報導　戴國煇：台灣勿成別人手上的牌——提醒不應對美日安保條約有寄望「台灣沒有獨立的條件」　《聯合報》　1997年6月14日　9版

蔣宗君　吳濁流——依照他自己的意志發展他的生命*19　《新觀念》第112期　1998年2月　頁79～81

---

*18 後改題為「後悲情的暢快對話——與許信良先生對談於天母誠品書店」。

*19 後改題為「我與吳濁流的交誼和他的墨寶」。

蔣宗君　我與吳濁流的交誼和他的墨寶　《戴國煇文集5・台灣史研究集外集》　台北：遠流出版公司・南天書局　2002年4月1日　頁342～351

何振忠專訪　邁向民主總統，李登輝仍多挑戰——戴國煇：台灣的公民意識政治素養尚未成熟，是李的主要困擾　《聯合報》　1998年5月19日　8版

何振忠專訪　邁向民主總統李登輝仍多挑戰——台灣的公民意識政治素養尚未成熟，是李的主要困擾　《台灣史探微——現實與史實的相互往還》　台北：南天書局　1999年11月　頁246～248

何振忠專訪　邁向民主總統李登輝仍多挑戰——台灣的公民意識政治素養尚未成熟，是李的主要困擾　《戴國煇文集6・台灣史探微——現實與史實的相互往還》　台北：遠流出版公司・南天書局　2002年4月1日　頁246～248

張慧英專訪　戴國煇：日處理三不，不脫離美中模式旅日學者分析，我應平衡外交戰略及戰術，加強與日政界互動，慎防其軍國主義再起　《中國時報》　1998年8月15日　4版

張慧英專訪　日本立大榮譽教授戴國煇：以更高規格看江澤民訪日　《中國時報》　1998年8月15日　4版

張慧英專訪　戴國煇：從全球戰略架構重新定位台灣——看江澤民九月東瀛行，我應多花功夫和真正能看問題的人交往　《中國時報》　1998年8月15日　4版

張慧英專訪　戴國煇：台灣對日本太客氣了——江澤民訪日，我方不應以求情態度冀望日本不在中共施壓下損害我利益　《中國時報》　1998年11月1日　2版

張慧英專訪　江澤民日本行，日方恐難完全拒絕北京施壓——大陸若要求其處理二次大戰遺留「化武」會否影響聯合公報內容值得關切*[20]　《中國時報》　1998年11月1日　2版

張慧英專訪　江澤民日本行，大陸若要求其處理二次大戰遺留「化武」會否影響聯合公報內容值得關切　《台灣史探微——現實與史實的相互往還》　台北：南天書局　1999年11月　頁254～257

張慧英專訪　江澤民日本行，大陸若要求其處理二次大戰遺留「化武」會否影響聯合公報內容值得關切　《戴國煇文集6・台灣史探微——現實與史實的相互往還》　台北：遠流出版公司・南天書局　2002年4月1日　頁254～257

康依倫、陶令瑜整理　戴國煇談日本如何反敗為勝　《新新聞》第631期　1999年4月8～14日　頁100～102

林馨琴等策劃整理　透視美日安保新指針——美國刻意圍堵中共？能有效嚇阻北韓、中共？可能刺激兩岸關係？台灣如何自處？《中時晚報》　1999年5月9日　5版

詹伯望專訪　沒批判，就沒進步——戴國煇留日，反而批日最凶，稱作學問不怕人罵　《中國時報》　1999年5月11日　20版

夏珍專訪　兩岸和平是李遠哲終極關懷——形容李是充滿理想主義的實踐者 ，視民間力量，確想為兩岸做事　《中國時報》　2000年3月15日　2版

陳文芬報導　柏楊、戴國煇對談選後台灣人文社會　《中國時報》　2000年3月29日　11版

＊20　後改題為「江澤民日本行，大陸若要求其處理二次大戰遺留『化武』會否影響聯合公報內容值得關切」。

陳淑美採訪整理　從「歷史台灣」看「民主台灣」——柏楊vs.戴國煇　《光華》雜誌第25卷第6期　2000年6月　頁82～91

何振忠報導　台灣若似李自我迷失，路會愈走愈窄——戴國煇：小林強調的日本精神，多數正派政治人物已揚棄　《聯合報》　2000年12月26日　2版

戴國煇等　新願景與新方向之一——「台灣歷史篇」空中座談會　《戴國煇文集5・台灣史研究集外集》　台北：遠流出版公司・南天書局　2002年4月1日　頁409～436

戴興夏整理　談小林善紀與《台灣論》——戴國煇最後的廣播節目錄音　《戴國煇文集12（附冊）・戴國煇這個人——含生平事記與著作目錄》　台北：遠流出版公司・南天書局　2002年4月1日　頁281～292

樺山紘一　在「教科書」中被問及的議題——近代與亞洲的觀點〔「教科書」で問われたもの——近代とアジアへの視座〕《読売新聞》夕刊

年表

林彩美　戴國煇記事　《戴國煇文集12（附冊）・戴國煇這個人——含生平事記與著作目錄》　台北：遠流出版公司・南天書局　2002年4月1日

林彩美　戴國煇生平大事記　《戴國煇先生梅苑書庫入藏中研院人文圖書館紀念冊》　台北：中央研究院歷史語言研究所　2005年4月15日　頁5～12

其他

徐孝慈報導　王作榮：李、喬管道，憑良心說話——戴國煇告別式假北市第二殯儀館舉行　《中國時報》　2001年2月10日　4版

〔聯合報〕　戴國煇七十冥誕紀念會　《聯合報》　2002年4月14日　14版

施沛琳報導　台灣真正知識分子，戴國煇四項全能——七十冥誕紀念會昨舉行，「戴國煇文集」同時發表，「戴國煇這個人」收錄友人、學生記敘及他的自述　《聯合報》　2002年4月15日　14版

陳希林報導　戴國煇冥誕，著作全集發表　《中國時報》　2002年4月15日　14版

陳洛薇　戴國煇70冥誕，學者紀念出集——曾志朗、楊國樞等人肯定台灣史研究成果，遠流並出版12冊中文著作全集　《中央日報》　2002年4月15日　14版

徐開塵報導　戴國煇七十歲冥誕，中文著作全集面世　《民生報》　2002年4月15日　A6版

曹銘宗報導　蔣渭水全集，塵封七十多年後首次亮相——日治時期初出版及遭查封，戴國煇意外購得，遺孀找出將展示　《聯合報》　2003年7月8日　B6版

林彩美　華麗島民話集　《中國時報》　2003年11月13日　E7版

吳典蓉報導　已故學者戴國煇六萬藏書全數捐——包括孤本「蔣渭水全集」等台日珍貴史料文獻，15日捐給中研院　《中國時報》　2005年4月7日　A13版

曹銘宗報導　戴國煇藏書，中研院15日入藏——生前以「一期一會」

態度買書　，夫人林彩美為保持「梅苑書庫」原貌，四處追討，只盼借書人別辜負他心意　《聯合報》　2005年4月13日　C6版

史語所傅斯年圖書館整理　入藏緣起　《戴國煇先生梅苑書庫入藏中研院人文圖書館紀念冊》　台北：中央研究院歷史語言研究所　2005年4月15日　頁1～2

史語所傅斯年圖書館整理　戴國煇先生典藏介紹*21　台北：中央研究院歷史語言研究所　2005年4月15日　頁13～21

史語所傅斯年圖書館整理　中央研究院戴國煇文庫典藏介紹　《傳記文學》第516期　2005年9月　頁98～99

陳淑美整理　「梅苑書庫」珍本舉隅　台北：中央研究院歷史語言研究所　2005年4月15日　頁57～72

林志成報導　台灣史專家戴國煇藏書，惠贈中研院——內有日據時代總督府檔案原件和台籍作家手稿，暫放傅斯年圖書館　《中國時報》　2005年4月16日　A13版

曹銘宗報導　戴國煇文庫，中研院設立——藏書正式入藏，院方將贊助全集出版　《聯合報》　2005年4月16日　C6版

作品評論篇目

綜論

尾崎秀樹　霧社事件與文學——續・殖民地文學的傷痕　〔霧社事件と文学——　・植民地文学の傷痕〕　《思想》第548號　東

＊21　後改題為「中央研究院戴國煇文庫典藏介紹」。

京：岩波書店　1970年2月　頁85～94

坂本義和　「帝國主義」化的危險——建立亞洲連帶的新原理　〔「帝国主義」化への危険——アジア連帯の新原理を〕　《朝日新聞》夕刊　1970年8月27日

西川潤　日本人的亞洲認識：百年不變的危機——做為再思考的觀點？　〔日本人のアジア認識：百年そのままの危険——再考するための視点は〕　《読売新聞》　1973年10月31日

陳中原　布扣唐裝的耕耘者　《遠東時報》　1982年2月17日

陳中原　臺灣史・霧社事件——訪戴國煇博士*22　《中華雜誌》第227期　1982年6月　頁35～37

陳中原　代序——布扣唐裝的耕耘者　《台灣史研究——回顧與探索》　台北：遠流出版公司　1985年3月25日　頁1～7

陳中原　代序——布扣唐裝的耕耘者　《戴國煇文集1・台灣史研究——回顧與探索》　台北：遠流出版公司・南天書局　2002年4月1日　頁1～7

增永俊一　思考儒家文化圈　〔「儒教ブーム」を考える——経済と結びつけろ試論も登場〕　《読売新聞》夕刊　1986年11月28日

宋澤萊　中國論壇的復辟運動——兼論戴國煇・陳映真・王曉波・陳其南的貧乏　《台灣人的自我追尋》　台北：前衛出版社　1988年5月15日　頁49～90

葉芸芸　後記　《愛憎二・二八——神話與史實：解開歷史之謎》　台北：遠流出版公司　1992年2月16日　頁381～385

葉芸芸　後記　《戴國煇文集3・愛憎二・二八——神話與史實：解

*22 後改題為「代序——布扣唐裝的耕耘者」。

開歷史之謎》　台北：遠流出版公司・南天書局　2002年4月1日　頁381～385

林彩美　序　《愛憎李登輝——戴國煇與王作榮對話錄》　台北：天下遠見出版公司　2001年2月7日　頁一～五

林彩美　序　《戴國煇文集3・愛憎李登輝——戴國煇與王作榮對話錄》　台北：遠流出版公司・南天書局　2002年4月1日　頁一～五

林彩美　跋　〔跋〕　《李登輝・その虚像と実像》　東京：草風館　2002年5月1日　頁249～251

王作榮　序——兼悼本書共同作者戴國煇教授　《愛憎李登輝——戴國煇與王作榮對話錄》　台北：天下遠見出版公司　2001年2月7日　頁六～十五

王作榮　序——兼悼本書共同作者戴國煇教授　《戴國煇文集3・愛憎李登輝——戴國煇與王作榮對話錄》　台北：遠流出版公司・南天書局　2002年4月1日　頁六～十五

王作榮　序——兼悼本書共同作者戴國煇教授　〔序文——本書共著者戴国煇教授死悼〕　《李登輝・その虚像と実像》　東京：草風館　2002年5月1日　頁1～7

夏珍　後記　《愛憎李登輝——戴國煇與王作榮對話錄》　台北：天下遠見出版公司　2001年2月7日　頁263～270

夏珍　後記　《戴國煇文集3・愛憎李登輝——戴國煇與王作榮對話錄》　台北：遠流出版公司・南天書局　2002年4月1日　頁263～270

夏珍　後記　〔後記〕　《李登輝・その虚像と実像》　東京：草風館　2002年5月1日　頁201～206

〔聯合報〕　戴國煇和小林善紀：定位台灣主體性的兩種思維　《聯合報》　2001年2月12日　2版

王曉波　浩然千古見文章：戴國煇著《台灣史研究集外集》代序　《戴國煇文集5・台灣史研究集外集》　2002年4月1日　頁1～16

林彩美　代序　《戴國煇文集8・台灣史對話錄》　台北：遠流出版公司・南天書局　2002年4月1日　頁xxxix～xli

〔聯合報〕　戴國煇和小林善紀：定位台灣主體性的兩種思維　《戴國煇文集12（附冊）・戴國煇這個人——含生平事記與著作目錄》　台北：遠流出版公司・南天書局　2002年4月1日　頁158～161

林彩美　《戴國煇這個人》序　《聯合報》　2002年4月15日　14版

林彩美　序　《戴國煇文集12（附冊）・戴國煇這個人——含生平事記與著作目錄》　台北：遠流出版公司・南天書局　2002年4月1日

矢吹晉　追悼戴國煇——代本書解說　〔追悼・戴国煇——解説に代えて〕　《李登輝・その虚像と実像》　東京：草風館　2002年5月1日　頁207～223

林蘭芳　從「二二八史料舉隅」論戴國煇與「二二八」研究　《中國歷史學會史學集刊》第34期　2002年6月　頁155～176

分論

專書

《中國甘蔗糖業之發展》

耕英　以台灣為中心的糖業史研究介紹《中國甘蔗糖業之發展》〔書の紹介『中国甘蔗糖業の展開』〕　《台湾》第1卷第6號　東京：台湾青年独立連盟広報部　1967年6月　頁7

藤村俊郎　踏實的通史研究——評《中國甘蔗糖業之發展》　〔戴国煇著『中国甘蔗糖業の展開』〕　《アジア経済》第8卷第11號　東京：アジア経済研究所　1967年11月　頁94～98

熊代幸雄　評《中國甘蔗糖業之發展》　〔戴国煇著『中国甘蔗糖業の展開』〕　《農業経済》第40卷第1號　東京：日本農業経済学会　1968年6月　頁39～41

佐久間重男　集古今糖業文獻資料之大成——評《中國甘蔗糖業之發展》　〔書評：戴国煇著『中国甘蔗糖業の展開』〕　《史学雑誌》第76編第11號　東京：山川出版社　1976年11月　頁68～73

《與日本人的對話》

加藤祐三　編者後記　〔編者あとがき〕　《日本人との対話》　東京：社会思想社　1971年8月15日　頁229～250

〔中国新聞〕　痛切的「亞洲之聲」　〔痛切な「アジアの声」〕　《中国新聞》　1971年8月16日

〔京都新聞〕　對亞洲近代化的一個提案　〔アジア近代化へ——一つの提言〕　《京都新聞》　1971年9月4日

〔日経ビジネス〕　評《與日本人的對話》　〔日本人との対話〕　《日経ビジネス》　1971年9月6日

〔読売新聞〕　刺耳的尖銳探討　〔耳の痛い鋭い論考〕　《読売新聞》　1971年9月6日

鶴見良行　掙脫封閉：從亞洲的觀點來說服　〔閉鎖から脱皮——アジアの目から説得〕　《北海道新聞》　1971年10月9日　第12頁

須田禎一　關於帝國主義的責任論　〔帝国主義をめぐる責任論〕　《エコノミスト》第1891號　東京：毎日新聞社　1971年10月12日　頁111～112

尾崎秀樹　深知身為「日本人」的自己　〔痛感させられる「日本人」としての自分〕　《週刊東洋経済》　東京：東洋経済新報社　1971年10月16日　頁126～127

X.Y.Z生　評《與日本人的對話》　〔戴国煇「日本人との対話——日本・中国台灣・アジア」〕　《中国語》　東京：大修館書店　1971年10月　頁46～47

佐藤勝巳　探討真正的對話，堅忍而溫和地質問日本人　〔真の対話を問う——日本人の忍耐づよく、おだやかな疑問〕　《日本読書新聞》　1971年11月15日

河合秀和　書評：《與日本人的對話》　〔書評：戴國煇著「日本人との対話」〕　《アジア》1971年12月號　東京 ：アジア評論社　1971年12月　頁132～133

中村ふじゑ　穿透日本人的心——讀戴國煇著《與日本人的對話》〔戴国煇著「日本人との対話」を読んで〕　《中国研究月報》第287號　東京：財団法人中国研究所　1972年1月　頁

31～32

新島淳良　要先直視台灣的實際狀態　〔台湾の実態をまず直視しよう〕　《教育評論》第269號　東京：日本教職員組合情宣局　1972年1月　頁92～93

〔読売新聞〕　應傾聽毫不留情的「境界人」的忠告　〔仮借なく甘さえぐる——傾聴すべき「境界人」の忠告〕　《読売新聞》1973年10月22日

西川潤　強迫對「自以為是」的反省　〔「独善」への反省迫る〕《東京新聞》夕刊　1973年10月27日　5版

《日本人與亞洲》

〔日本海新聞〕　以「日中境界人」的立場來看——日本知識分子的自滿和過度依賴　〔「日中境界人」の立場で——日本の知識人に独りよがりと甘え〕*23　《日本海新聞》　1973年10月28日

〔信濃毎日〕　承認「他分」的存在——在不需要的多管閒事之前〔「他分」の存在認めよ——いらぬチョッカイ出す前に〕《信濃毎日》　1973年10月29日

〔山形新聞〕　知識分子過度依賴——身為境界人的自覺　〔知識人は甘えている——境界人としての自覚〕　《山形新聞》1973年10月31日

＊23　後改題為「『他分』の存在認めよ——いらぬチョッカイ出す前に」、「知識人は甘えている——境界人としての自覚」、「日中の『境界人』を自覚——他者の存在認めぬ、日本人厳しく批判」、「日中の『境界人』の自覚から——甘えている日本知識人」、「甘えいる日本の知識人——日中の『境界人』としての感覚」、「日中の『境界人』の自覚から——甘えている日本の知識人」。

〔中国新聞〕　自覺為日中的「境界人」——對不承認「他分」存在的日本人嚴厲批判　〔日中の「境界人」を自覚——他者の存在認めぬ、日本人厳しく批判〕　《中国新聞》　1973年10月31日

〔琉球新報〕　從日中「境界人」的自覺起始——過度依賴的日本知識分子　〔日中の「境界人」の自覚から——甘えている日本知識人〕　《琉球新報》　1973年10月31日

〔新愛媛新聞〕　知識分子過度依賴——身為日中「境界人」的感覺　〔甘えいる日本の知識人——日中の「境界人」としての感覚〕　《新愛媛新聞》　1973年11月2日

〔南日本新聞〕　從日中「境界人」的自覺起始——過度依賴的日本知識分子　〔日中の「境界人」の自覚から——甘えている日本の知識人〕　《南日本新聞》　1973年1月3日

〔朝日新聞〕　評《日本人與亞洲》　〔戴國煇著「日本人とアジア」〕　《朝日新聞》朝刊　1973年11月12日

田中宏　寫出亞洲民眾的心聲　〔アジア民衆の心底を綴る〕　《エコノミスト》　東京：每日新聞社　1973年11月27日　頁93～94

小島晉治　「境界人」走過的苦鬥歷史　〔「境界人」が歩んだ苦闘の歴史〕　《公明新聞》　1973年12月3日

小島麗逸　中國景氣之後所殘留的　〔中国ブームのあとに残ったもの〕　《朝日ジャーナル》第15巻第51號　東京：朝日新聞社　1973年12月28日　頁55～57

〔地理〕　評《日本人與亞洲》　〔戴國煇著「日本人とアジア」〕　《地理》第19巻第1號　東京：古今書院　1974年1月

伊藤一彥　評《日本人與亞洲》　〔戴國煇著『日本人とアジア』〕《情況》第69號　東京：情況出版　1974年3月　頁64～65

若林正丈　克服殖民地傷痕過程的紀錄——評《日本人與亞洲》　〔戴國煇『日本人とアジア』〕　《龍溪》第9號　東京：龍溪書舍　1974年4月　頁41～44

《境界人的獨白》

山中恆　對日本溫馨的警告　〔日本への温かい警告〕　《東京新聞》夕刊　1976年9月11日　第4頁

《新亞洲的構圖》

內村剛介　揚棄自以為是的多元思想　〔さかしら嫌い多元の思想〕　戴國煇著　《新しいアジアの構図》　東京：社会思想社　1977年6月15日　頁265～277

《台灣與台灣人》

〔讀売新聞〕　評《台灣與台灣人》　〔台湾と台湾人〕　《讀売新聞》　1980年1月7日

〔朝日新聞〕　暢談被統治民族的思考　〔被支配民族の思考語る〕　《朝日新聞》　1980年1月14日

鮫島敬治　以日本統治下的親身體驗為背景　〔背景に日本統治下の原体験〕　《日本経済新聞》　1980年2月10日

富山和夫　扣人心弦的自我確認之路　〔心打つ自己確認の道〕　《エコノミスト》第2340號　東京：毎日新聞社　1980年2月12日　頁90～91

石橋秀雄　呈顯被殖民者思考的多樣性——評《台灣與台灣人》〔台湾と台湾人——アイデンティティを求めて〕《歴史と地理》第294號　東京：山川出版社　1980年2月

田中宏　以「境界人」之聲為提示一同考慮亞洲的素材〔「境界人」の声が提示したアジアをともに考える素材〕《朝日ジャーナル》　東京：朝日新聞社　1980年6月20日

《華僑》

〔歴史と地理〕　評《華僑》〔華僑——「落葉帰根」から「落地生根」への苦悶と矛盾〕《歴史と地理》第306號　東京：山川出版社　1980年2月　頁62

〔東京新聞〕　評《華僑》〔戴國煇著『華僑』〕《東京新聞》1980年12月1日

〔読売新聞〕　指摘日本的缺乏理解〔日本での無理解を指摘〕《読売新聞》　1980年12月22日

鮫島敬治　對階層分化與意識構造開鍘〔階層分化や意識構造にメス〕《日本経済新聞》　1981年1月18日

〔週刊朝日〕　日本人必須知道的事〔日本人が知っておくべきこと〕《週刊朝日》　東京：朝日新聞社　1981年1月23日

脇田由郎　評《華僑》〔「華僑」〕《アジアと日本》第86號　東京：アジア社会問題研究所　1981年2月1日　頁48

〔毎日新聞〕　向異文化理解靠近〔異文化理解に近づく〕《毎日新聞》　1981年2月2日

田中宏　華僑研究的兩個方法〔華僑研究——二つのアプローチ〕《週刊読書人》　東京：日本書籍出版協会　1981年3月2日

石橋秀雄　值得深思的華僑論〔新刊紹介：華僑——「落葉帰根」から「落地生根」への苦悶と矛盾《歴史と地理》第306號，東京：山川出版社，1981年2月，頁62〕

齊藤孝　華僑之實像與真正國際化之道　〔華僑の実像と真の国際化の道〕　《エコノミスト》第2408號　東京：每日新聞社　1981年6月2日　頁103～104

《台灣霧社蜂起事件——研究與資料》

岡部牧夫　評《台湾霧社蜂起事件——研究與資料》　〔台湾霧社蜂起事件——研究と資料〕　《歴史学研究》第504號　東京：青木書店　1982年5月　頁28～33

小島麗逸　【內容簡介】戴國煇先生的臺灣霧社蜂起事件研究　《戴國煇文集10・台灣霧社蜂起事件——研究與資料（上）》　台北：遠流出版公司・南天書局　2002年4月1日

小島麗逸　【內容簡介】戴國煇先生的臺灣霧社蜂起事件研究　《臺灣霧社蜂起事件研究與資料　上冊》　台北縣：國史館　2002年4月

《台灣史研究》

南方朔　戴國煇的震盪——超越殖民地的經驗　《前進》第109期　1985年5月4日　頁58～59

林嘉南　評戴國煇著台灣史研究　《台灣文化季刊》創刊號　1986年6月　頁17～19

林叔品　解讀　我所認知的載國煇與他的一本解「結」書——「台灣史研究」的實質價值　《台灣史探微——現實與史實的相互

往還》　台北：南天書局　1999年11月　頁259～269

林叔品　解讀　我所認知的載國煇與他的一本解「結」書——「台灣史研究」的實質價值　《戴國煇文集6・台灣史探微——現實與史實的相互往還》　台北：遠流出版公司・南天書局　2002年4月1日　頁259～269

《台灣總體相》

西川潤　整理了「轉型期」的動向——評《台灣總體相》　〔「転形期」の動き整理〕　《朝日新聞》　1988年11月21日

〔讀売新聞〕　新時代揭幕以來的軌跡　〔新時代幕開けまでの軌跡〕　《讀売新聞》　1988年11月21日

佐藤忠男　以確立自我為目標的「亞細亞的孤兒」——評《台灣總體相》　〔自己確立めざす「アジアの孤児」〕　《週刊朝日》　東京：朝日新聞社　1988年11月25日

〔每日新聞〕　對「我的祖國」的廣闊眺望　〔「わが祖国」の広い眺望〕　《每日新聞》　1988年11月28日

邱垂亮　評台灣總體相　《民眾日報》　1989年1月31日　3版

李喬　悲歌唱不盡（上、下）　《民眾日報》　1989年2月13、14日　2版

速水敏彥　左派或右派都是同胞——評《台灣總體相》　〔戴國煇著『台湾——人間・歴史・心性——』〕　《立教》第128號　東京：立教大学　1989年2月　頁80

許世楷　從國民黨政權的角度看台灣　〔国民党政権の視点からみた台湾〕　《エコノミスト》第2833號　東京：每日新聞社　1989年3月7日　頁101～102

魏廷朝　　願台灣史研究的水準不斷提升（譯後記）　《台灣總體相——人間・歷史・心性》　台北：遠流出版公司　1989年9月16日　頁231～239

魏廷朝　　願台灣史研究的水準不斷提升（譯後記）　《戴國煇文集2・台灣總體相——住民・歷史・心性》　台北：遠流出版公司・南天書局　2002年4月1日　頁231～239

王賀白　　（新書推介）台灣總體相　《民眾日報》　1989年10月17日

郭正昭　　評介戴國煇教授新著：「台灣總體相」——台灣史研究的里程碑　《亞美時報》　1989年12月2～8日

《台灣往何處去》

井尻秀憲　從世界史的潮流發展掌握台灣——評《台灣往何處去》〔戴國煇著「台湾、いずこへ行く?!——診断と予見」〕《問題と研究》第20卷第6號　東京：問題と研究出版　1991年3月　頁92～96

栗原純　　評《台灣往何處去》　〔「台湾、いずこへ行く——診断と予見」〕　《史苑》第52卷第2號　東京：立教大学史学会　1992年3月　頁141～143

《愛憎二二八》

杜繼平　　愛憎二二八　《光華》　1992年4月　頁96～97

《台灣近百年史的曲折路》

〔日本経済新聞〕　從與大陸對話尋求活路——評《台灣近百年史的曲折路》　〔大陸との対話に活路求める〕　《日本経済新

聞》 1996年6月16日

丹藤佳紀 簡潔描述台灣的兩個面——評《台灣近百年史的曲折路》〔二つの顔を簡潔にスケッチ〕 《読売新聞》 1996年6月16日

齋藤敏康 多尖銳評語，夠刺激——評《台灣近百年史的曲折路》〔鋭い評言多く、刺激的〕 《日中友好新聞》 1998年4月25日

高橋秀 評戴國煇《台灣近百年史的曲折路》〔戴國煇著「台湾という名のヤヌス—— かな革命への道」〕 未刊稿

《愛憎李登輝》

雨宮由希夫 1997年夏天的暗示 〔書評とコラム〕 《ブッククーリエ》第13號 東京：三省堂 2002年5月21日

小倉芳彥 從期待到失望 〔期待から落胆へ〕 《東方》第260號 東京：東方書店 2002年10月 頁36～39

遠藤あき 現代台灣政治與日台關係的清晰構圖 〔戴国煇・王作栄著・夏珍編《李登輝・その虚像と実像》〕 《歴史と地理》第559號 東京：山川出版社 2002年11月 頁54

單篇論著

李亦園 評〈有關中國結與台灣結的爭論〉 《中國論壇》第289期 1987年10月10日 頁67～68

許倬雲 群體的心態及群體的成長 《星島日報》「獨立論壇」第9期 1988年1月4日

尹章義 評〈晚清期台灣農業的概貌〉 台灣史研究會主編 《台灣

史學術研討會論文集》第一集　1988年6月　頁23～25

李鴻禧　讀戴國煇〈明治維新與日本的民主政治發展〉有感　《中國民主前途研討會》　台北：財團法人時報文教基金會　1989年8月16～18日　頁1～10

呂芳上　評〈自黃克強、一歐在日生活的一瞥談起〉　《黃興與近代中國學術討論會論文集》　台北：國立政治大學歷史研究所　1993年3月　頁306～308

許倬雲　〈附錄一〉群體的心態及群體的成長　《台灣結與中國結——罣丸理論與自立・共生的構圖》　台北：遠流出版公司　1994年5月16日　頁289～293

許倬雲　〈附錄一〉群體的心態及群體的成長　《戴國煇文集4・台灣結與中國結——罣丸理論與自立・共生的構圖》　台北：遠流出版公司・南天書局　2002年4月1日　頁289～293

主編專書

《討論日本之中的亞洲》

三浦昇　後記　〔あとがき〕　《討論日本のなかのアジア》　東京：平凡社　1973年8月3日　頁258～263

村田為五郎　尖銳徹查認識的盲點　〔認識の盲点を鋭く洗う〕　《公明新聞》　1973年9月3日

〔每日新聞〕　從「被害者」的立場出發——衝撞日本自以為是的亞洲觀　〔「被害者」の立場から——日本の独善的なアジア観をつく〕　《每日新聞》朝刊　1973年9月3日

關寛治　對將來寶貴的啟示　〔将来へ貴重な示唆〕　《東京新聞》　1973年9月8日

關寛治　尖銳地指出認知缺陷　〔認識の欠陥鋭く突く〕　《北海道新聞》　1973年9月9日

〔読売新聞〕　「援助」是善意的嗎？──迫使反省兩者的真正關係　〔「援助」は善なのか？── 両者の真の関係へ反省を迫る〕　《読売新聞》　1973年9月17日

〔朝日新聞〕　矯正偏見　〔ゆがんだ見方にメス〕　《朝日新聞》　1973年9月25日

加藤祐三　事前的答案頽然崩解？　〔事前の回答もろくも崩れる？〕　《東京タイムズ》朝刊　1973年10月1日

小島允雄　對亞洲的善意重新提問　〔問い直されるアジアへの善意〕　《エコノミスト》　東京：毎日新聞社　1973年10月23日

一泉知永　評《討論日本之中的亞洲》　〔討論・日本のなかのアジア〕　《銀行研究》1973年10月號　東京：銀行研究社　1973年10月

矢吹晉　指出日本人民族性思考的陷阱　〔未だ遠い対話への道〕　《アジア》1973年11月號　東京 ：アジア評論社　1973年11月

《我們生涯之中的中國》

阪谷芳直　後記　〔あとがき〕　《われらの生涯のなかの中国──六十年の回顧》　東京：みすず書房　1983年12月8日　頁310～313

安藤彦太郎　壓巻的盧溝橋分析　〔蘆溝橋たと分析圧巻〕　《北海道新聞》　1984年1月17日

松井博光　自由談論的日中關係　〔自由に語る日中関係〕　《東京新

聞》　1984年2月3日

〔每日新聞〕　精采的現代史證言　〔見事な現代史の証言〕　《每日新聞》　1984年2月13日

〔日中文化交流〕　評《我們生涯之中的中國》　〔われらの生涯のなかの中国〕　《日中文化交流》第361號　東京　：日本中国文化交流協会　1984年3月1日

宮西義雄　評伊藤武雄、岡崎嘉平太、松本重治三人座談：《我們生涯之中的中國》　〔伊藤武雄・岡崎嘉平太・松本重治「われらの生涯のなかの中国」〕　《東技協会報》第22號　東京：東方科学技術協力会　1984年3月1日

姫田光義　日中關係史真實見證集：三者扮演的角色各不相同，因而饒富興味——評《我們生涯之中的中國》　〔日中関係史の生き証言集——はたした役割は三者三様なだけに興味深い〕　《週刊読書人》第1522號　東京：日本書籍出版協会　1984年3月5日　頁3

皆川郁夫　三位前輩的證言——展現歷史鮮活的一面　〔先達三人の証言——歴史のなまの断面示す〕　《国際貿易》　1984年3月6日

嶋倉民生　「對亞洲的立場」始終不變的硬漢　〔「アジアへの視座」を保った硬骨漢〕　《朝日ジャーナル》　東京：朝日新聞社　1984年3月16日

〔日本と中国〕　出眾的史實與人物論　〔光る史実と人物論〕　《日本と中国》4月15日號　東京：日本中国友好協会　1984年4月15日

藤井滿洲男　日中友好的祈願　〔日中友好の願い〕　《歴史と人物》

4月號　東京：中央公論　1984年4月　頁240～241

石堂清倫　評《我們生涯之中的中國》〔われらの生涯のなかの中国〕《中国研究月報》第435號　東京：社団法人中国研究所　1984年5月25日　頁22～23

《更想知道的台灣》

伊藤一彥　評戴國煇編《更想知道的台灣》〔戴國煇編『もっと知りたい台湾』〕《中国研究月報》第473號　東京：社団法人中国研究所　1987年7月25日　頁41～42

著作目錄

〔史苑〕　戴國煇老師的簡歷與主要著作目錄〔戴國煇先生の略歴と主要著作目録〕《史苑》第58卷第2號　東京：立教大学史学会　1998年3月　頁99～101

〔戴國煇這個人〕　戴國煇著作、發表及相關評論文章一覽表《戴國煇文集12（附冊）・戴國煇這個人——含生平事記與著作目錄》　台北：遠流出版公司・南天書局　2002年4月1日

〔史苑〕　石橋秀雄老師與戴國煇老師的簡歷與主要著作目錄〔石橋秀雄先生・戴國煇先生の略歴と主要著作目録〕《史苑》第63卷第2號　東京：立教大学史学会　2003年3月　頁124～130

林彩美　戴國煇先生著作目錄《戴國煇先生梅苑書庫入藏中研院人文圖書館紀念冊》　台北：中央研究院歷史語言研究所　2005年4月15日　頁33～55

輯四◎全集總目

總目錄◎專書目錄及提要◎未結集篇目

總目錄

戴國煇全集1・史學與台灣研究卷一

境界人的獨白

輯一　殖民地的傷痕

輯二　追求自我認同

戴國煇全集2・史學與台灣研究卷二

殖民地文學

台灣總體相
住民・歷史・心性

戴國煇全集3・史學與台灣研究卷三

台灣往何處去

戴國煇全集4・史學與台灣研究卷四

台灣結與中國結
罣丸理論與自立・共生的構圖

戴國煇全集5・史學與台灣研究卷五

台灣近百年史的曲折路
「寧靜革命」的來龍去脈

【附錄】

【圖表目次】

戴國煇全集6・史學與台灣研究卷六

台灣史探微
現實與史實的相互往還

輯一　晚清與日帝時期台灣史

輯二　二二八事變絮語

輯三　李登輝時代的開幕與挑戰

歷史研究法

【圖表目次】

戴國煇全集7・史學與台灣研究卷七

未結集1：台灣農業與經濟

輯一　台灣農業

輯二　戰後台灣經濟

【圖表目次】

戴國煇全集8・史學與台灣研究卷八

未結集2：中國社會史論戰

輯一　中國社會史論戰

輯二　台灣史事典

【圖表目次】

戴國煇全集9・史學與台灣研究卷九

未結集3：中日關係

輯一　中日關係

輯二　時事政論

輯三　日本・台灣近百年史

戴國煇全集10・華僑與經濟卷一

從台灣稻米的脫穀與調製看農業機械化

中國農村社會的「家」與「家族主義」／林彩美譯

中國甘蔗糖業之發展／林彩美譯

【附錄】

【圖版目次】

【圖表目次】

戴國煇全集11・華僑與經濟卷二

華僑
從「落葉歸根」走向「落地生根」的苦悶與矛盾
／雷玉虹譯

輯一 華僑論

輯二　東南亞華僑現況

輯三　華僑問題對談錄

【圖表目次】

戴國煇全集12・華僑與經濟卷三

未結集：東南亞華僑研究

輯一　東南亞華僑研究

輯二　從日本看華僑

【圖表目次】

戴國煇全集13・日本與亞洲卷一

日本人與亞洲

輯一　日本與亞洲問題新探

輯二 日本政治・外交論

未結集1：探索日本

輯一 從亞洲看日本

輯二　日本文化與社會

戴國煇全集14・日本與亞洲卷二

未結集2：邁向國際化之路

輯一　邁向國際化：以史為鑑

輯二　立足亞洲，放眼世界

輯三　日本政局析論

戴國煇全集15・人物與歷史卷

殖民地人物誌

輯一 近代思想家

輯二　台灣文學先行者

未結集：我的人生導師

輯一　中日近現代人物

未結集：中日文化之我見

輯一　生活札記

輯二　漫談語言與教育

戴國煇全集17・書評與書序卷

書癡者言

輯一　日本人的中國見聞錄

輯二　台灣民族運動

未結集：殖民地史料評析

輯一　尋根

輯二　讀華僑

輯三　中・台之間

輯四　台灣現代史課題

戴國煇全集18‧採訪與對談卷一

探尋東亞安定化

輯一　展望東亞局勢

輯二　台灣文學作家與社會運動

愛憎李登輝
戴國煇與王作榮對話錄

戴國煇全集19・採訪與對談卷二

台灣史對話錄

輯一　台灣社會的變遷與台灣意識

輯二　台海兩岸的發展及其問題剖析

輯三　台灣史的悲情與後悲情

輯四　日帝的台灣和朝鮮的殖民統治之比較

戴國煇全集20・採訪與對談卷三

未結集1：討論日本之中的亞洲

輯一 中國研究綜觀

輯二 回顧日本殖民地政策

戴國煇全集21・採訪與對談卷四

未結集2：談日本與亞洲（一）

輯一 亞洲局勢與世界

輯二 盱衡東南亞

戴國煇全集22・採訪與對談卷五

未結集3：談日本與亞洲（二）

輯一　亞洲未來進行式

輯二　認識亞洲之心靈

戴國煇全集23・採訪與對談卷六

未結集4：談中日文化

輯一　客家華僑探究

輯二　中日文化比較

戴國煇全集24・採訪與對談卷七

未結集5：我們生涯之中的中國

輯一　我們生涯之中的中國／吳亦昕譯

輯二　省視現代漢民族

戴國煇全集25・採訪與對談卷八

未結集6：多元化的亞洲視野

輯一　歷史與文化交流

輯二　透視日本・中國與亞洲

輯三　共榮的亞洲族群

【圖表目次】

戴國煇全集26・採訪與對談卷九

未結集7：台日觀察綜論

輯一　日本留學生教育課題

輯二　台灣研究廣角鏡

輯三 透視台日·兩岸政治

戴國煇全集27・別卷

殖民地的孩子
歷史學家戴國煇

輯一 圖片集

輯二 生平年表及日記

輯三 生平資料目錄

輯四 全集總目

輯五 評論選文

輯六　篇目索引

專書目錄及提要

中国甘蔗糖業の展開（中國甘蔗糖業之發展）

東京：アジア経済研究所
1967年3月15日，25開，211頁
アジア経済調査研究雙書第129輯

本書為作者的東京大學農學博士論文，為其所規劃「台灣糖業研究」第一部。共分四章，前三章介紹中國歷代各朝的甘蔗糖業文獻，第四章為「台灣舊式糖業的發展」。正文前錄有甘蔗相關圖版，正文後附錄甘蔗相關文獻解題，以及人名・地名・事項・書名索引。

日本人との対話——日本・中国台湾・アジア（與日本人的對話——日本・中國台灣・亞洲）

東京：社会思想社
1971年8月15日，32開，250頁

本書為作者第一本歷史論述集，內容略分為三類，即作者長期以來所關心的日本與亞洲課題、台灣殖民地論述及華僑論。全書分為三個部分，收錄〈東南亞的虛像與實像〉、〈我的華僑小試論〉、〈我的發言——台灣研究的態度〉、〈日本統治與台灣知識分子——某副教授之死與再出發的苦惱〉4篇文章，同時收錄2篇對談紀錄、1篇專題討論會紀錄、1篇座談會紀錄。正文後有加藤祐三〈編後記〉。

日本人とアジア（日本人與亞洲）

東京：新人物往来社
1973年10月15日，32開，278頁

本書為歷史論述集，內容論評台灣殖民地時期的中日政治家、知識分子，及台灣史、華僑問題。全書共分四部分，收錄〈細川嘉六與矢內原忠雄〉、〈郁達夫與台灣〉、〈台灣簡史〉、〈東南亞的華人系居民〉等15篇文章。正文前後有作者的〈序〉和〈後記〉。

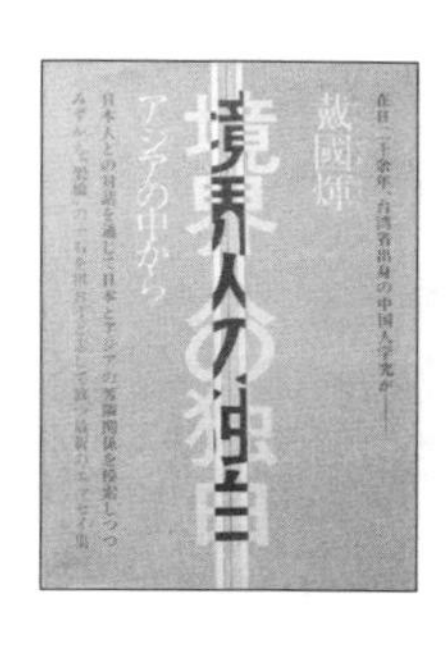

境界人の独白——アジアの中から（境界人的獨白）

東京：龍溪書舍
1976年8月15日，32開，358頁
日中關係選書3

本書為歷史短論集，內容主要述及由時事而觸發的中日關係雜感、東南亞的華僑問題，並收錄書評類文章。全集共分三個部分，收錄〈文化交流與留學生問題〉、〈中日關係雜感〉、〈東南亞華人研究的新視角〉、〈近代日本與台灣〉等36篇文章。正文後收錄小島麗逸解說戴國煇《日本人與亞洲》。

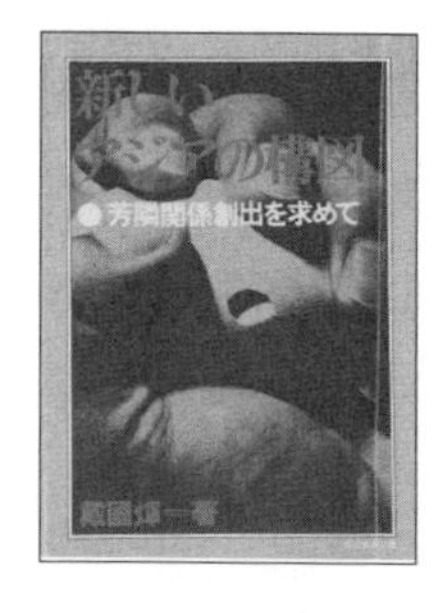

新しいアジアの構図——芳隣関係創出を求めて（新亞洲的構圖——尋求創造芳鄰關係）

東京：社会思想社
1977年6月15日，10.5×14.3公分，277頁
現代教養文庫939

本書為作者的歷史論述選集，選錄自舊作《與日本人的對話》、《日本人與亞洲》、《境界人的獨白》，內容論及台灣殖民地傷痕、日本與亞洲的關係。全集共分四章，收錄〈日本統治與台灣知識分子〉、〈連帶與多管

閒事、〈穆罕默德·阿里的火種〉等12篇。正文後收錄內村剛介的解題。

台湾と台湾人——アイデンティティを求めて（台灣與台灣人——追求自我認同）

東京：研文出版
1979年11月10日，32開，326頁
研文選書5

本書為作者第一本以「台灣」為名的歷史論述集，內容主題為探究台灣殖民地歷史，尋求台灣人的定位，並論及客家問題等。全集共分為五部分，收錄〈台灣與台灣人〉、〈一對門扉的往事〉、〈爆竹與中國人〉、〈何謂客家〉等16篇，其中有5篇係選自舊作。正文後有作者〈後記〉。

華僑——「落葉帰根」から「落地生根」への苦悶と矛盾（華僑——從「落葉歸根」走向「落地生根」的苦悶與矛盾）

東京：研文出版
1980年11月20日初版，32開，303頁
研文選書8

本書為作者第一本華僑專著。全書分為三部分，收錄〈我的「華僑」小試論〉、〈給日本華僑的公開信〉、〈無告之民「華僑」〉、〈「華僑」之未來〉等8篇長論，及1篇對談紀錄，其中有3篇係選自舊作。正文前後有作者的〈序〉和〈後記〉。

台湾霧社蜂起事件——研究と資料

東京：社会思想社

1981年6月30日，25開，598頁

內容提要請見後述國史館中文版（2002年4月）

臺灣霧社蜂起事件——研究與資料（上、下）

台北：國史館

2002年4月，25開，838頁

戴國煇編著・魏廷朝譯

台灣史研究論叢5

本書為《台湾霧社蜂起事件——研究と資料》的中文版，係以戴國煇為首的「台灣近現代史研究會」多年來所進行的台灣霧社事件調查研究成果。全書共分研究與資料兩大部分，收錄戴國煇舊作〈霧社蜂起事件的概要與研究的今日意義〉、〈霧社蜂起與中國革命〉2篇文章，及研究會的成員小島麗逸、宇野利玄等7篇文章；資料部分輯有〈霧社事件誌〉、〈霧社蜂起事件關係文獻目錄〉等6篇。正文前有戴國煇〈序〉，正文後有霧社事件相關地圖。

台灣史研究——回顧與探索

台北：遠流出版公司
1985年3月25日初版，25開，266頁

本書為作者第一本以中文寫作的歷史論述，內容主要為台灣史研究與日本研究。全書分二部分，第一部分收錄長論，包括作者極具代表性的台灣史論述〈清末台灣一個考察〉（收錄於本書時，改題為「晚清期台灣的社會經濟」）；第二部分為對談錄，收錄（研究台灣史的經驗談〉、〈晚清期台灣的社會經濟〉、〈為「教科書問題」給東鄰日本的諍言〉、〈楊逵憶述不凡的歲月〉等8篇。正文前後有作者的〈代序〉和〈跋〉。

台湾——人間・歴史・心性

東京：岩波書店
1988年10月20日，48開，228頁（另有索引、台史年表共14頁）
岩波新書41

內容提要請見後述遠流中文版（1989年9月16日）

台灣總體相——住民・歷史・心性

台北：遠流出版公司
1989年9月16日初版，25開，254頁
本土與世界4

本書係《台灣》一書的中文版，係針對台灣史作全面的論述。全書共分八章，由台灣前史——台灣與中國歷代的關係、日據時期、二二八事件、國民黨政權在台灣、台灣的經濟發展，至政治強人蔣經國去世後的台灣政

局分析。正文前有作者〈中文版自序〉，正文後有作者〈跋〉、魏廷朝〈譯後記〉，並附錄有〈簡明台灣史年表〉。

台湾、いずこへ行く?!——診断と予見（台灣往何處去）

東京：研文出版
1990年11月20日，32開，265頁
研文選書45

本書為歷史論述集，主題係有關兩岸關係課題，包括台灣的未來走向（由李登輝就任演說談起）、第三次國共合作，並深入探討六四天安門事件。全書共分為三部分，收錄〈台灣往何處去〉、〈分析第三次國共合作的可能性〉、〈轉換期的國際關係與台灣．亞洲〉、〈中國大陸走馬看花〉等11篇，其中1篇為對談文、4篇為座談文。正文後有作者〈後記〉。

愛憎二二八——神話與史實：解開歷史之謎

台北：遠流出版公司
1992年2月16日，25開，385頁
本土與世界12

本書為二二八事件研究集，係作者三十餘年來窮究二二八事件的結晶，與葉芸芸共著。全書共分為三部分，12章，第五至八章為葉芸芸著，其餘戴國煇著。由台灣光復實際情形切入，再剖析陳儀的治台，以及探討二二八事件所帶來的白色恐怖、省籍問題，統獨爭議等後遺症與影響；書中並實地走訪事件當事人，採集眾多與事件相關的報導與資料，試圖還原二二八事件發生經過、政府的對應與處理。正文前有戴國煇〈自序〉，正文後有葉芸芸〈後記〉。

台灣結與中國結——睪丸理論與自立·共生的構圖

台北：遠流出版公司
1994年5月16日，25開，303頁
本土與世界13

本書為台灣史研究論述集，為作者闡述兩岸關係論點之重要著作，並係其藉心理學上的自我認同理論以探討台灣主體性之首度論述。全書共分七章，除探討台灣史研究的基本課題，並觸及中國結與台灣結之爭論、戰後台日關係、台灣客家研究，以及日本殖民統治課題。正文後附錄有許倬雲〈群體的心態及群體的成長〉、莊竹林（月清）〈戴國煇的一份執著〉。

台湾という名のヤヌス——静かなる革命への道

東京：三省堂
1996年5月20日，32開，295頁

內容提要請見後述南天書局中文版（2000年10月）

台灣近百年史的曲折路——「寧靜革命」的來龍去脈

台北：南天書局
2000年10月初版，25開，333頁
戴國煇談台灣歷史與現實2

本書為台灣史研究論述集，為《台湾という名のヤヌス》中文版。全書共分七大章，由回顧與探索台灣殖民地時代談起，並再度藉艾利克生（Erikison）的認同理

論，提出台灣的認同危機及析述台灣人主體性，最後探討台灣民主化課題，以及剖析李登輝執政12年的深層結構。正文前有作者〈總序〉、〈本冊序〉、〈前言〉，正文後有作者〈代跋：對阿扁新政的期待——扁（李）體制？在發酵中的問題〉、〈索引〉。

台灣史探微——現實與史實的相互往還

台北：南天書局
1999年11月，25開，284頁
戴國煇談台灣歷史與現實1

本書為台灣史研究論述集。全書共分三部分，由晚清期台灣史探討起，並集作者晚期的二二八事件課題研究（政府公布二二八事件報告之後），以及作者長期關注的台灣政治人物——李登輝研究，涉及李登輝人物論、其擔任總統後的台灣政局和走向、兩岸關係等。收錄〈晚清期台灣農業的概貌〉、〈試論高砂義勇隊在日據時期台灣史的定位〉、〈我對行政院公佈『二二八事件研究報告』後之些許期待〉、〈李總統欲建設台灣為中國文化「新中原」〉等56篇，以短論文章居多，其中2篇重錄自舊作《台灣史研究》。正文前有作者〈總序〉、〈本冊序〉，正文後收有林叔品〈我所認知的戴國煇與他的一本「結」書〉（解讀《台灣史研究》）。

愛憎李登輝——戴國煇與王作榮對話錄

台北：天下遠見出版公司
2001年2月7日，25開，270頁

本書係戴國煇遺著，與另一位作者王作榮對話的紀錄文，以李登輝為對談主題，對談並分多次舉行。全書共分六章，由兩人的初見當時尚是農經學者的李登輝談起，以至掌權後李登輝的轉變，完整呈現戴、王兩人多年來接觸李登輝的第一手觀察紀錄，並述及台灣政局內幕與分析。每章正文之前，有記錄整理者夏珍所寫的對談楔子，概要分析當時的對談主題與背景。正文前有林彩美〈序〉，正文後有夏珍〈後記〉。

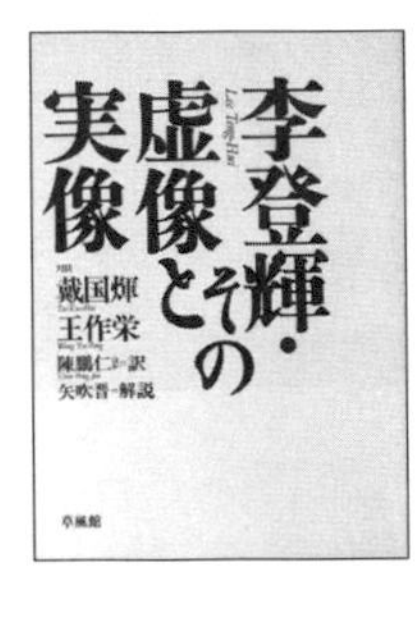

李登輝・その虛像と実像

東京：草風館
2002年5月1日，32開，251頁

本書係為《愛憎李登輝》日文版。由陳鵬仁、林彩美、永井江理子、佐伯真代翻譯。正文後有夏珍〈後記〉、矢吹晉〈追悼・戴國煇〉（兼解說文），並附錄有〈人物略傳〉、〈李登輝相關年表〉、〈中華民國政府機構圖〉、林彩美〈跋〉。

台灣史對話錄

台北：南天書局
2002年4月，25開，335頁
戴國煇談台灣歷史與現實3

本書係輯錄戴國煇對談、座談紀錄，以及採訪戴國煇文章而成，內容主要為談台灣意識、兩岸關係、日帝的台灣與朝鮮統治比較。全書共分三部分，收錄〈龍與台灣史研究〉、〈如何看待台獨運動〉、〈後悲情的暢快對話〉、〈日帝統治下的台灣和朝鮮〉等17篇，其中

4篇重錄自《台灣史研究》、1篇重錄自《台灣往何處去》。

戴國煇文集1：台灣史研究——回顧與探索

台北：遠流出版公司・南天書局，2002年4月1日，25開，266頁
內容提要請見前述遠流版（1985年3月25日）

戴國煇文集2：台灣總體相——住民・歷史・心性

台北：遠流出版公司・南天書局，2002年4月1日，25開，254頁
內容提要請見前述遠流版（1989年9月16日）

戴國煇文集3：愛憎二二八——神話與史實：解開歷史之謎

台北：遠流出版公司・南天書局，2002年4月1日，25開，385頁
內容提要請見前述遠流版（1992年2月16日）

戴國煇文集4：台灣結與中國結——睪丸理論與自立・共生的構圖

台北：遠流出版公司・南天書局，2002年4月1日，25開，303頁
內容提要請見前述遠流版（1994年5月16日）

戴國煇文集5：台灣史研究集外集

台北：遠流出版公司・南天書局，2002年4月1日，25開，436頁

本書為歷史論述集，係輯戴國煇未結集單篇論述而成，為戴國煇夫人林彩美女士在整理作者遺物時所發現的一部分未結集稿件，內容主要為台灣史研究、日本研究、殖民地時期人物論述。全書共分五部分，收錄〈五四對台灣知識份子的影響〉、〈儒家思想與日本近代化〉、〈歷史與社會新探〉、〈《民俗台灣》與台灣文化主體性的建構〉等37篇，其中5篇係重錄自《台灣史探微》。

戴國煇文集6：台灣史探微——現實與史實的相互往還

台北：遠流出版公司・南天書局，2002年4月1日，25開，284頁
內容提要請見前述南天版（1999年11月）

戴國煇文集7：台灣近百年史的曲折路——「寧靜革命」的來龍去脈

台北：遠流出版公司・南天書局，2002年4月1日，25開，333頁
內容提要請見前述南天版（2000年10月）

戴國煇文集8：台灣史對話錄

台北：遠流出版公司・南天書局，2002年4月1月，25開，335頁
內容提要請見前述南天版（2002年4月）

戴國煇文集9：愛憎李登輝——戴國煇與王作榮對話錄

台北：遠流出版公司・南天書局，2002年4月1日，25開，270頁
內容提要請見前述天下遠見版（2001年2月7日）

戴國煇文集10、11：台灣霧社蜂起事件——研究與資料（上、下）

台北：遠流出版公司・南天書局，2002年4月1日，25開，838頁
內容提要請見前述國史館版（2002年4月）

戴國煇文集12：戴國煇這個人（含生平事記與著作目錄）

台北：遠流・南天書局，2002年4月1日，25開，297頁（不含附錄）

本書為戴國煇生平研究資料集。全書共分五部分，分別為「親友述往」、「門生感懷」、「媒體評論」、「戴國煇自述」、「戴國煇最後告白」。收錄陸鏗〈戴國煇教授對台灣心存大愛〉、林德政〈台灣史學界永遠的損失〉、王震邦〈戴國煇　傾聽台灣近百年聲音〉、戴興夏整理〈戴國煇最後的廣播節目錄音〉等46篇。正文前有〈陳水扁總統褒揚令〉、林彩美：〈序〉，正文後附錄有夏珍〈戴國煇生平略傳〉、〈戴國煇事記〉、〈戴國煇著作、發表及相關評論文章一覽表〉。

未結集與未發表著述篇目

從台灣稻米的脫穀與調製看農業機械化，未刊稿，1954年。為戴國煇學士論文

旗竿之家與三里灣——讀趙樹理《三里灣》筆記〔旗竿の家と三里湾〕，未刊稿，1957年2月1日

中國農村社會的「家」與「家族主義」〔中国農村社会に於ける家と家族主義〕，未刊稿，1958年。為戴國煇碩士論文

中國甘蔗糖業的發展過程〔中国における甘蔗糖業の発展過程〕，未刊稿，1958年。為戴國煇博士學位論文要旨，指導者為東京大學農學部教授神谷慶治

家族經營原理的變貌〔家族経営原理の変貌〕，《食糧管理月報》第12卷8號，東京：食糧庁，1960年8月，頁46～47

東大中國同學會會報《暖流》代創刊辭〔創刊のことばにかえて〕，《暖流》創刊號 ，東京：東大中国同学会，1960年

給T君的信：往北海道的亞洲〔T君への手紙〕，アジア学生北海道見学旅行実行委員会編，《北海道をゆくアジア——第2回アジア学生北海道見学旅行報告書》，東京：アジア学生北海道見学旅行実行委員会，1961年2月10日，頁42～44

台灣問題的本質是什麼？——關於「台灣現狀」座談會之我見

〔台湾問題の本質は？—— 座談会「台湾の現状」にふれて〕，《世界》第183號，東京：岩波書店，1961年3月，頁195～198。以筆名陳來明發表

感到抗拒的二三事〔抵抗を感ずる二，三のこと〕，《暖流》第2號，東京：東大中国同学会，1962年5月，頁9～10

我與《日本帝國主義下之台灣》〔私と「帝国主義下の台湾」〕，《暖流》第4號，東京：東大中国同学会，1963年6月，頁21～23

糖業在台灣經濟的地位——戰前與戰後的比較〔台湾経済における糖業の地位——戦前と戦後の比較をかねて〕，《今日之中國》第1卷第6號，東京：今日之中国社，1963年11月，頁4～11

有關留學生問題的訴求〔留学生問題について訴える〕，《アジアの友》第9號，東京：アジア学生文化協会，1964年6月，頁3～4。係於亞洲學生文化協會主辦，「在京留學生懇親會」上之發言，1964年6月21日

台灣小史〔台湾小史〕，《中国》第19號，東京：普通社，1965年6月，頁21～32。係由戴國煇、尾崎秀樹合著

戸隱一遊所拾——學生健行團Wandervogel滑雪旅行〔戸隠一遊所拾〕，《ワンダーフォーケル・戸隠スキー特集》第9號，1965年度

理解台灣工業化的必要文獻及資料〔台湾の工業化を理解するために必須な文献および資料〕，《機械工業海外情報》第83號，東京：財団法人機械振興協会，1966年4月，頁11～14

台灣經濟發展與美國援助〔台湾の経済発展とアメリカ援助〕，アジア経済研究所所內資料・笹本研究会第7号（台湾総合研究7），1966年6月

台灣經濟發展與美國援助〔台湾の経済発展とアメリカ援助〕，《アジア経済》第7卷第11號，東京：アジア経済研究所，1966年11月15日，頁15～39

台灣經濟發展與美國援助〔台湾の経済発展とアメリカ援助〕，笹本武治，川野重任編，《台湾経済総合研究》（上），東京：アジア経済研究所，1968年3月30日，頁289～330

台灣（中國）農地改革與農地問題〔台湾（中国）の農地改革と農地問題〕，近藤康男等編，《土地問題——農政の焦点——日本農業年報ＸＶ》，東京：御茶の水書房，1966年11月20日，頁172～192

解明美國經援台灣始末——評介賈克貝《美國對台灣經濟援助之評價》〔台湾に対するアメリカの経済援助の評価〕，《アジア経済》第7卷第11號，東京：アジア経済研究所，1966年11月，頁140～146

台灣的產業與經濟〔台湾の産業と経済〕，《台湾付香港・マカオ》，東京：国際情報社，1967年7月1日，頁91～94

台灣的農業〔台湾の農業〕，農政調查委員会編，《体系農業百科事典：農業社会経済》，東京：農政調查委員会，1967年，頁254～255

同學會草創期的四個原則——私感〔同学会草創期の四原則〕，《暖流》第10號，東京：東大中国同学会，1968年4月，頁5～6

自吹自擂〔風呂敷を廣げること〕，《暖流》第10號，東京：東大中国同学会，1968年4月，頁19～24

日本人的台灣研究——關於台灣的舊慣調查〔日本人による台湾研究——台湾旧慣調査について〕，《季刊東亞》第4集，東京：財団法人霞山会・東亞学院，1968年8月，頁67～80

如何擺脫特需經濟〔特需経済からの脱却を模索〕，《エコノミスト》第1745號，東京：毎日新聞社，1969年2月25日，頁57～61

開創了不一樣的台灣研究——葛伯納《小龍村：蛻變中的台灣農村》〔Hsin Hsing, Taiwan; A Chinese Village in Change〕，The Developing economies VII-1，1969年3月

台灣史研究札記——介紹《台灣警察四十年史話》等珍本〔台湾史研究札記〕，《暖流》第11號，東京：東大中国同学会，1969年4月，頁106～110

被迫邁向自立經濟的決心〔迫られる自立経済への決意〕，《貿易と関税》第17巻第4號，東京：日本関税協会，1969年4月，頁61～66

日本人對台灣錯誤的認識〔誤れる日本人の台湾認識〕，《世界》第287號，東京：岩波書店，1969年7月，頁126～135。以筆名林凡明、何敏發表

日本的台灣研究〔台湾〕，《アジア経済》第10巻第6・7號（100号記念特集号）、東京：アジア経済研究所，1969年7月，頁53～82

日本的台灣研究〔台湾〕，《日本に於ける発展途上国の研

究》，東京：アジア経済研究所，1969年9月16日，頁53～82

當年台灣左翼如何掌握及看待霧社事件〔霧社事件を当時の台湾左翼はどう捉え、扱ったか〕，未刊稿，應寫於1969年

戰後台灣經濟的發展與未來〔台湾経済の戦後展開と今後〕，《朝日アジアレビュー》第1卷第2號，東京：朝日新聞社，1970年夏季號，頁36～43

了解故鄉食品的有趣事典──《中國食品事典》〔故郷の食品のわかる楽しい事典〕，《中国食品事典》推薦扉頁，東京：書籍文物流通会，1970年8月1日

岡田謙博士與台灣〔岡田謙博士と台湾〕，《アジア経済資料月報》第12卷第10號，東京：アジア経済研究所，1970年10月，頁43～51

國民黨土地政策過程的一個側面──兼悼湯惠蓀教授〔国民党の土地政策の歩みの一側面──湯恵蓀教授の追悼を兼ねて〕，《アジア経済》第12卷第1號，東京：アジア経済研究所，1970年12月15日，頁95～103

日本人眼中的華僑形象──以明治、大正時期為中心的試論〔日本人の華僑像──明治、大正期を中心にした試論〕，未刊稿，1970～1971年

同文同種的笑話〔同文同種の笑話〕，《所內報》第4號，東京：アジア経済研究所，1971年1月，頁6

台灣經濟的現狀與問題點〔台湾経済の現状と問題点〕，《東南ア貿易経済旬報》第59號，東京：国際技術協力協会，1971年3月1日，頁5～15

血脈相通的中國近代百年史——韓素音《悲傷之樹》〔血のかよった中国近代百年史〕，《週刊東洋経済》第3592號，東京：東洋経済新報社，1971年4月17日，頁112～114。以筆名田照圀發表

在舊書展可遇見的人們〔古書展で逢える人々のこと〕，《暖流》第13號，東京：東大中国同学会，1971年4月，頁17～21

列傳——中國社會性質問題論戰的旗手們〔列傳——中国社会性質問題論戦の旗手達〕，未刊稿，1971年6月16日

探索台灣獨立運動之「根」——《現代史資料21・台灣 I》〔台湾独立運動の「根」を探る〕，《週刊東洋経済》第3604號，東京：東洋経済新報社，1971年6月26日，頁84～85

轉變期的台灣農業問題〔転換期の台湾農業問題〕，瀧川勉編，《東南アジアの農業・農民問題》，東京：亞紀書房，1971年7月15日，頁239～288

永不褪色的問題意識、執著的結晶——尾崎秀樹《舊殖民地文學的研究》〔色なせない問題提起執念的結晶〕，《週刊東洋経済》第3620號，東京：東洋経済新報社，1971年9月11日，頁129～130

作者自己的長征——韓素音《轉生之華》〔著者みずからの「長征」〕，《週刊東洋経済》第3636號，東京：東洋経済新報社，1971年11月27日，頁128～130。以筆名田照圀發表

近代日本與馬來亞華僑——以華僑的前期性排日、抗日救國運動為中心〔近代日本とマラヤ華僑——華僑の前期的排日、抗日救国運動を中心に〕，未刊稿，並為未完稿，約寫於1971年

戰後台灣農業發展與中國農村復興委員會（JCRR）〔台湾農業の戦後とJCRR〕，未刊稿，1971年

讓體驗「說話」的新世界——評新井寶雄《日中問題入門》、淺海一男《新中國入門》〔「体験」が語る新しい世界〕，《エコノミスト》第1903號，東京：每日新聞社，1972年1月11日，頁110～111。以筆名田照圀發表

在中國「社會史論戰」介紹上所看到的若干問題——介紹與研究之間〔中国「社会史論戦」紹介にみられる若干の問題——紹介と研究の間〕，《アジア経済》第13卷第1號，東京：アジア経済研究所，1972年1月，頁57～72

1970年代的華人（華僑）問題〔1970年代の華人（華僑）問題〕，《ゼミナール講演要旨》第1集，東京：アジア経済研究所，1972年1月，頁31～52

戰後台灣農業之發展〔台湾農業の戦後の展開〕，齋藤一夫編《台湾の農業・上》，東京：アジア経済研究所，1972年2月15日，頁63～122

《台灣民報》的故事——《台灣青年》、《台灣》到《台灣民報》一脈相承的辛酸經歷〔「台湾民報」のこと〕，《龍溪》創刊號，東京：龍溪書舍，1972年2月，頁8～11

重視對庶民階層的聽取——黃枝連《馬華社會史導論》〔庶民層の聞きとりを重視〕，《アジアレビュー》第3卷第3號，東京：朝日新聞社，1972年3月，頁169～171

東南亞的華人問題——華僑研究與華僑觀的省思〔東南アジアの華人問題——華僑研究と華僑観を考える〕，《会報》第

4號，東京：中国・アジア貿易構造研究センター，1972年5月，頁9～64。係於「中国・アジア貿易構造研究センター」的演講紀錄

如火如荼的中國統一運動〔盛り上がる中国統一運動〕，《週刊東洋経済》第3688號，東京：東洋経済新報社，1972年6月3日，頁44～49。發表時不具名

楊振寧博士的〈中國印象記〉及其影響〔楊博士の中国印象記とその波紋〕，《週刊東洋経済》第3669號，東京：東洋経済新報社，1972年6月10日，頁52～56。發表時不具名

充滿苦澀的「多極化」的應對〔苦渋にみちた「多極化」への対応〕，《週刊東洋経済》第3672號，東京：東洋経済新報社，1972年6月24日，頁68～72。發表時不具名

追求台灣獨立的合理性——戴天照《台灣國際政治史研究》〔台湾独立の合理性を求める〕，《エコノミスト》第1929號，東京：毎日新聞社，1972年7月4日，頁105～106。以筆名田餘耕發表

「含笑」花開記〔「含笑」を咲かせるの記〕，《暖流》第14號，東京：東大中国同学会，1972年8月，頁73～77

分歧之根——「JAP」與「支那」〔ギャップの根——「JAP」と「シナ」から〕，《コミュニケーション季刊》第2號，東京：国連社，1972年9月，頁27

了解「殖民地體制」的好資料——《現代史資料22・台灣 II 》〔植民地体制を知る好個の資料〕，《週刊東洋経済》第3696號，東京：東洋経済新報社，1972年10月14日，頁113～115

運用豐富的文獻──評須山卓《華僑經濟史》〔豊かな文献を駆使〕，《今週の日本》，1972年10月29日，第10頁

華僑〔華僑〕，安藤彥太郎編，《現代中国事典》，東京：講談社，1972年11月28日，頁33～35

社會史問題論戰〔社会史問題論戦〕，安藤彥太郎編，《現代中国事典》，東京：講談社，1972年11月28日，頁169～171

甲午戰爭〔日清戦争〕，安藤彥太郎編，《現代中国事典》，東京：講談社，1972年11月28日，頁318～321

注意陷阱「台灣」──吳濁流所告發的〔陥せい「台湾」に目を！──呉濁流が告発するもの〕，《日本と中国》第12號，1972年12月9日，頁1。以筆名陳來明發表

中國「社會史論戰」與《讀書雜誌》之周邊〔中国「社会史論戦」と『読書雑誌』の周辺〕，《アジア経済》第13卷第12號，東京：アジア経済研究所，1972年12月，頁81～91

客家風俗──舊曆年三題〔旧正月三題〕，《所內報》第29號，東京：アジア経済研究所，1973年2月，頁8

從《李家莊的變遷》探討起──中國革命中的農民問題〔「李家莊の変遷」から──中国革命における農民問題〕，未刊稿。1973年7月30日。為戴國煇於中國部會第三回研究會的演講文與討論會內容

憂慮新亞洲主義的的抬頭──《討論日本之中的亞洲》代序〔新アジア主義の擡頭を憂う〕，戴國煇等編，《討論日本のなかのアジア》，東京：平凡社，1973年8月3日，頁5～19

台灣的住民與歷史〔台湾──住民と歴史〕，《週刊アルファ大

世界百科》第154號，東京：日本メール・オーダー社，1973年8月29日，頁3694～3695

台灣的政治與經濟〔台湾——政治と経済〕，《週刊アルファ大世界百科》第154號，東京：日本メール・オーダー社，1973年8月29日，頁3695

絲瓜是可以吃的〔絲瓜は食べられる〕，《日中経済協会会報》第3號，東京：財団法人日中経済協会，1973年8月，頁17。以筆名樓外仁發表

在交流上的「義」與「情」〔交流における「義」と「情」〕，《研修》第155號，東京：財団法人海外技術者研修協会，1974年1月，頁5

分析進入新階段的日本企業——宮崎義一《思考現代的日本企業》〔新しい段階の企業を分析〕，《エコノミスト》第2023號，東京：毎日新聞社，1974年3月26日，頁91～92

《東南亞華人社會之研究》序文〔序〕，戴國煇編，《東南アジア華人社會の研究》，東京：アジア経済研究所，1974年3月

放眼東南亞——反日運動的潛流〔東南アジアに見る——反日運動の底流〕，《いまばしくらぶ》第265號，大阪：社団法人今橋クラブ，1974年4月，頁16～22

台灣征討〔台湾征討〕，河原宏、藤井昇三編，《日中関係史の基礎知識》，東京： 有斐閣，1974年7月15日，頁54～56

日俄戰爭以後的台灣統治和抗日運動〔日露戦争以後の台湾統治と抗日運動〕，河原宏、藤井昇三編，《日中関係史の基礎知識》，東京：有斐閣，1974年7月15日，頁235～238

以科學實證法批判日本殖民政策——矢內原忠雄《日本帝國主義下之台灣》、《滿洲問題》〔矢內原忠雄『帝国主義下の台湾』、『満州問題』〕，河原宏、藤井昇三編，《日中関係史の基礎知識：現代中國を知るために》，東京：有斐閣，1974年7月15日，頁239

台灣殖民地經營的個人經驗——後藤新平《日本膨脹論》〔後藤新平『日本膨脹論』〕，河原宏、藤井昇三編，《日中関係史の基礎知識：現代中国を知るために》，東京：有斐閣，1974年7月15日，頁240～241

反軍國主義的思想結晶——細川嘉六《殖民史》〔細川嘉六『植民史』〕，河原宏、藤井昇三編，《日中関係史の基礎知識：現代中國を知るために》，東京：有斐閣，1974年7月15日，頁320

吳濁流《黎明前的台灣》及其他〔呉濁流『夜明け前の台湾』ほか〕，河原宏，藤井昇三編，《日中関係史の基礎知識：現代中國を知るために》，東京：有斐閣，1974年7月15日，頁321～322

九三〇事件前後的印尼華人、華僑情況〔9.30事件前後のインドネシア華人・華僑事情〕，戴國煇編著，《東南アジア華人社会の研究（下）》、東京：アジア経済研究所，1974年9月20日，頁139～180。係與井草邦雄合著。本篇存目

從原點台灣看近代日本與亞洲〔原点・台湾からみた近代日本とアジア〕，《道》第4卷第9號，東京：世代群評社，1974年9月，頁45～58

「帝國日本」下悲慘的犧牲者〔「帝国主義」のみじめな犠牲〕，《朝日新聞》，1974年12月30日，13版，第14頁

關於孩子鋼琴課之我思〔子供のピアノレッスンについて考える〕，《たかさとだより》第54期，船橋市：高郷小P.T.A.広報部，1975年1月22日，頁1

從華僑到華人〔華僑から華人へ〕，《講演要旨》第7集，東京：アジア経済研究所，1975年2月，頁1～34

霧社事件〔むしゃじけん　霧社事件〕，《週刊アルファ大世界百科》第237號，東京：日本メール・オーダー社，1975年3月26日，頁5676

台灣抗日左派指導者連溫卿和其稿本〔台湾抗日左派指導者連溫卿とその稿本〕，《史苑》第35卷第2號，東京：立教大学史学会，1975年3月，頁57～60

霧社事件始末〔霧社事件〕，《20世紀の歴史》第63號，東京：日本メール・オーダー社，1975年5月7日，頁1271～1272

提示另一種觀點——《戰後台灣經濟分析：從1945～1965年》〔もう一つの見方示す〕，《日本経済新聞》，1975年5月25日

「華僑」研究的若干問題〔「華僑」研究における若干問題〕，《現代中国》（現代中国学会第24回全国学術大会特集）第50號，東京：現代中国学会，1975年8月10日，頁10～19

華僑的法律地位與中國的華僑政策〔華僑の法的地位と中国の華僑政策〕，未刊稿，1975～1976年。並為未完稿

從周恩來的日本留學談起〔周恩来の日本留学から〕，《新潟日

報》，1976年2月4日

從周恩來的日本留學談起〔周恩来の日本留学から〕，《四国新聞》，1976年2月13日

關於夫婦異姓〔夫婦異姓について〕，原刊處未明，係投給「共同通信社」之稿，1976年2月20日

參加文明懇談會有感*〔「文明懇」に参加して〕，原刊處未明，係投給「共同通信社之稿，1976年3月19～20日

武者小路翁的墨寶〔武者小路さんの書〕，《京都新聞》，1976年4月20日，第13頁

亞洲與日本文化〔アジアと日本文化〕，《現代文明を考える——文明問題懇談会討議要旨》，東京：大藏省印刷局，1976年4月24日，頁27～28

究竟血是濃於水嗎？〔はたして血は水よりも濃いか〕，原刊處未明，係投給「共同通信社」之稿，1976年5月14日

祓禊與再生是同根生〔禊と再生〕，《高知新聞》，1976年6月23日

祓禊與再生是同根生〔禊と再生〕，《中国新聞》，1976年6月16日

祓禊與再生是同根生〔禊と再生〕，《信濃毎日》，1976年6月19日

祓禊與再生是同根生〔禊と再生〕，《高知新聞》，1976年6月23日

* 會議記錄全文參見後述〈亞洲與日本〉一文。

亞洲與日本〔アジアと日本〕，桑原武夫、中根千枝、加藤秀俊編，《歴史と文明の探究：文明問題懇談会全記録・上》，東京：中央公論社，1976年6月，頁205～234。本篇存目

與舊書店的交情〔古本屋とのつきあい〕，《北海タイムス》，1976年7月22日

狐狸不要笑貓〔狐狸不要笑猫〕，《神奈川新聞》，1976年8月10日

狐狸不要笑貓〔狐狸不要笑猫〕，《中国新聞》，1976年8月14日，改題為「猫を笑う狐狸」

狐狸不要笑貓〔狐狸不要笑猫〕，《岩手日報》，1976年8月14日，改題為「猫を笑う狐狸」

質詢何謂「國際交流」——田中宏《與亞洲人的相遇》〔アジア人の出会い「国際交流」とは何かを問う〕，《朝日ジャーナル》第916號，東京：朝日新聞社，1976年8月27日，頁46～47

獻辭的困惑——日本式與中國式〔献辞での迷い——日本風と中国風〕，《愛媛新聞》，1976年10月6日，第4頁

溫故知新功效極大——橋川文三《黃禍物語》〔温故知新の効は絶大〕，《日本経済新聞》，1976年9月26日，第24頁

金牌的囚犯們——奧運雜感〔金メダルの囚人たち——オリンピック雑感〕，《經濟評論》第25卷第10號，東京：日本評論社，1976年9月，頁100～103

相撲的國際化〔相撲の国際化〕，《京都新聞》，1976年10月13日，第15頁

中華料理〔中華料理のこと〕，原刊處未明，係投給「共同通信

社」之稿，1976年11月26日

屠蘇酒的故事〔お屠蘇のこと〕，《東京新聞》夕刊，1977年1月26日

「華僑」為什麼要建國——以新加坡為例來思考東南亞問題〔「華僑」はなぜ国家をつくったか——シンガポールを中心に、東南アジアの諸問題を考える〕，《海外投資事情》第67號，東京：社団法人経済発展協会・国際資本移動調査会，1977年1月31日，頁2～24

為雪冤而戰——杜斯昌代《東京玫瑰》〔えん罪をはらすために〕，《東京新聞》夕刊，1977年2月26日

「政治犯」的八路軍根據地體驗——平井巳之助《老根據地》〔「政治犯」の八路軍根拠地体験〕，《朝日ジャーナル》第945號，東京：朝日新聞社，1977年3月18日，頁61～62

昭和30年代的東大〔昭和30年代の東大〕，《学内広報——東京大学創立百年記念特集号》第362號，東京：東京大学広報委員会，1977年4月12日，頁23

台灣人的受難〔台湾人の受難〕，《昭和日本史7：戦争と民衆》，東京：暁教育図書株式会社，1977年5月15日，頁99～100

亞洲有「寶物」嗎？——歐洲式科學主義的局限〔アジアに「宝」はあるか——ヨーロッパ的科学主義の限界〕，《思想の科学》第286號，東京：思想の科学社，1977年7月，頁24～30

對印度的地主制形成等有新觀點——《亞洲經濟的發展結構》〔インド地主制形成などに新しい視点〕，《日本経済新

聞》，1977年9月11日

對理解第三世界有助益——列那多・坤斯丹地諾《菲律賓民族主義論（上下）》〔第三世界の理解に役立つ〕，《日本経済新聞》，1977年10月30日

八億分之一與一億分之一的相逢〔八億分の一と一億分の一の出逢い〕，《新聞こだち》第32期，東京都杉並区立宮前中学校P.T.A広報委員会，1978年3月16日，頁3

《台灣近現代史研究》創刊號補白〔台湾近現代史研究（創刊号）・補白〕，《台湾近代史研究》創刊號，東京：台湾近現代史研究会，1978年4月30日，頁174

連溫卿的兩篇日記〔連溫卿の二つの日記〕，《史苑》第122號，東京：立教大学史学会，1978年11月，頁99

《梅苑創史錄》緣起〔「梅苑創史録」縁起〕，《梅苑創史錄》創刊號，1978年12月，頁1；第3號，頁1；第4號，1980年5月26日，頁1；第5號，1981年1月15日

河本大作與台灣〔河本大作と台湾〕，《歴史と地理》第281號，東京：山川出版社，1979年2月，頁13～15

「華僑」的起源與現狀〔「華僑」の起源と現状〕，《歴史と地理》第287號，東京：山川出版社，1979年6月，頁48

文化接觸場所的大學和其周遭——從我的日本經驗談起〔文化接触の場としての大学とその周辺——私の日本体験から〕，《国際学生セミナー報告書：文化接触と日本》，八王子市：財団法人大学セミナー・ハウス，1979年7月27日，頁12～14

我的研究主題三個指標〔私の研究テーマ：三つのターゲッ

ト〕，《エコノミスト》第57卷32號，東京：每日新聞社，1979年8月7日，頁87

台灣客家與日本〔台湾客家と日本〕，《歴史と人物》第96號，東京：中央公論社，1979年8月，頁28～30

從特殊觀點寫出的「東南亞」──三浦朱門《從東南亞看日本》〔ユニークな視点から書かれた「東南アジア」〕，《アジア》第14卷第7號，東京：アジア評論社，1979年8月，頁118～119

思考日本與亞洲〔日本とアジア──6.23戴國煇氏講演会を終えて〕，《日本とアジア──6.23戴國煇氏講演会を終えて》，奈良：天理大学中国学科政経ゼミ，1979年11月，頁1、頁7～11。由天理大学中国学科政経ゼミ記錄整理

我的朝鮮體驗〔私の朝鮮体験〕，《三千里》第20號，東京：三千里社，1979年11月冬季號，頁14～17

喚醒書癡感性的美麗書籍──小笠原莊子《旅衣》〔小笠原荘子著：『旅ごろも』〕，《立教》第92號，東京：立教大学，1980年2月20日，頁67

由華僑所描繪的華僑社會〔悲劇の歴史が産んだ社会──政治不関与を貫く〕，《日経産業新聞》，1980年11月8日，第12頁

由華僑所描繪的華僑社會〔悲劇の歴史が産んだ社会──政治不関与を貫く〕，日本経済新聞社編，《華僑──商才民族の素顔と実力》，東京：日本経済新聞社，1981年7月14日，頁144～147

以民族統一為祈願──華僑「客家」世界大會的召開〔民族統一

の願いをこめて——華僑「客家」世界大会開く〕，《日中経済協会会報》第89號，東京：財団法人日中経済協会，1980年12月，頁65

客家系「華僑」的故事——世界客屬第五屆懇親大會〔客家系「華僑」のこと——世界客属第5次懇親大会〕，《国際協力》第308號，東京：国際協力事業団，1980年12月，頁22～23

來自內部的「華僑」論——以東南亞為主〔内側からの「華僑」論——東南アジアを中心に〕，《アジアと日本》第86號，東京：アジア社會問題研究所，1981年2月，頁4～27

能充當橋樑嗎?〔「かけ橋」たりうるか〕，《センター通信》第6卷第1期，東京：国際交流基金日本研究センター業務室，1981年4月，頁1

留學生之父透視第三世界〔「留学生の父」第三世界を透視〕，《毎日新聞》，1981年5月21日，3版，第3頁

與穗積五一老師的邂逅〔穂積五一先生とのめぐりあい〕，《アジアの友》第194號，東京：アジア学生文化協会，1981年8月，頁29～31。本文係據〈「留学生の父」第三世界を透視〉增補修訂

你被接納了嗎?〔貴君は受け入れられているか〕，《センター通信》第6卷第2期，東京：国際交流基金日本研究センター業務室，1981年6月，頁1

華僑與日僑〔華僑と日僑〕，《東亞》第169號，東京：財団法人霞山会，1981年7月，頁5～7

河本大作與霧社事件，《朝日新聞》夕刊，1981年8月25日，3版，第5頁

「血」與相貌〔「血」と相貌〕，《センター通信》第6卷第3期，東京：国際交流基金日本研究センター業務室，1981年8月，頁1

日本人與中國人〔日本人と中国人〕，《センター通信》第6卷第4期，東京：国際交流基金日本研究センター業務室，1981年9月，頁1

外國人的日本定居問題——國籍與市民權〔外国人の日本定住の問題——国籍と市民権〕，《東京YWCA》（新聞）第303號，1981年10月1日

移民後裔的祖國——美國的「日僑」與「華僑」的生活方式〔移民の末裔にとっての祖国——アメリカの「日僑」と「華僑」の生きざまを問う〕，《中央公論》第1142號，東京：中央公論社，1981年10月，頁258～268

開拓華僑論的新境界——《華僑：商才民族的原貌與實力》〔華僑論に新境地を拓く〕，《エコノミスト》第2432號，東京：每日新聞社，1981年11月3日，頁93～94

第三次國共合作問題與台灣的現狀〔第三次国共合作問題と台湾の現状〕，《いまばしくらぶ》第354號，大阪：社団法人今橋クラブ，1982年5月，頁20～26。係於大阪今橋俱樂部之演講文，1982年4月19日

對水泥磚牆「長城」之感〔ブロック塀の長城に思う〕，《グリーン・パワー》昭和57年6月號，東京：財団法人森林文化協

会，1982年6月，頁15

從亞洲看日本——以我的私人體驗為中心〔アジアから見た日本〕，《1981年度・Human Relation's Camp in th Philippines報告》，東京：立教大学チャプレン室，1982年8月16日，頁76～84

從一張名片談起——憶與李約瑟博士之交〔一枚の名刺から——ニーダム博士との出逢いを思う〕，《歴史と地理》第324號，東京：山川出版社，1982年8月，頁1～8

序：寫於池田敏雄先生追悼紀念特輯〔池田敏雄氏追悼紀念特集に寄せて〕，《台湾近現代史研究》第4號，東京：台湾近現代史研究会，1982年10月30日，頁11～13

《台灣及南支那視察日誌》簡介〔資料紹介：『台湾及南支那視察日誌』〕，《台湾近現代史研究》第4號，東京：台湾近現代史研究会，1982年10月30日，頁262～266

於菲律賓所見所思〔フィリピンで見たこと考えたこと〕，《図書》第400號，東京：岩波書店，1982年12月，頁24～28

圍繞華僑社會的諸問題〔華僑社会をめぐる諸問題〕，《昭和57年度一般研修報告書——国際交流關係》，東京：社団法人日本私立大学連盟，1983年3月1日，頁29～70

中華料理的滲透〔中華料理の浸透〕，《週刊朝日百科》第119號，東京：朝日新聞社，1983年4月3日，頁249～252

誌面有感，出處不明，應為未刊稿，1983年5月18日。署名陳志明

對中國人而言之中原與邊境——與自身之歷史（台灣、客家、華

僑）相連起來〔中国人にとっての中原と辺境——自分史（台湾・客家・華僑）と関連づけて〕，橋本萬太郎編，《民族の世界史5：漢民族と中国社会》，東京：山川出版社，1983年12月24日，頁365～434

從生活體驗看日本——中、美、日的比較觀察，未刊稿，於加州大學洛杉磯分校（UCLA）的演講紀錄。由林叔品整理，1983年

紀念出版與贈書緣起，張祖基編著，《中華舊禮俗・解題》，東京：日本崇正總會《中華舊禮俗》記念出版與贈書委員會，1984年11月，頁3～12

東南亞的中國裔移民—— 對居住地的貢獻與孤立〔東南アジアの中国系移民——居住地への貢献と孤立〕，《週刊朝日百科・世界の地理》第492號，東京：朝日新聞社，1985年6月9日，頁166～168

「霧社事件」與日軍使用毒氣彈真相，《聯合報》，1985年7月6日，2版

轉型期的台灣風景〔転形期・台湾の「風景」〕，《日本海新聞》，1985年8月24日

轉型期的台灣風景〔転形期・台湾の「風景」〕，《信濃每日新聞》，1985年8月13日

轉型期的台灣風景〔転形期・台湾の「風景」〕，《岩手日報》，1985年11月12日

對相互交流的獨特建言——昆頓・印塔拉泰《日本與東南亞的明天》〔相互交流へユーニクな提言〕，《日本経済新聞》，

1985年9月1日，第12頁

日本三光企業倒閉讓我們學到什麼？，《聯合報》，1985年9月9日，2版

視野擴及台灣而適切——岡田晃《香港》〔台湾にまで目くばり確か〕，本文原刊於《日本経済新聞》，1985年10月13日

熱烈提倡「內在超越」——板垣與一《現代國家主義》〔「內在超越」熱っぽく提唱〕，《日本経済新聞》，1985年12月15日

探索日本的新嘗試，《中國時報》，1986年1月1日，8版

從日本、美國看台灣——品質管理與「匠」的精神，《民眾日報》，1986年1月6日，2版。於高雄民眾日報社主辦「國家前途的發展」之演講文，1986年1月4日。由記者陳金聲整理

日本與亞洲——回顧與展望〔日本とアジア——回顧と展望〕，《西原育英ニュース》第3號，東京：財団法人西原育英文化事業団，1986年1月，頁4～6

從小事看日本，《日本文摘》試刊號，1986年1月，頁8～9

「品質管制」與「匠的精神」，《日本文摘》創刊號，1986年2月，頁7

為商品注入生命——談產業文化觀念，《日本文摘》第2期，1986年3月，頁115

台灣總督府警察沿革誌周邊——以編纂者鷲巢敦哉為中心〔台湾総督府警察沿革誌の周辺——編纂者鷲巣敦哉を中心に〕，未刊稿，1986年4月25日。本篇存目

一樣戰敗，兩樣心態——論德、日的反省能力，《日本文摘》第3期，1986年4月，頁46～47

《更想知道的台灣》序〔序〕，戴國煇編著，《もっと知りたい台湾》，東京：弘文堂，1986年5月30日，頁i～ii

漢族系住民的語言與歷史〔漢族系住民の言語と歴史〕，戴國煇編著，《更想知道的台灣》，東京：弘文堂，1986年5月30日，頁1～31

更想知道的台灣政治〔政治〕，戴國煇編著，《更想知道的台灣》，東京：弘文堂，1986年5月30日，頁217～243。共分10節，前5節係春山明哲所著

日本第一的文化社會現象，《日本文摘》第5期，1986年6月，頁88～89

從艾科卡的自傳《反敗為勝》談起，《日本文摘》第6期，1986年7月，頁98～99

學海行船，航向政治山頭——政治阻礙學術研究實質進展，《中國論壇》第262期，1986年8月25日，頁14～15

自文化、社會現象評析日本大選，《民眾日報》，1986年8月25日，2版

漫談「自傳」學，《日本文摘》第7期，1986年8月，頁82

從東亞看日本〔東アジアからみた日本〕，原刊處未明。係於東京杉並區教育委員會演講之演講紀錄，1986年9月12日

從小學教育看日美差異，《日本文摘》第8期，1986年9月，頁40～41

「中曾根出言不遜風波」雜感，《日本文摘》第10期，1986年11月，頁21～22

為日本友人進一言〔日本の友人へのメッセージ——今日の日

本・その勘どころ〕，《思想の科学》第84號，東京：思想の科学社，1986年12月，頁79～80

為日本友人進一言，《日本文摘》第11期，1986年12月，頁21～22

以充滿波折的宋家人為題材——史特林・西格雷夫《宋王朝(上下)》〔波乱の宋家の人々題材に〕，《日本経済新聞》，1987年1月4日

做為意識形態的日語〔イデオロギーとしての日本語〕，《留学生と私たちの歩み》第28號，東京：YWCA「留学生の母親」委員会，1987年1月，頁6～9

「華僑」的國籍問題與政治參與〔「華僑」の国籍問題と政治参加〕，未刊稿，1987年3月14日。演講要旨。本篇存目

履歷片的風波，《日本文摘》第14期，1987年3月，頁8～9

我的三本書〔私の三冊〕，《図書》第454號（岩波文庫創刊60周年記念特刊），東京：岩波書店，1987年5月10日，頁51～52

中日近代化的比較分析——和魂洋才與中體西用的分歧點〔「日・中近代化の比較分析」——和魂洋才と中体西用の分かれ目〕，《国際問題研究シリーズ——中国問題研究講演》第4號，東京：社団法人日本在外企業協会，1987年8月，頁21～39。係於「第十三回中国問題研究会」之演講紀錄

日本往何處去？，《日本文摘》第22期，1987年11月，頁17～19

國際化時代裡青年所扮演的角色〔国際時代青年役割（基調講演）〕，《'85「青年の船」報告書——新しき水平に向け

て》，東京：在日本大韓民国青年会中央本部，1987年12月15日，頁33～52

一個中國人所看到的日本國際化〔「一中国人の見た日本の国際化」講演会要旨〕，《JETRO高知貿易情報》第236號，高知：日本貿易振興会（ジェトロ）高知貿易情報センター，1987年12月・1988年1月，頁1～4

異文化社會與華僑・華人〔異文化社会と華僑・華人〕，《アジア　その多様なる世界》，東京：シンポジウム「アジアその多様なる世界」事務局，1988年2月19日，頁107～110。係第2回「大学と科学」公開演講討論會之演講文

向國際化的多元接近──與市民並駕齊驅〔「国際化への多元的接近」──市民とスクラム組みながら〕，《ひろば》第44號，東京：豊島区教育委員会，1988年3月20日，頁2～4

日本視台灣為寶島，《日本文摘》第27期，1988年4月，頁67～69。係於《日本文摘》與時報出版公司、台灣史研究會合辦，「日本接觸系列講座」演講紀錄，同時收錄有高陽、尹章義的講座文章，總題「日本為何要奪取台灣」。由陳靜敏記錄整理

李登輝統治下的台灣──台灣往何處去〔李登輝総統下の台湾──台湾、何処へ行く〕，《日本貿易会月報》第409號，東京：社団法人日本貿易協会，1988年4月15日，頁10～14。係第1216次定例午餐會講演要旨

二二八事件研究相關的備忘錄〔二二八事件研究についての覚書〕，未刊稿，1988年5月22日。本篇存目

台灣人原日本軍將士遺族的傷痛〔元日本軍・台湾人将兵遺族の

疼き〕，《わだつみのこえ》第89號，柏市：日本戦没学生記念会（わだつみ会），1988年7月24日，頁51～53

台灣人原日本軍將士遺族的傷痛〔台湾人元日本軍将兵遺族の疼き〕，わだつみ会編，《今こそ問う天皇制》，東京：筑摩書房，1989年11月30日，頁99～101

對許倬雲〈調整朝野關係，落實民主運作〉的一些淺見，《迎接挑戰開創新政——一次海內外知識分子的大辯論》，台北：時報文化公司，1988年7月，頁168～171。係於《中國時報》、《工商時報》、時報文化基金會合辦，1988年6月1～3日「迎接挑戰開創新政」研討會之講評文

另一種「日本論」——謝新發《誰也寫不出來的日本人 》〔謝新發著：誰にも書けなかった日本人〕，《中国研究月報》第490號，東京：社団法人中国研究所，1988年12月，頁39

送走昭和的感慨，《聯合報》，1989年1月9日，2版

抗拒皇民化的殖民地台灣〔皇民化に反発した植民地台湾〕，《朝日ジャーナル》第1569號，東京：朝日新聞社，1989年1月20日，頁97

從歷史角度看二二八——試論二二八事件研究的視角與方法，《民眾日報》，1989年2月16日。「國是系列演講之二」

學習歷史，進行調整——就世界和平對日本充滿期待〔「歴史に学び調整を」世界平和で日本に期待〕，《南日本新聞》，1989年2月23日，2版。參加南日本政經座談會之講演紀要

還給歷史真實的面貌！——從「二二八事件調查報告」談起，《聯合報》，1989年2月28日，2版

從時代與歷史考察中國大陸──藉自我改革指望脫離「吃不飽的社會主義」〔中国大陸──時代と歴史からの考察──自己変革による「食えない社会主義」からの脱出をめざす〕，《新国策》第1209號，東京：財団法人国策研究会，1989年4月1日，頁13～24

試論二二八事件研究之視角與方法──兼談日常用語與學術用語之差異和界定，《人間》第42號，1989年4月，頁141～146

明治維新與日本的民主政治發展──立足台灣，解讀中國「近代」座標軸之一個嘗試，《中國民主前途研討會・議題5：日本的鏡子》，台北：財團法人時報文教基金會，1989年8月16～18日，頁1～27。係於時報文教基金會主辦「中國民主前途研討會」之論文發表

豐富且新鮮的資訊──矢吹晋《文化大革命》〔情報の豊かさと新鮮さ〕，《週刊東洋経済》第4894號，東京：東洋経済新報社，1989年12月2日，頁112～113

從台灣看昭和〔台湾からみた「昭和」〕，戦争を語りつぐ'89実行委員会編，《戦争を語りつぐ'89》，東京：立川市中央公民館，1989年12月17日，頁12～13

松本重治先生的和藹與嚴格〔重治先生の優しさと厳しさ〕，財団法人国際文化会館「追想・松本重治」刊行委員会編，《追想・松本重治》，東京：財団法人国際文化会館「追想・松本重治」刊行委員会，1990年1月10日，頁296～299

網球場百態〔テニスをめぐっての百態〕，《Court Side》第35號，三鷹市：三鷹グランドテニス，1990年1月，頁9

刻畫出轉換期台灣的問題點——戶張東夫《台灣的改革派》〔転換期・台湾の問題点を浮き彫り〕，《エコノミスト》第2889號，東京：每日新聞社，1990年3月6日，頁96～97

一起來談日本、亞洲、世界——過去、現在、未來〔日本・アジア・世界——過去・現在・未來を共に語ろう〕，未刊稿，1990年3月27日。係為亞洲21世紀俱樂部設立宗旨而撰

亞洲與日本——從我的日本體驗切入〔アジアと日本——私的日本体験からのアプローチ〕，富士ゼロックス・小林節太郎記念基金編，《第2回「日本文化を論ずる会」講演録——「アジアと日本」私の日本体験からのアプローチ》（非賣品），東京：富士ゼロックス・小林節太郎記念基金，1990年4月，頁1～32

亞洲與日本II——重新思索與近代化相關之諸問題〔アジアと日本II近代化をめぐる諸問題の再考〕，1990年6月2日。本文原刊於《第3回「日本文化を論ずる会」講演録》（非賣品），東京：富士ゼロックス・小林節太郎記念基金，1990年

基於同鄉意識的強大團結力——以客家的身分來說一句〔同鄉意識で強い結束力〕，《日本経済新聞》，1990年6月4日，第52頁

台灣新的動向——明石社區懇談會六月例會演講〔台湾に新しい動き〕，《神戸新聞》，1990年6月23日。未載明記錄整理者

祝賀與期待——慶祝《中國時報》創刊40周年，《中國時報40周年社慶特刊》，1990年10月2日，35版

那不是印刷的錯——《廣辭苑》與我〔広辞苑と私——それはミ

スプリントではありません〕，《図書》第497號，東京：岩波書店，1990年11月1日，頁26～27

撫平歷史傷痕，消弭省籍情結——國、台語教會合辦「尊重人權，紀念二二八」平安禮拜是好的開始，希望政府用行動負起道義責任，《聯合報》，1990年12月11日，6版

那天我是在——〔あの日、わたしは…（2）〕，《三省堂ぶっくれっと》第90號，東京：三省堂，1991年1月，頁23

《更想知道的華僑》代序〔序文にかえて〕，戴國煇編著，《もっと知りたい華僑》，東京：弘文堂，1991年7月10日，頁V～X

華僑是誰？華僑問題是什麼？〔華僑とは誰か、華僑問題とは何か？〕，戴國煇編著，《もっと知りたい華僑》，東京：弘文堂，1991年7月10日，頁1～38

華僑社會的形成與分布〔華僑社会の形成と分布〕，戴國煇編著，《もっと知りたい華僑》，東京：弘文堂，1991年7月10日，頁39～58

馬來西亞的布米普特拉政策與華人〔マレシーアのブミプトラ政策と華人〕，戴國煇編著，《もっと知りたい華僑》，東京：弘文堂，1991年7月10日，頁115～147

世界的動盪與東南亞華人的未來〔世界の激動と東南アジア華人の今後〕，戴國煇編著，《もっと知りたい華僑》，東京：弘文堂，1991年7月10日，頁148～189。係與徐宗懋合著

華僑的國籍問題與中國・東南亞國協關係〔華僑の国籍問題と中国・ASEAN関係〕，戴國煇編著，《もっと知りたい華僑》，

東京：弘文堂，1991年7月10日，頁240～241。係為「附錄1」的解題

對台灣與華僑在經濟上的期待〔中国経済・東南アジア経済の発展の中で、台湾と華僑が果たす役割に期待しよう〕，《日本経済新聞》，1991年7月28日。係於國際經濟經營會議機構舉辦「1991年國際經濟經營會議」之發言，1991年3月18～19日

拿出實力，拿出內容，《民眾日報》，1991年10月2日，3版。係戴國煇口述，由記者楊憲宏整理

自民黨四大派閥爭位，情勢渾沌——海部在若干事件表現欠成熟，造成下台原因，《聯合報》，1991年10月5日，8版

自四種回憶錄探討有關二二八問題，未刊稿，1991年11月25日

思索亞洲與日本——現在該談什麼〔アジアと日本——今、何を語るべきか〕，《アジア21フォーラム'90報告書：日本・アジア・世界　過去・現在・未来を共に語る》（非賣品），東京：財団法人アジア21世紀奨学財団，1991年12月20日，頁5～11。係演講紀錄文

民主化與經濟發展〔民主化と経済発展〕，《アジア21フォーラム'90報告書：日本・アジア・世界　過去・現在・未来を共に語る》，東京：財団法人アジア21世紀奨学財団，1991年12月20日，頁26～32

稱慶建國八十年與狂呼獨立建國之間，未刊稿，寫於1991年

制度的問題——掌權者即搞錢，非為己，為派閥，《聯合報》，1992年1月15日，3版。係戴國煇口述，由記者孫揚明記錄整理

學者認為政院報告，美中仍有不足，《中國時報》，1992年2月

23日，3版。由曹郁芬、張明祚、吳鯤魯採訪報導

李友邦和他的時代，未刊稿，1992年3月29日。係於台灣史研究會之演講大綱

從ㄅㄆㄇ到二二八，《時報周刊》第738期，1992年4月19～25日，頁156。由《時報周刊》編輯王丰採訪整理。當日參加同學會者計有：戴國煇、蔣聖愛、唐松章、林明德、丁逸民、林子貫、黃士嘉、王世哲、陳火城、詹德義、陸震來

孫文〔孫文〕，〈'92第一回アジア21フォーラム〉演講專刊，《Asia 21 FORUM'92》，1992年6月27日。係於「アジア21世紀奨学財団」主辦之演講摘要

成長中的亞洲與儒家思想〔成長するアジアと儒教〕，未刊稿，1992年7月8日。工業俱樂部第2期孔子塾之授課大綱。本篇存目

新實力派走了，傳統老友仍在──中日關係不致受金丸辭職影響，《聯合報》，1992年8月29日，8版。係戴國煇口述，由記者林琳文記錄整理

日皇大陸行，遙指安理會席位──媒體拉高姿態，掩飾拉攏心態，真正目的：提升為政治大國，《聯合報》，1992年8月31日，6版

亞洲中的日本──把〈脫亞論〉與〈大亞洲主義〉交互重新解讀、再思考〔アジアの中の日本──「脱亞論」と「大アジア主義」を重ねて読み直し、再考したら！？〕，《三省堂ぶっくれっと》第100號・記念特別號，東京：三省堂，1992年9月，頁182～184

彭明敏返國，象徵海外台獨結束——以目前政治生態，異議人士返台沒有太大政治空間，《聯合報》，1992年11月2日，4版。係戴國煇口述，由記者徐東海整理

裸體、裸體照與裸體像之差異——評芳賀徹〈西洋畫的命運——中國與日本〉〔評芳賀徹先生〈洋画の運命——中国と日本〉〕，未刊稿，於第四屆亞洲公開論壇京都會議的發言，1992年11月9日

伊能嘉矩〔伊能嘉矩〕，《日本史大事典》第1卷，東京：平凡社，1992年11月18日

旅日華僑・華人的認同困擾（dilemma）與危機，未刊稿，為演講大綱，1992年11月28日

追究被迫近代化的歲月〔押しつけられた近代を問う日々〕，《思想の科学》第158號，東京：思想の科学社，1992年11月，頁40～42

介紹與期待——《岩波講座・近代日本與殖民地》。刊於岩波書店相關文宣品

金丸信下台與宮澤內閣的改造〔金丸信失脚と宮沢內閣改造を考える〕，未刊稿，1992年12月18日

贏六成選票，執政黨不應算失敗——在民主國家價值多元化條件下，政治本來就是一種妥協，《聯合報》，1992年12月20日，11版。係戴國煇口述，由記者鄒篤騏整理

立教大學《東洋史學論集》創刊辭〔創刊の言葉にかえて〕，《東洋史学論集》創刊號，東京：立教大学大学院文学研究科（史学専攻），1993年1月，頁1～2

把大陸當作是未來最大的市場——日本恐共？利益掛帥？，《聯合報》，1993年2月20日，4版。係戴國煇口述，由記者孫揚明整理

建構命運共同體共識，台灣最佳選擇，《聯合報》，1993年3月1日，4版

動起來的台灣〔動き出した台湾〕，《山陽新聞》，1993年3月25日

自黃克強、一歐在日生活的一瞥談起，《黃興與近代中國學術討論會論文集》，台北：國立政治大學歷史研究所，1993年3月，頁455～459、頁497～498。係於國立政治大學歷史研究所、美國黃興基金會、國史館等主辦「黃興與近代中國學術討論會」之論文發表

我在台灣的「佛教體驗」〔台湾における私的「仏教体験」から〕，未刊稿，係於第一屆亞洲近鄰諸國相互理解論壇之發表要旨，1993年4月12日

金丸信震撼與未來日本政界勢力重編之考察〔金丸ショックと政界再編の行方を考える〕，未刊稿，1993年5月1日

存在和全民自由意志的民主社會，《聯合報》，1993年5月21日，11版。以筆名戴桑發表。《存在・希望・發展——李登輝先生「生命共同體」治國理念》，台北：正中書局，1993年8月，頁147～148

推薦蔡仁龍《印尼的華僑・華人》〔蔡仁龍氏の仕事を推薦する〕，蔡仁龍著，唐松章譯，《インドネジアの華僑・華人》序文，東京：鳳書房，1993年7月30日，頁i～ii

台灣總督府〔台湾総督府〕，《日本史大事典》第4卷，東京：平凡社，1993年8月18日
日本政局的現狀與展望〔日本政局の現状と展望〕，未刊稿，1993年9月10日
懷念穗積五一老師——永恆的留學生之父〔穂積五一先生を偲んで——留学生の父穂積先生は永遠に〕，《アジアの友》第319號，東京：アジア学生文化協会，1993年10月，頁10
《理蕃之友》復刻誌喜〔「理蕃の友」復刻を喜ぶ〕，《理蕃の友》，東京：緑蔭書房，1993年10月
從零開始——日本新黨旋風，《中國時報》，1993年11月15日，39版。係戴國煇口述，由南美瑜整理
由〈二個黃興〉談起〔「ふたりの黄興」から〕，《史苑》第54卷第1號，東京：立教大学史学会，1993年12月，頁1～5
霧社事件〔霧社事件〕，《日本史大事典》第6卷，東京：平凡社，1994年2月18日
小澤一郎與他的《日本改造計劃》，小澤一郎著，陳世昌譯，《日本改造計劃・代序》，台北：聯經出版公司，1994年2月，頁5～17
請下神壇的孫中山，《聯合報》，1994年3月30日，11版
由細川下台，反思台灣政壇，《聯合報》，1994年4月9日，3版。係戴國煇口述，由記者蘇位榮整理
中國盛世的解體與華僑社會的形成〔Pax Sinicaの解体と華僑社会の形成〕，未刊稿，1994年5月24日。係於東洋文庫之演講文，由長野雅史記錄整理

兩岸關係往何處去？——對台獨運動的新視角，未刊稿，1994年7月。係演講文，由雷玉虹記錄整理

從司馬、李的對話錄談起，未刊稿，1994年8月5日。本篇存目

寄託改革於李登輝〔李総統に改革を託す〕，《讀賣新聞》，1994年12月4日

須自二分法的台灣認識中蛻變〔二分法的な台湾認識から脱皮を〕，《每日新聞》，1994年12月20日

第一分組（第一主題）研討會議記錄，《中山先生思想與中國未來研討會實錄》，台北：三民主義統一中國大同盟，1994年，頁96～97、頁154～155

我對台灣政情的一些看法，未刊稿，約寫於1994～1996年

華僑・華人經濟力新的脈動〔華僑・華人経済パワーの新しい鼓動〕，《季刊アジアフォーラム》第75號，東京：財団法人アジアクラブ，1995年2月28日，頁38～43

吉野作造與蔡培火〔吉野作造と蔡培火〕，《吉野作造選集・月報2》第9卷，東京：岩波書店，1995年6月，頁5～8

如何促進兩岸文教交流，增進人民相互了解，行政院大陸委員會編印，《八十四年國家建設研究會兩岸關係分組研討會紀錄》，1995年9月，頁2～5

歷史中的照片，照片中的歷史——《台灣殖民地統治史代序》〔序に代えて——歴史の中の写真、写真の中の歴史〕，林えいだい編，《台湾植民地統治史》，福岡：梓書院，1995年9月25日

政府在「九七」、「九九」前後港澳政策應掌握的方向，行政院

大陸委員會編印，《八十四年國家建設研究會兩岸關係分組研討會紀錄》，1995年9月，頁166～170、頁207～209

圍繞台灣海峽兩岸三地的現狀與展望——第49屆現代亞洲研究會〔台湾海峡両岸三地（台湾、中国大陸、香港、マカオ）をめぐる現状と展望〕，《九経連月報あすの九州・山口》第412號，福岡市：社団法人九州・山口経済連合会，1995年11月，頁38～39。係於山口經濟聯合會與福岡UNESCO協會共同主辦演講會的演講要旨，由國際部德永記錄整理

台灣現代史的深層〔台湾現代史の深層〕，未刊稿，約寫於1995年。應係為某書之書序

立教大學的最後一堂課——我的日本40年與立教20年〔立教大学に於ける最終講義（綱要）——私の日本40年と立教20年〕，未刊稿，1996年1月24日。係於立教大學禮堂演講之演講大綱

台灣近百年與日本——從我的體驗來探討〔台湾の近百年と日本——私の体験からのアポローチ〕，立教学院チャプレン会編，《CHAPEL NEWS》第440號，東京：立教学院諸聖徒礼拝堂，1996年1月25日，頁10～23

台灣現代史上一個重要的課題——林照真《覆面部隊——日本白團在台祕史》序，林照真，《覆面部隊——日本白團在台祕史》，台北：時報文化，1996年7月20日，頁3～7

我的日本經驗——大學的教育與研究，未刊稿，1996年12月19日。係於陽明大學演講之演講大綱

時代的診斷與預見，未刊稿，1996年。由楊憲宏採訪整理

日本五五年體制的崩潰和後遺症，未刊稿，1997年1月28日。係

於「當代日本綜合研究會」的報告大綱

西安事變60周年有感〔西安事変六〇周年に思うこと〕，《史苑》第57卷第2號，東京：立教大学史学会，1997年3月，頁1～6

探討中日關係百年——凝視21世紀〔日中関係百年お問う——21世紀お見据えて〕，未刊稿，1997年11月26日。係於神奈川大學外國語學部中國語學科主辦「日中関係百年を問う——21世紀を見据えて」（紀念研討會）專題討論會中之發言

評呂實強教授〈孫中山先生析論馬克思主義的歷史意義〉，未刊稿，1998年1月3～5日，係於「孫中山與中國學術研討會」之講評文

美日安保的新解釋（再定義）與《美日防衛合作新指南》，未刊稿，1998年3月16日。係於政治大學外交系之演講大綱

談我的求學、研究與教育並給學生的建議，《史薈》第31期，政治大學歷史學系，1998年5月，頁9～13。由冷翔雲記錄整理。原題「研究廣博的戴國煇老師」

語言與教育〔討議を聞いて感じたこと〕，《FUKUOKA UNESCO》第34號（福岡ユネスコ協会創立50年記念特集号），福岡市：福岡ユネスコ協会，1998年7月，頁41～42。於福岡ユネスコ協会主辦「第8回九州国際文化会議」討論會中的發言。原發言前的小標題「討議を聞いて感じたこと」

日本小淵內閣的誕生與今後日本政局——診斷與預測，未刊稿，1998年8月6日。為擔任國家安全會議諮詢委員時，提出的「當代日本綜合研究」專案研究成果報告

從提早學英語、英語教學，漫談語言與文化、心靈精神及政治的關係，未刊稿，1998年。係戴國煇口述，由陳淑美記錄整理
與安江先生未完的約定〔安江さんとの未完の約束〕，「安江良介追悼集」刊行委員会編，《追悼集・安江良介——その人と思想——》，東京：「安江良介追悼集」刊行委員会，1999年1月6日，頁226～228
日本政情近況之剖析，未刊稿，1999年3月16日。係戴國煇口述，由蔡禎昌記錄整理
讀平川祐宏〈為何有「漢奸」而無「日奸」〉有感〔〈なぜ「漢奸」はいるのに「日奸」はいないのか〉を読んで〕，《諸君》1999年4月號，東京：文藝春秋，1999年4月。係於亞洲展望研討會上之發言
評何耀華〈論孫中山的民族主義〉，《第二屆孫中山與現代中國學術研討會論文集》，台北：國立國父紀念館，1999年5月16日，頁419～421
第二屆孫中山與現代中國學術研討會第四場總結報告，《第二屆孫中山與現代中國學術研討會論文集》，台北：國立國父紀念館，1999年5月16日，頁619～620。原題「分組總結・第四場研討會」
掌握與分析印尼華僑動態——唐松章論文審查筆記〔唐論文審査ノート〕，未刊稿，1999年6月
由生活者意識出發的華僑研究——唐松章博士論文推薦辭〔推薦之辭〕，未刊稿，1999年6月
懷念如慈父般的恩師——記神谷慶治老師〔慈父が如き恩師への

想起〕，神谷慶治先生追悼文集刊行會編，《神谷慶治先生を偲ぶ》，東京：信山社，1999年10月26日，頁101～103

小啟，《聯合報》，1999年11月18日，4版。石原慎太郎訪台聲明。本篇存目

穗積精神與影響我的老師們，未刊稿，1999年。係於亞洲文化會館之演講文

台灣〔台湾〕，1999年。為《世界大百科》（東京：平凡社）於1999年數位化時，就「台灣」條目所做之更新改定

第三屆孫中山與現代中國學術研討會第三場（思想組一）總結，《第三屆孫中山與現代中國學術研討會論文集》，台北：國立國父紀念館，2000年5月16日，頁583～584。原題「分組總結・第三場研討會（思想組〔一〕）」

探索《台灣警察沿革誌》有感——《台灣抗日運動史》中譯本出版代序，台灣總督府警務局編，張北等譯，《台灣抗日運動史》，台北：海峽學術，2000年8月，頁5～9

談日本的近代史與台灣——關於批評精神的缺乏〔日本近代史と台湾——批判精神のに欠如ついて〕，《人文研究》第149號，橫濱市：神奈川大学人文学会，2003年6月，頁49～55、頁69～74、頁75～78、頁88～90。係於「追究中日關係一百年——日本神奈川大學中國語學科創設十周年（1997）紀念討論會」之演講文

談日本的近代史與台灣——關於批評精神的缺乏〔日本近代史と台湾——批判精神のに欠如ついて〕，《海峽評論》第154期，2003年10月1日，頁26～28

經濟發展與傳統文化──自中國（大陸・台灣）之旅談起〔「経済発展と伝統文化」──中国（大陸・台湾）の旅から〕，《結》：アジア21フォーラム講演要約手冊，「宗教と社会対話第四回」，頁1～7，1994年10月22日

試論李登輝與李光耀差異的所以然，未刊稿，並為未完稿，係擬為《愛憎李登輝》所寫之代後記，2000年

獻辭〔献辞〕，未刊稿，日期不明

輯五◎評論選文

《與日本人的對話》編者後記

◎ 加藤祐三*著・林彩美譯

很早以前，就有要把戴先生所寫所說彙集一冊的想法。但輕鬆接下擔任編者，順便得附上幾行文章，則著實感到不輕鬆。戴先生發表文章的期刊有些是平常不太能看到的，期刊屬性也是各式各樣，從而可預想讀者也是多樣的。要把這些發言編輯成冊的心意，對於讀過戴先生文章一次的人，稍微知道他為人的人，恐怕是個共同的誘惑。

解讀戴國煇的文字內面

自己寫東西，能夠將之付諸印刷的人，如稱之為作家、評論家的話，日本人的作家或評論家，大概不怎麼認真，不用真心寫，輕鬆地敷衍，這該不只是我會這樣吧。起先接手時想得很輕鬆，然後豁出命幹，認真地寫，一旦進入書海中就如滄海一粟般微不足道。而還想貫徹初衷的人，也只是為了證明自己的存在才

* 時任職東京大學東洋文化研究所。

拚命寫。對這種外在情況，我覺得滿好。對這相當好的狀況，我絕不認為是天賜的，是應當有的東西。這一點我想不能不清醒，像我這種戰後派的後輩更是。

在這地方，戴先生所寫所說的東西有「魄力」，從字面再深入思考其所寫的意思，與自己的距離，或落差所產生的動力，令人有被重擊之感。「學為道也」，學絕不單是「知」。「道」是古老的表現，但學是客觀的而絕不是「中性」、「無害」的東西。此構思是從中國的傳統繼承，但不一定是所有中國人學者、知識分子共通的，毋寧說是例外比較好。但是有這樣一個榜樣，以初衷貫徹到底，無論如何總會表態，可說是一個基本的想法。戴先生似乎是在追求這個想法，我不能不這樣覺得。

輕易答應擔任編者的任務與寫「解說」一文的任務，到此關頭令人覺得困難——重讀幾回，更感到對兩個挑戰必須好好加以回答之故。

一個是戴先生發言時的態度、決心；另一個是戴先生精湛的日語。不管是他的發言內容、發言時的態度與思想準備都有其相當的根據。不是以別人所想像不到的奇特觀念，或尖銳的洞察力之類的詞語。而其他人談相似的事，相較之下則欠缺魄力，亦即他在談論只有他才能談的某種話題。我在此要說明清楚，不是說他的發言自以為是或自命不凡，所以他人不能模仿。

他把自己塑造成不能是其他人，換句話說，他變成其他人的話，便使自己變成不存在。與其他人可以交換部分零件的存在，看起來宛如在消費文明之中以使用價值的基準，任何東西都可能交換、可替代。有心者只能在自己內心維持不容妥協，但是把那堅決的內心試著擴展到外面，可能的話，要把自己的存在全部變成那樣的人。

或許在一個文化之中，這樣的人是會變成偉大的人，或是會發瘋。當然那是相對的東西，富於變化與動力的亂世，這種個性與世間互相共鳴，有時力量會被放大。

戴先生的情況是他不能選擇自己以外的生活方式，包含肉體的、精神層面的自我存在將變成不可能的，在某一面是到達極限，但從另一面看是過著悠然生活的樣子。當然，這是我所看到的戴先生，他恐怕會對此反駁。由我來看，把戴先生想成這樣，一個還是來自於他的體驗，另一個是他的思想準備，更進一步說是來自有如他的使命感的東西吧。這個體驗與使命感以日日新的現實認識為媒介，把他更加築高，好像可看到那影子濃濃地落在我們上面。

看到他精采的日語而想要知道他的經歷是當然的。從那裡再踏進一步，要來想想甲午戰爭以來長達50年的日本台灣統治，想想戰後日本企業的進入台灣的人也有吧。那人數現在慢慢在增加。特別在年輕人之間，由於這是過於明確的歷史，想要思考過於不為所知的歷史的趨勢正在逐漸升高。

我與戴先生相識已逾十年，直到最近才開始逐漸能理解他所說的。他為什麼那樣執著於殖民地統治或被壓制民族的問題，對這事開始能夠理解。並不是天真答應寫了、說了就可忘記掉的東西。

但是，我也堅持要依我自己作法。與戴先生一直沒有很認真地談過話，也沒有很認真地讀他寫的，因此不能領會。開始認真讀是最近的事。這種交往的過程不能粉飾，正因至今已有十年以上不曾改變的如是交往，所以開始覺察到他十多年以來不斷反覆提問的事情之重，我要仔細審視於此間的過程。

要寫幾行像解說的文章，若排除了這極為私人的過程，就幾乎沒有什麼可說的。所以，或許過於涉及私事而不好讀，但請多多包涵。

初相識與相知

與戴先生相識是始於他尚是東京大學農業經濟研究所學生，而我是東洋史的學生的時候。我對中世紀波斯史有興趣，所以在學由右寫到左的文字，但戴先生已毫不費力在讀全是漢字密密麻麻的古文。他不是找來宋朝的文獻，就是以現代土地改革為主題的趙樹理的小說《李家莊的變遷》或《三里灣》，以及以台灣農地改革為主題的書。

他舉出我從未聽過的文獻目錄的名稱，要求閱讀，這個時候使我感到惶惑。或許是愛議論的他，想找共通的話題吧，舉出幾個歷史上的人物、事件之名，而試探我的反應。但我沒有一個知道的，所以現在我想不出他所問過的人名。

在此以單數的「我」，不如以複數的「我們」更恰當。在東京大學研究中國或廣泛地涉足亞洲研究的學生，是文學部的中國文學科與東洋史學科，加上教養學科，也僅有十數名吧。從戴先生來看，農業經濟學的理論上研究和科學有關之外，對中國或廣泛對亞洲有關心的學生們，不問其方法上的差距，都是他感興趣的對象吧。其所關心的角度，比我前後期東洋史的學生們，亦即我們所關心的角度，一定有相當大的差距。更老實地說，戴先生射程的距離或角度是更長又更廣，即便與我們的研究有重疊的部分，對於他也只不過是關心的一小部分而已。

那時候，戴先生已正在完成其「台灣甘蔗栽培的研究」的長篇論文。知道此事是後來的事。他給我一部《中國甘蔗糖業之發展》時，我沒有思考他的關心與射程，而想以「是啊，我們不是年齡有差距，投入研究的歲月長短也不同」來考慮。然後找出強辯的理由，說是花在研究對象的時間差異轉變成對研究對象的投入情感的差異，又變成掌握對象的才能之差異。

這個理由的不合理是一開始就察覺的，但在日常的交往是不出現的。所以，想盡量把所有的事情從日常交往的過程呈現。戴先生的日語是完璧無瑕的，我不把他當作外國人的時間比較多。就連食物，由於我非常喜歡中國料理，因此馬上陷入他介紹的中國料理之美味中。當時正逢我的收入稍微增加的時候，我的中國料理品味能力也更加伸展，味覺之差距，或者身上有無一點小錢，是唯一隔開戴先生與我之間的牆壁。甚至是對女性的品味，個性之差距是激烈論戰的基軸，但背後的歷史體驗之差別不會出現於表面。

大部分收在本書的文章是這樣，但其實我在讀座談會戴先生的發言之中，開始發覺種種事情。我長久以來擱置的日本舊殖民地的研究，以及想要整理日本的亞洲研究的歷史，都是從讀了戴先生發言之後才開始著手，不是在日常的對談之中，而是透過文字，全是戴先生以日語所寫所說的東西給我的啟發動力。

因此，我想要思考戴先生時，日常交往所知的戴先生，與透過文字所知的戴先生之間的差距過大，令我感到不知所措。這距離好像不單是我個人感受到的特殊現象。因此必須囉哩囉嗦寫些私事。那是什麼，不能明確地掌握，但我想好像是因為戴先生是外國人，而且是中國人之故。在此與我的個人體驗重疊。那是約八年前的事，訪問北京時為我做翻譯、大我兩歲的中國青年，因會講很棒的日語而讓我驚訝。以年齡看應沒有住過日本經驗的樣子。「為什麼？在哪裡學的日語？」我問。在交談之間，據他說，他父母在上海近郊被日本軍殺死，起先是因憎恨而學起日語。（我在報紙的報導相片得知，他隨行這次乒乓球隊來日本。）

那時，我不能再問下去。同樣的戰後，我剛從（戰時的）集體疏散回來，只有吃甘藷藤，心裡其實沒有虛脫、憎恨與憤怒，只記得三月的東京被空襲燃燒的顏色很美而已。在北京遇到的翻譯，如我不問，他一定不會講學日語的動機，就是問了或許也只說「為了中日友好」。

即使他那樣回答，恐怕我也沒有任何感覺吧。中日友好一詞，光是這樣說是沒有特殊感受的，或說是理所當然也可以。要感到不是理所當然，我們日本人戰後的世代，需要一個內部契機，對中國人的日常行動與語言中，僅感到親近與抗拒，這個語詞是不會帶有意義的。在個人的層次，觸及那溫和的舉止之內側燃燒著的自尊心，對個人而言，不管是否願意面對，至少對我來說，中日友好是過於空虛的詞語。

關於這點，個人的層次問題，我想可以引伸到中日兩民族間的問題，即民族的尊嚴。這語詞對我們日本人是不悅耳的。戴先生說：「所有文化是等質的，所有民族是等質的」之時，與前面的情況同樣，作為公理是理所當然而接納，但就此來說，同樣的表現方式也因體驗的不同，而導致不同的本質顯現。把朝鮮人、中國人以廉價勞動力或不法之徒、或狗犬畜生看待的一般氛圍未被拂拭的環境中成長的我們日本人，作為公理可理解各民族的等質性，但個別具體的問題還是不行。

作為公理能理解，換言之，就是原則是那樣。所以不可以輕易地說當然。輕鬆說的話，易變成引子（開場白）。如五族共合、皇民化、大東亞共榮圈，原則的平等性・等質性是當引子（開場白）附著的。

拉到社會科學這學問的範疇來想的話，就是這樣。不管馬克思或韋伯，在不同血緣、不同皮膚顏色、不同宗教等黏稠的偏見與歧視的日常拚命地生活之中，創造出社會科學的理論。把不合理的日常放在一旁，只把整合性高的理論作為對手，頂多也只能再生產腦筋好的官僚。這時候也還以各文化、各民族是等質為前提。把階級或生產關係這用語，想作是普遍的概念還可以，把自己有限的、方便於自己的意思的適用於此，誤以為那就會成為一般概念，就大錯特錯。懷有這種想法的先進、壞前輩在我周遭不勝枚舉。

說是過去的事，也只是最近的過去的事，是極為具體的事，所以這些先進們為何栽跟斗？這需要我們來思考。那幾乎全部是在殖民地統治、異民族統治這體制之中滑跤的。對於異民族，統治者推銷平等與等質，就好像打了人又若無其事地說「你是我的朋友」一樣，這怎麼也不能說是人之常道。若不是直視此極為當然的事所築構起來的社會科學，無論如何是奇怪的。

對於我們，所謂的公理，是殖民地統治者不能對被統治者說平等與等質的。「任何文化、民族都等質」這不是當然的嗎？可不能這樣輕易的想。更認真地思考，不要直接使用對方使用的語言，而思考要如何奪回並使用自己的語言此事，並非容易的方法。至少有些許時間的餘裕的話，要在找到自己語言之前，努力不輕易使用對方的語言吧。同樣的表現，但其包含的內容之不同應追求到底，我想是這樣才對。

最近常被使用的政府用語有援助這語詞。借款一詞是貸給別人的錢財是要收回的，帶有極為當然的意思（但實際是採取貸給的方式而攫取，這是經濟學的常識，在此就不去過問），而較之借款用語，援助用語更帶強加於人的意味。反正絕不是對自己不利，這也是經濟學的常識。但照用政府用語的人，以為援助是救助，救人是符合大義，好像拂拭不去此種感覺。這援助是由aid翻譯而來，是美式英語吧。美國對戰敗國的援助，變成後進國援助，接著由在朝鮮戰爭賺到戰爭財的日本資本主義自己繼承了此美式用語。將之限定在金錢與物量的移動（此構思才是經濟動物的真面目），那麼如「水往低處流」便可想作是當然的吧。然而在沒有多久之前，以戰火損傷糟蹋為所欲為，接著便說要援助，這對稍具人性的人是行不通的。因行不通，所以變本加厲以金錢與物量來制伏，自己已是失去人性與大義的動物，所以把對方也看成是同樣的動物，如此一來會發生什麼樣的事態，就很清楚了。

這事與剛才講的以「等質性」為當然的心態不同，看起來相反，但其實是同根的。兩個都是對基於過去的自己，大致來說是對歷史太過無知之故。因無知而致的善意，與帶了假面具的無恥，常常扮演同樣的角色。結果是相同，但不能斷言用意也相同。無知的善意與用意是不一樣的東西。

講些過於抽象的話，但我估計本書的讀者大多比我年輕，與我同樣，對戴先生的發言有不易理解的地方之故。成長於戰後民主主義之中的日本人，因具有民主主義的價值觀，而民主主義是以平等為最大的價值之故，有把平等或等質想作是普遍永遠的真理的傾向。剝除那虛構的契機很多，現在已經充分發覺那是虛構。但是，剝除虛構的契機，差不多的情況是國內的統治與被統治的認識，或改稱為階級的觀點也好。民族的觀點，至少是規定戰後民主主義的出發點的殖民地統治正當的嫡子，並非他人而是我們日本人，關於這一點，我們的認識是很淺薄的。在民族的觀點上，對於被美軍占領的抗拒，亦即把自己優先地放在被害者立場。對於我們來說，最大弱點的民族觀點淺薄，反而被利用，戰後民主主義遂健全地生存下來。這是侵略性的民族觀點的再生，以世代論來說是戰後誕生的人輸給了戰前派。在政界、財界都依然是明治時代誕生的人在當指導者，這或許是當然。毋寧明治時代誕生的優秀者，比較維持著民族的觀點，將過去的那個與現在的那個嚴格地使之對抗著思考過來，所以或許可以說略勝一籌。

要反省此弱點的機會，對我來說是與外國人的對話。與差不多同世代的外國人的交往中，從世代來看與我們沒有直接關係的日本人的歷史，沉重地壓在我們頭上。子女如不能償還父親的負債，至少不能在父親的負債之上加債使債台高築，讓我認識到此事的是戴先生。

射向日本的一枝「諫言」之箭

本書主要收錄戴先生這數年來所寫所說。所彙集的都不是拘束於一定論文形式的東西，我想是要知道戴先生的所想所感最方便的方式吧。對象是廣泛地有關日本與亞洲，以屬於中國的一部分而曾經是日本舊殖民地的台灣為著力點而論述中國，接著是文明論的考察，權宜地可分為此三類。章節的結構也按此而定。依章節的結構大致可看出編者的想法，無論如何那是過於權宜。全體是如書名的「與日本人的對話」，對已射出的箭，需要給予適當的反應。那是超過個人交往範圍的課題。透過讀他文章的範圍，我想談幾點。

首先是關於可想作大大影響他思考的幾個體驗。我們大部分日本人，恐怕99%都以日語為母語成長，以日語受教育，所以容易誤會語言是天賦的。戴先生如何呢？好不容易使他開口的結果是，1931年誕生以來，在家庭內講客家話，上街講福建話（閩南話），上小學在學校講日本話，初中二年級時日本敗戰，之後在學校學國語（北京話）。

另一個是，對於我們大部分的日本人戰後大多時期，可說言論活動本身直接連結到生命危險的事情沒有了。言語表現的環境不同於戰時已大大開放，相反地語言所具力量有被削減的一面。想要享受言語表現的自由，無庸置疑應是如此。但因此不考慮由語言表現而產生的種種緊張或影響的風潮，在獲得這種特權的人們（包括現在的我）之間擴展，那是可怕的。不一定直截了當、明確的表現，才最能表現思想，也有在被抑制的表現最能表現的情況。換句話說，因拚命說明不是那樣、不是這樣，反而不能擊中要點的情形也有。

再說清楚一些，對不懂的人，基本思考方式不同的人，是否可以言語使之理解呢？我相信語言，但也不相信語言。雖然自我矛盾，但的確如此。相信，是在他人的用語上恰好可適用自己用語的時候；不相信，是語言不只立足於使用者的個性，而是以對誰都能理解的共通性為前提之故。

我不是在講無關的二者間的一般溝通。而是在講戴先生與我、戴先生與日本人讀者、戴先生與留學生之間的溝通方式。其他二者的設定方法有很多，但目前戴先生與編者之一的我之間，到底是否有理解到那種境界的可能領域。要追究這一點，必須某程度提出我的見解吧。

本來不是為了要主張我見解的「後記」，所以我想限定問題，就本書只提出幾點來說。

參議院選舉之前所做有關中日問題的選民調查登載在《讀賣新聞》（1971年6月14日，都民版）。小小的報導，但使我看了感到愕然。〈選民如是想〉連載三次的花邊新聞，首先是日本當前的外交課題，「中日問題」是最多的36.1%。那麼具體是如何？

問題一，有關中國與台灣的關係（百分比）

（一）北京政府代表中國　19.1

（二）台灣政府代表中國　3.7

（三）各自爲獨立的政府　40.5

（四）其他　1.3

（五）無回答　35.5

問題二　中國的聯合國加盟，日本應採取何種立場

（一）積極贊成　41.1

（二）消極贊成　19.4

（三）消極反對　2.6

（四）積極反對　1.1

（五）其他　1.6

（六）無回答　34.2

我最驚訝的是，「各自為獨立的政府」這個「兩個中國論」乃至「一中一台論」（一個中國，一個台灣論）是壓倒性的多這一點。為什麼此意見多？這些人是考慮到什麼才這樣想？從這個調查是不得而知。

較之選民的意識，七名參議院選舉東京地方區候選人的意識如何？同是《讀賣新聞》的〈候選人如是想（下）〉（1971年6月7日，都民版）的報導如下。

中國與台灣的關係

（一）「北京政府代表中國」（黑柳、野坂、木島、市川、木村）

（二）「北京、台灣各自爲獨立政府」（原，江藤）

（三）「台灣政府代表中國」（「台灣派」）（無）

此次調查方法，不觸及稱謂或提問方式。看了調查結果，受訪者的想法，引出令人驚訝的結論。亦即四成的選民，以「兩個中國」或者「一個中國・一個台灣」的模式考慮台灣問題，忘記或無視台灣不外是中國一部分的事實。

從最近政治的劇烈變化來看，自民黨的候選人（當選者）支持「兩個中國論」或「一中一台論」之點令人關注。這與以往政府（外相）的正式見解顯然不同。政府與自民黨的見解不同是有可能，但自民黨候選人將此見解明白地提出這事，會使今後自民黨內的兩派見解更加鮮明吧。「選民如是想」中的問題三有「中日恢復國交在佐藤政權之下是不可能」的提問，同意的是最多的42.9%，以支持黨派別來看，自民黨支持者之中35.3%回答贊成。選民的此見解，將來如何變化，如何影響政策，不容易預測。

在此我沒必要預測，但我想把我最擔心之點在此敘述。這是日本應採取立場的問題，也許放在戴先生書的後記裡不適當。但在對日本人談話的書，提出一個日本人的想法這事，因問題的重要性，我認為無論如何是必要的。

探究台灣的地位問題

許多日本人不認為台灣是中國的一部分，認為是別的國土，應有別的政府的理由，再說是有關產生那種認識不足、誤解、偏見。首先，舉出極為生活化的理由是，因最近的爆發性旅遊熱潮，台灣觀光旅遊急速增加。另一方面，在中國大陸旅遊還不容易。去台灣觀光回來的人，從新聞報導所聽中國大陸的形象，與自己體驗之間的落差之大而驚訝是不無道理的，或者以落差之大視為當然，也許毫不感到驚訝。加上，在台灣意外地發現可通日語，只要說日語就可在台灣旅行，而抱持遙遠的中國與親近的台灣之印象吧。這種觀光旅行者所帶進的道聽途說小道消息之傳播力極大。聽說去年〔1970〕去台灣的外國人以日本人為最多，共有14萬人。這些人是否想到為何台灣能以日語溝通無礙，或許只覺不可思議而未去探究。從朝鮮人奪去朝鮮語，強制改成日本名，同樣地，雖說那苛烈的程度有些許之差，在台灣的中國人，還有占人口百分之幾（約十六萬人）的高山族被奪去他們的母語，強制使用日語，命令在家庭內也要使用日語，令之將姓名改為日本名。從昭和15年（1940）左右，此強制措施被強化。

講日語的人多，這是日本殖民地統治的傷痕。與我們自發性的（對就業有利，以及理解他國不可缺等幾個理由）學習外國語、學習、精通外國語的讀、寫、說、性格完全不同。被奪去母語而被強制使用外語，與在母語的基礎上自由地學習外語，此兩者之間是有天壤之別。

不用說，1895年（明治28年），甲午戰爭的結果日本把台灣殖民地化。以後長達50年的台灣統治，帶給很多日本人的感覺是：台灣對日本感覺很親近。親切是很好，但不能不考慮產生何種親切。占領對方，卻說我和你很親近、友好，還搖晃武器說，你的米桶我也控制了，馬上會知道這親近不是真的，以任何理由都無法隱藏這是謊話吧。

50年的台灣統治就是這個例子。不能奪取對方的武器，趕走占領的對方時，想分到米糧，向對方裝笑臉也不足為怪。

然而，因此就把那笑臉認為親近的表現，如果不是相當的無恥之徒，就是愚蠢的傢伙。不被告知實情，而被教育成認為日本的台灣統治是世界殖民地統治史輝煌事例的世代的人們，如果回頭睜開眼睛看，也就不至於再想悠遊於迷妄的世界裡。

在戰後成長，懂事後就在沒有戰爭、殖民地的異民族統治的地方成長過來的人們，年輕人也不能一直說我不知道。不知道這事，由此產生對對方的善意與誠實和帶來的傷害有多大。不只是這一般狀況，透過身邊所發生的幾個經驗，已經對此點相當有察覺才對。

從選民的民意調查的話題岔開，但其實這調查的作法、名稱或提問的方法，不知是故意或無知，有相當蠱惑人的地方。為了萬一，我質詢幾位熟人同樣的問題，也得到同樣結果。有好幾個缺陷，但只提出一個來敘述，問題一的「有關中國與台灣的關係」的回答，是期待有關過去和現在的認識，或者是期待日本人和政府所應取的態度，沒有做區別之點。承認北京與台北沒有成為一個政府的事實，但作為外國人的日本人，只要把此現狀想作中國的內部問題的話，與兩個國家的將來相處方式的主張，完全是另一回事。

政府與國家有關的理論，在此沒有充裕的討論時間，舉一簡單的例子，《三國志》的三國，並不是中國有三個，「五胡十六國」也不意味有這麼多的中國。這是常識。同樣地，文化的、民族的一體性包含台灣在內的中國從明朝就存續著。從面積上看，台灣約是六十分之一，雖在日本統治下的嚴厲時代，台灣人為了確保・強化與中國的一體性而如何抗爭過來，作為歷史的問題有思考的必要吧。這一點是日本人不易理解的問題。因為我們日本人的前輩是，與此相反，努力於如何使台灣從中國分離，而改變成「好殖民地」；第二，對於這一點，戰後終於沒有認真反省的國民性機會；第三，由於日本人只以有限的視野看外國的根深柢固習性之故。

問題不能是一個或兩個，或一個與一個，玩數字遊戲就可讓它完了的事。個人遊戲的話，可以是要這個或那個左右躊躇不定，莫衷一是最後隨便選一個，但這問題是攸關幾億人生命的事。一個或兩個，或者一個與一個，如果流於這種數字遊戲，不能觸及比此更重要核心的話，我們日本人的將來，不問體制如何，是會變成極為悲慘的吧。說是將來，也不是悠閒的將來的事，已經就在伸手可及的眼前。

到這時候才慌張失措，實在有失顏面。那是覺悟之下的。日本人一般，一直對台灣重複地偏見、誤解與無禮，此無需贅言。回顧一看，誇耀如此大出版量的日本，由日本人所寫的優良書未見出版，更是令人震驚，對於我這是自省的材料。並不是由於中國議題高漲之後才撲上去的課題，但是太過於未被視為問題，未被認真思考，此沉重使我快負荷不了。這是已做中國研究數年的我的感受。

如在開頭所說，輕鬆接下寫後記的任務，至此感到困惑的，是由於不只是對暴露自己的才疏學淺感到恐懼，要談如此無能的日本人研究者的狀況，感到心情的沉重，而且也得談有關中國人的日本人內部缺陷的心裡沉悶。但若是真實的狀況的話，那也無可奈何。中國人戴先生向日本人的談話，到底我能理解到什麼層次？他所談的，我們能夠接受到哪裡？我們自己怎麼想？在此意義，現正站在十字路口。不用說，這是相互的問題，絕不是把他的意見、見解全部盲信，毋寧相反地應當將之作為築構我們的見解、態度的台階。

我以為這樣做是友情，更擴大到一般狀況來說，因這樣做能使中日間相互理解、正常交流。

他所提出問題之中，文明論或說歷史發展有關的問題，我也有依我想法在思考的。日本近代百年一直追求歐美模式，與一度以為日本會成為開發中亞洲發展模式的愚蠢的預測相互共鳴，過去曾有過，將來也會引起種種議論吧。關於此問題，在我所知範圍內，像日本這樣自賣自誇、自我吹噓的見解世界上也極少，毋寧可說是例外。普通做生意或在政治層次所接觸的外國人，都是「有禮貌」的人多，不會提出這種讓日本人感到尷尬的問題。所以說，將之信以為真，這又變成奇怪的東西。

公害的告發在國內變成很大的聲浪，因此全面地讚美日本近代百年的人應該變少了。此功績不小，但是政治與經濟的結構是表示被打的人沒有死，而是逃竄出去變得更奸巧，這種例子不勝枚舉，公害企業從日本國內逃出，到東南亞找活路。已開始被禁的有害食品與藥品類，不把存貨燒掉，卻更廉價賣出海外。

這樣的話，日本被想為經濟發展模式的餘地全沒了。相反地比在國內，公害企業更加地被攻擊，要覺悟日本人全部變成被攻擊的對象。那時候由我們這方說日本政府與日本人民是不一樣，這是絕對不可能。不限於國內，真正意義是，若不建立國際觀點去行事，無論是發言、對話、友情都沒有成立的餘地。

文明論或歷史發展有關的理論，對誰、對哪一國的人，都是切實、迫切的課題。只是，社會問題經常是那樣的，從哪個側面、哪個立場看，才是切實而迫切的問題，僅是有不同而已。我以為，不管讀者要肯定或否定戴先生所說的，但希望能以這樣的層次接受，我以為應有這樣的對話。

編輯排列是編者的責任。我要對允許轉載的對談者諸兄，登載諸雜誌，以及社會思想社編輯部表示衷心的感謝。又因作者戴先生的希望，在舊稿上加上若干刪改，有關部分在各項末尾都已附上作者註記。

1971年7月5日

本文原收錄於戴國煇，《與日本人的對話・編者後記》，頁229～250。雖名爲「後記」，内容實深入評析了《與日本人的對話》一書，特譯成中文，收錄於此，以饗讀者

掙脫封閉：從亞洲的觀點來說服

——評《與日本人的對話》

◎ 鶴見良行*著・蔣智揚譯

由於本身結構使然，日本社會無法平等對待他國人。我們日本人在頭腦裡，大體會想到彼亦人子，但在日常的具體行動上，對於外國人並無如此作為。這個社會僅屬日本人，對外國人並未開放。

因國籍而產生歧視，再加上因膚色而產生差別待遇。總之，白種人就是比有色人種了不起。

如果我們有一天決心改變心意的話，能夠改變這樣的結構嗎？自己不改變的話當然不用說什麼，但只是自己改變並不構成產生變化的充分條件。雖然是甚為悲觀的預測，我感到為了改造日本使其成為對外國人較公平而開放的社會，需要外國人，尤其是亞洲人民的幫助。

本書對我們日本人而言，即為具有如此作用的書。作者戴先生是台灣出生的中國人，為農業經濟學者，服務於東京的亞洲經

* 評論家。

濟研究所。

如標題所示，此為作者對日本人所談的論文集。有〈我的華僑小試論〉、〈日本統治與台灣知識分子〉、〈台灣經濟與日本投資〉、〈從亞洲看日本〉等篇。

住在這個國家的亞洲人誰都可能嘗過歧視或封閉結構，雖然戴先生本身可能也有過這種經驗，但他並不直接指出並加以譴責。他似乎覺得單方面譴責日本社會並無法解決事情。

關於這點，即有如下之發言呈現出來：「不得不被殖民地化之條件、當時我們所持傳統、其殘渣，如果我們不同時與這些對決的話，我們的問題即無法解決。」

尤其讓我受益的是，他所指出：「由於中國全體並未在同一時期被同一他國所殖民地化，因此無法以八一五終戰紀念日為轉機重新出發那樣，以同一步調與同一感覺來起步。」這件事所指的是，東北地方（舊「滿洲」）的知識分子與台灣的知識分子，對於各別侵犯他們的殖民地主義，要清算其價值體系時需要個別的程序。這件事只要走錯一步，就難免跳到承認如「一中一台」之政治分離的議論，但就過去經歷殖民地的地區而言，其知識分子的主體性反省當然會有這樣的發言。

僅以中國而論，事情就如此複雜而多樣。要說是已開發國家日本（新帝國主義）對開發中國家亞洲（新殖民地），這樣的模式未免太粗糙。我們應該更踏實地，並謙虛地向亞洲學習。

本文原刊於《北海道新聞》，1971年10月9日，第12頁

關於帝國主義的責任論
——評《與日本人的對話》

◎ 須田禎一著*・林彩美譯

我先前在月刊《經濟學人》〔《エコノミスト》〕六月號撰寫〈圍繞中國的日・美幻想〉〔〈中國をめぐる日・米の幻想〉〕一文。我說：「日本統治朝鮮人民長達35年之久，侵略中國人民14年之久，並侵略作為美軍後方基地的中南半島三國人民，使之受塗炭之苦。在尋求與這些人的連帶之中才有日本人民的活路。」但是這樣的寫法我覺得不正確，也不充分。我讀了戴國煇的《與日本人的對話》特別心有所感。

對中南半島三國人民，我們的內疚並不是始於美國的軍事干涉。此前（在大戰中）日本軍已侵入此地區。1945年9月胡志明在越南獨立宣言中已明確地強調主張「從日本的帝國主義解放」。又對中國的情形是至少應回溯到二十一條的要求（1915年），更應回溯到甲午戰爭（1894～1895年）的時候。關於朝鮮是應回溯到明治初年的「征韓論」的必要吧。

戴先生並沒有在本書內直接做此要求。但是應該讓讀此書的

* 國際思想研究家。

日本人不能不反躬自問：「到底日本真的是亞洲的先知先覺者嗎？明治日本到底對於我們是什麼？」

戴先生是在1931年（此年爆發滿洲事變）出生於台灣，1955年（此年產生保守共創自民黨「永久」政權）以留學生身分來日在東京大學專攻農業經濟，現在是任職於亞洲經濟研究所的一位學者。本書的副題是「日本・中國・亞洲」，而在中國之下以小字加上「台灣」，這是滿具象徵性的。比之其直接的執筆，對談、專題演講討論會、座談會紀錄的分量多而且內容也沉重。

首先與田中宏（亞洲學生文化協會）的對談。上映《通往十三階梯之路》〔譯註：原名為「十三階段への道」〕的電影時，已故高見順〔譯註：日本小說家〕寫道：「這太不人道，日本人絕對做不出來。」對此戴先生予以責問，難道南京大屠殺、新加坡華僑大虐殺不是日本人幹的嗎？而田中宏則責難家永三郎〔譯註：曾任東京教育大學，後為筑波大學教授，以長年批判日本文部省教科書而頗負盛名〕在其《太平洋戰爭》〔《太平洋戦争》〕一書中的「以物力龐大且有可誇耀的民主主義美國為對手，驅趕動員國民去打那絕無勝算的戰爭的日本軍國主義者」的寫法。

若是讀了這些，越南人會有什麼感受，是田中先生責難的理由。如以「B29與竹矛」來對比的話，日本與越南是處於同一層次。而家永先生也寫「日本在敗北於美國的物力之前，就已敗北於中國的民主主義」，因此我不一定與田中先生的批判同調，但對戴先生的高見順批判是有同感的。

從近代化到現代化

戴先生與巴達加利亞（印度）、高秉澤（韓國）、胡笙（巴基斯坦）、小木曾友（亞洲學生文化協會）、杉浦正健（東洋大學AA文化研究所）的座談會也為我們提出很多課題。在此戴先生說：「與其說是亞洲的同一性，不如更要確認其多樣性，在此基礎上來考慮在何種條件之下連帶才有可能」，並主張現在已非「近代化」而是「現代化」的階段。揭發不面對慘痛歷史卻再次呼籲「亞洲是一體」的危險性。相對而言，主張「亞洲是一體」的巴達加利亞先生在理論上站不住腳。巴達加利亞說：「西洋的冬天非常冷，就以火的功能為例，與東洋就不同。」可是被認為是西洋文化發祥地的希臘是溫暖的，而乾燥的亞洲冬天反而是寒冷的。

此座談會也談到種姓，但不把它看成是印度獨特的東西，並揭發存在我們之中的「內在種姓」，主張不要把工業化以客觀的歷史法則去「等待」，而是要去突破現在的情勢，之後把工業化當作問題的戴先生見解越發敏銳。我對其「帝國主義是惡，然而被帝國主義侵略的我方也有責任」的問題意識表示敬意。

戴先生堅持「台灣是中國一部分」立場的同時，也不忘記指出日本人的「中國論」之中缺漏了「台灣」。我奉勸無視台灣1,200萬人民的動向，在議論「國共合作」的主張者，應好好將本書當作自我省思之資。

本文原刊於《エコノミスト》第1891號，1971年10月12日，頁111～112

探討眞正的對話，堅忍而溫和地質問日本人

——評《與日本人的對話》

◎ 佐藤勝巳*著・李毓昭譯

一般說到近代的日本與中國的關係，就是十五年的侵略戰爭，以及日軍在此戰爭中對中國人的殺戮行為。就此事的性質而言，我想這是最需要追究的問題，但是在另一方面，我也一直在懷疑，難道中國問題裡面沒有殖民地問題？

其中一個原因是，研究中國的日本人幾乎都沒有人在研究台灣問題，亦即殖民地問題。雖說是十五年戰爭，但是在這15年的侵略戰爭中，不也在同時進行以「滿洲國」為名的殖民地統治嗎？而且在更早之前就已經有台灣的殖民地統治。儘管如此，不知道什麼原因，日本人研究中國的近現代史時，總是如此不當地忽略殖民地問題。殖民地統治是戰爭的恆常化。

以研究朝鮮問題者的觀點來看，中國研究者這種處理中國問題的方式，令人很難不懷疑，他們果真能夠理解帝國主義的恐

* 時任日本朝鮮研究所事務局長，專研朝鮮現代史。

怖、戰爭的殘忍嗎？更重要的是，如此程度的理解能夠檢討日本統治階級的現況嗎？

本書作者是於1931年生於中國台灣省，在該地成長，然後在1955年來日本留學，1965年起任職於亞洲經濟研究所，直至今日。本書內容是由「日本與亞洲」：〈東南亞的虛像與實像〉、〈對談真實的亞洲和日本〉、〈我的華僑小試論〉，「日本——台灣中國」：〈日本統治與台灣知識分子——某副教授之死與再出發的苦惱〉、〈我的發言——台灣研究的態度〉、〈對談・台灣經濟與日本投資〉、〈專題討論會・中國研究者的造反與自我批判〉、〈座談會・從亞洲看日本〉等篇章所組成。

我身為日本人，既然如開頭所述，對日本人研究中國的態度抱有疑問，因此會覺得，作者身為當事者，對日本人關心中國問題的方式提出非常堅忍而溫和的質疑是天經地義的。可是，在朝鮮問題的領域上，類似的指責並不罕見。不論當事者再怎麼說明，日本人也無法理解，使得他們最近因為絕望而不太想說出口了。

可是，作者說：「我站在受害者的立場上，無法苟同開發中國家的左翼人士將所有戰爭責任歸結於帝國主義這一點，因為使帝國主義肆虐橫行的是自己內部的腐敗。」這是幾乎無法從在日的「受害者」方聽到的話。

日本有許多被視為先驅者認為，殖民地統治或侵略是統治階級的行徑，不是他們的責任。換言之，這些人作夢也沒有想到「自己內部腐敗」，因此始終無法理解上面這段話。他們頂多只會覺得「不是階級性的」。要在這樣的日本說出這段話是需要勇氣的。作者又說：「我在亞洲經濟研究所工作……由於研究的是我的故鄉台灣，是在分售台灣，以後如果也從事華僑研究，就好像是在分售自己的親人維生。」對於這句發言，列席的日本人什麼話也沒說。如果作者是以「分售台灣」維生，那麼日本人是在吸誰的血過活呢？對於自己的「腐敗」，總該有點表示吧，還是覺得那和自己無關？

無論如何，既然有無法好好回應這種事的體質（並非知識），即使講了百萬遍必須「自我批判」的話，也無法確實阻止日本軍國主義，與中國人展開真正的對話吧？這就是作者的質疑。

本文原刊於《読売新聞》，1971年11月15日

穿透日本人的心

——《與日本人的對話》讀後感

◎ 中村ふじゑ*著・李毓昭譯

去年底，我乘船前往沖繩。那艘船是客滿的，因為在本地工作的沖繩青年要返鄉。

經過整整兩天的乘船之旅，我被帶到與東京全然不同的世界。海色不同，天空的顏色也不一樣。整片平原都是甘蔗田，以及山坡地開墾出的鳳梨田，還有相思樹防風林、榕樹、木瓜樹。我不禁想起台灣。

令我聯想到台灣的不只是自然景物。沖繩的製糖工廠被日本本土（對沖繩、北海道而言的）資本家牢牢把持。糖在沖繩只做到黑糖階段，接著就被送到本地精製，然後再賣給沖繩人。我不禁喃喃自語：「與日本帝國主義下的台灣一模一樣……。」

上街購買牙膏時，我對店員拿出來的Colgate和White Lion牌感到不解。沒有沖繩製的。不只是牙膏，其他商品也很少是沖繩生產的。以前的日本帝國主義把舊殖民地台灣當成日本商品的市

---

* 台灣史研究者。

場，連一根針都不容許台灣人製造。

而且，想到沖繩在第二次世界大戰末期成為戰場，有許多沖繩人與「皇軍」一同持搶作戰，因而陣亡，我又忍不住想到皇民化政策在舊殖民地台灣造就的犧牲者，尤其是「高砂義勇隊」。

在沖繩遇到的諸多情況都讓我想起台灣，或許是因為看過台灣省出身的中國人戴國煇寫的文章。戴是在1955年從台灣省來到日本，於東大主修農業經濟，後來以《中國甘蔗糖業之發展》一書嶄露頭角。

去年8月15日，戴出版了一本書，內容是之前在雜誌等媒體上發表的論文、對談與討論。書名是「與日本人的對話」。

雖然書名是「與日本人的對話」，其中卻有一篇令我難以承受。那就是〈日本統治與台灣知識分子——某副教授之死與再出發的苦惱〉。

東大的中國同學會是中國人留學生組成的，這篇文章本來是刊登在該會的刊物《暖流》上，並不是寫給日本人看的。

戴另有其他談及台灣日常情況的文章，但如果是寫給日本人讀者看的，內容再怎麼描述我們的祖先如何殘酷無道地蹂躪台灣人，我還是能夠完全看完，並努力在閱讀之後接受。

可是，一旦是以與作者同國且同鄉的台灣人為書寫對象，儘管內容同樣是日帝時代下的台灣，我卻無法輕易進入。字裡行間彷彿有痛苦的呻吟傳出，令我不時掩卷。這道呻吟或許就是日本人被壓扁的呻吟，糾纏著我，令我無法自己。

原因很清楚。殖民地統治是牽涉到統治國人民和被統治國人民（或土地）的問題，必須雙方互相質疑，而且統治的一方和被侵略的一方也非深入反省不可。問題就在於沒有這麼做。

書中描述存在於台灣平凡生活中，與對抗扯不上關係的投機文學作家，還有經濟學家留下台灣被開發、被高倡近代化的獻媚傑作，而當今的人民已經從日帝的侵略中解放，卻不把使用日語當成遺毒……。面對著戴所道出的殘酷，我遲遲無法續讀。這與戰時日本知識分子的問題本質相通，應該是可以對話的。

戴先生建議同鄉說：「我們的命運要由我們自己來扛，為了行使這個理所當然的義務和權利，我們不是應該要負起責任，去探究台灣成為日本殖民地的歷史意義？」

現在日本政府對於沖繩或亞洲採取的政策依然與戰前無異。我們身為日本人，必須把戴先生的提議當成自身的問題，因此我想將《與日本人對話》一書推薦給大家。

本文原刊於《中国研究月報》第287號，東京：財団法人中国研究所，1972年1月25日，頁31～32

強迫對「自以爲是」的反省
——評《日本人與亞洲》

◎ 西川潤*著・李毓昭譯

日本的經濟力增強，逐漸脫離美國的羽翼，亞洲的重要性在任何人眼裡都變得顯而易見。從這裡極容易就產生的「亞洲中的日本」、「日本人能夠在亞洲從事什麼」之類的討論也變得很熱烈。台灣出身，在日本完成學業的作者清楚指出，日本人的精神深深著根於大國崇拜主義，而無視於亞洲人民活生生的感情，即使有「自分」指出征服亞洲諸國的事實，只要繼續採取不在意「他分」存在的自以為是的態度，日本的經濟或文化交流的動作就會僅止於「強加於人」，而被亞洲各民族斷然拒絕。

作者的論證有二個面向：第一，是深入挖掘與台灣——日本在戰前於亞洲伸展帝國主義體制的原點——有關的近代思想史，揭露日本人的亞洲觀結構。

日本尚未侵略之前，台灣的貨物豐裕，金銀流溢，人民意氣軒昂，勞工勤奮。日本的執政者卻視該地為「瘴癘之地」、「化

* 時任早稻田大學助教授。

外之地」，而把以該地為殖民地的行為合理化。對台灣輸出「帝國教育」的伊澤修二等人，在渡台之前就曾洋洋得意地表示，有必要去啟發「可憐的500萬蠻族」。日本執政者與本地的寄生地主階層結合，採取「飴與鞭」政策，把反抗者當成「土匪」，予以無情的鎮壓。

日本的近代史研究者向來都不重視台灣社會最底層的高山族蜂起，亦即所謂的「霧社事件」。作者也從這件事揭發日本人施行鎮壓與現今的美國與越南、以及所有「文明」國家與第三世界赤裸的關係。

其次，作者也說明了包含台灣在內，遍布亞洲各地的華人情況與命運，成功刻畫出第三世界的苦悶。

那些被統治機構當成歐美殖民地主義下不可或缺的補充品、強行帶去的華僑，採取「害怕白人，並將非白人的當地居民視為野蠻人的行為模式」，讓自己的存在合理化，但是這麼做卻只是加深了當地人的不信任和反感。

作者夾雜自己的體驗，對這些「流浪之民」的描述，顯示出近代史中的深層的傷痕，滲入我們心的深處。

可是，作者在另一方面也從某些年輕華裔（僑生＝當地出生）的身上看到希望，因為他們有「落地生根」的傾向，能夠與當地國家的民眾一同走上進步之路。

仔細想來，就某方面來說，值此數世紀以來歐美建立的世界秩序正在瓦解的歷史時點，日本也面對著與這些華人階層共通的問題，亦即是要貫徹自我中心主義，還是從國際主義中找出活路？

日本人之前一直在撕裂亞洲，如果不能放棄想要為亞洲做什麼的觀點，從回答「在東南亞不可做什麼？」這個問題出發，就無法免於成為亞洲孤兒。作者指出的這一點，帶著匯注其所有思想行為的無限重量逼向我們。

本文原刊於《東京新聞》夕刊，1973年10月27日，5版

「境界人」走過的苦鬥歷史
——評《日本人與亞洲》

◎ 小島晉治*著・李毓昭譯

對亞洲各國和各民族而言，日本國、日本人究竟是什麼？在亞洲各民族看來，明治時代以來一直在日本人心底流動的「脫亞」論和「興亞」論，應該已經隨著那場「大東亞戰爭」和「大東亞共榮圈」的失敗崩潰了。可是，戰後的日本從此段歷史得到的教訓極少。經過背棄亞洲，一心只想和美國並駕齊驅的戰後期，日本從1960年代後半段開始認為，作為「亞洲唯一的先進工業國」，「就必須努力去提升」「許多開發中國家、國際紛爭的種籽遍布」的亞洲國家（現行的高中世界史教科書中的記載）。結果就是如泰國的抵制日貨、韓國與印尼的學生運動等現今的情況，亞洲有心的民眾所發出的尖銳批判和反彈。如果能徹底檢討朝鮮或台灣的殖民地統治、以及最後的失敗等經驗，從中汲取教訓，亞洲和日本的關係應該就可以重新開始。可是，不論是包括我在內的日本近代史研究者，還是中國近代史的研究者，都不把

* 時任東京大學助教授。

在台灣做過的事當成歷史去研究，在教育上也沒有提起。如同本書作者所說的，現在有許多與台灣有關係的人，依然在討論說，台灣和朝鮮不同，日本在台灣的施政良好，例如後藤新平是精明能幹的殖民者，對台灣的近代化有貢獻，因此有許多台灣人親日。如果不克服這種殖民地主義的負面遺產，就會如作者所說的，日本恐怕會淪為「亞洲孤兒」。如果讀者希望日本能成為亞洲各民族真正的好鄰居，本書是必要的讀物。

作者是在滿洲事變那一年出生於台灣，受過猛烈的皇民化教育，連母語都被剝奪。他在最多愁善感的時期經歷回歸祖國、二二八事件，以及國民黨的獨裁統治，而暗自決心「參與中國史的重寫」，在日本度過18年，不斷研究台灣近代史。作者的所有文章都像這樣，並非一味以受害者的身分高聲指責日本的殖民地統治。在本書收錄的所有文章中，作者時而根據事實進行學術性分析，時而藉由自己的內在，或是朋友、長輩、熟人的生涯來說明殖民地體制下的知識分子非比尋常的苦鬥歷史。這是作者以他所稱的「中、日兩國的『境界人』」身分，才能寫下的縝密文章。我們可以從中了解到，有時甚至是刻意而肆無忌憚地強加在「後進」國家或弱小民族身上的「驕傲」，就是殖民地主義遺產的顯現，尤其是以為不言自明的自國、自己等於「文明」國的價值標準。

本文原刊於《公明新聞》，1973年12月3日

克服殖民地傷痕過程的紀錄
——評《日本人與亞洲》

◎ 若林正丈*著・蔣智揚譯

一個民族統治別的民族，這究竟是怎麼一回事？改用歷史的言詞來看——所謂殖民地究竟為何？我們的父親或母親，祖父或祖母，亦即前世代的日本人統治了韓國人或中國人，那究竟是怎麼一回事？而今日又是怎麼一回事？另一方面，對於被統治被壓迫的民族，究竟是怎麼一回事？而今又為何？

我是在1949年出生，屬於所謂「不知道戰爭的小孩」之世代。依照一小雜誌所說，「不知道戰爭的小孩」在今日同時也是「不知道殖民地的小孩」（佚名，〈不知道戰爭的小孩與戰爭〉〔〈戦争を知らない子供達と戦争〉〕，文京中國之會刊《臍帶》所收，1973年12月發行）。記憶所及，小學到大學之間，關於戰爭的悲慘，確實聽到一些事情。但是關於「殖民地為何？」則未曾自父母或老師接收到任何線索。只記得小時候，父母說過戰前台灣是日本的領土，所以可吃到便宜的香蕉。那是日本人尚

* 台灣史研究者。

末手握大把鈔票再度光臨亞洲時的事。而時至今日又可吃到便宜的香蕉了。

台灣殖民統治實情

日本曾以台灣、朝鮮、「滿洲」為殖民地，並短期間統治了東南亞的諸民族。尋求亞洲霸權的日本最後失敗了。然而此歷史的教訓卻被遺忘，不，甚至未成為教訓。人們沉醉於謳歌明治青春的暢銷歷史小說，而期望能夠盡快忘卻自1930年代以來的侵略戰爭。更何況，不會想起諸多史實，如年輕的明治政府在打贏甲午、日俄戰爭而強盛起來之後，早就在朝鮮尋求霸權，或是如早在1895年即已在台灣開始直接統治其他民族。對歷史教訓的輕蔑、無知、不關心，導致輕易做出假國家之名的侵略行為，促成對明治以來所培育殖民主義者體質的姑息不改。我寫這篇文章時，田中首相正在東南亞諸國訪問。新聞報導說，首相竭力否認日本欲經濟統治亞洲的印象。亞洲具批判性的民眾，不相信日本會自1945年開始轉變為「和平國家」、「民主國家」。事實上，日本的、日本人的對亞洲之作為，包含對亞洲人的藐視，與戰前沒有太大改變，這樣的看法，似乎已經成為常識（參照《中央公論》1974年1月號特輯「日本人在亞洲不可以做什麼？」等）。

據說最近在印尼的反日運動中，出現了名為「支付債務世代」之團體。如果今日他們不得不如此自稱的話，則身為日本人的吾等，歸根究柢就是「逼迫支付債務的世代」吧！即使說是

「不知道戰爭的」、「不知道殖民地的」小孩，但從與對亞洲民眾的歷史關係來看，說是「不知道」根本不可能就此息事寧人。而現在情況更加如此。在述說前世代如此這般之前，我們自己本身應該多努力求知吧！

我首先要關注的是，日本在台灣、朝鮮、「滿洲」進行殖民統治，而涉及此事態的人們是如何生活的，又現在是想要如何生活的。

第一，建構運作殖民統治體制的日本人菁英，是如何行動的？第二，遠赴殖民地成為殖民者的日本人民眾，他們的生活情形是如何的？而他們如何與殖民地產生關聯？第三，被統治民族各階層的生活情形，其痛苦如何？他們現在是如何去克服所受傷痕的？第四，而處於這些背後的日本無告民眾，其生活情形又如何？我只是剛開始這些探討，關於以上所整理問題二，最近我讀了村松武司《朝鮮殖民者——某明治人的生涯》〔《朝鮮植民者——ある明治人の生涯》〕（三省堂，1972年3月），關於問題四讀了菊地昌典《1930年代論——歷史與民眾》〔《1930年代論——歴史と民衆》〕（田畑書店，1973年10月），有各獲啟蒙之處。殖民者在朝鮮目擊慘狀。對殖民者而言，殖民地常為貧苦之地。但他們認為那不算什麼。他們來之前的情況更慘，雖然不滿意，認為這樣已經好些了。村松說：「這樣的殖民者，雖然發覺到悲慘，卻不可能鬧革命。是當然的事。」反抗天皇制法西斯主義，反對侵略戰爭，其事實確有赤色（共產主義）蛛絲馬跡可尋。但因微不足道，無法供描述歷史實像。1930年代的民眾，不論其動機在哪裡，對法西斯主義與侵略的體制，難道未曾積極地助紂為虐嗎？不能說民眾僅是受害者。菊地是如此將日本的民眾與殖民地的民眾作相反的定位。

我這篇文章對戴國煇先生的《日本人與亞洲》（新人物往來社，1973年10月）負有介紹的義務。該書就戴先生出生地為台灣而言，關於問題一與問題三，讓我們有受啟蒙之處吧。上述問題一至四當然應該是要由日本人本身努力解明者，未必是要由其他民族來指教的。尤其問題一是如此。不過現狀並非這樣。並不只是歌頌而已，對有關殖民地體制的日本人菁英之行動，予以解明、分析，並給予歷史定位，如此條理的敘述，關於台灣的部分，本書應屬第一部吧！

本書的「第一部　日本人與殖民地」可供問題一之解明。此處所處理的是以下六人與台灣─中國之關係，即當了首任台灣總督的樺山資紀、同樣當了首任總督府民政長官的水野遵、被稱為台灣殖民地教育創始者的伊澤修二，與兒玉源太郎搭檔來鎮壓抗日武裝游擊隊，並建立日本之台灣統治基礎的鐵腕民政長官後藤新平、戰前站在無產階級的立場不斷主張民族自決而不得不入獄的細川嘉六、細川的跟隨者之一高同學，及以其殖民地自治論的《日本帝國主義下之台灣》而在台灣人中亦擁有信奉者的矢內原忠雄（再者，關於樺山、水野，焦點不放在當總督、民政長官時的作為，而在於1874年「台灣事件」之前他們所作台灣調查旅行）。戴先生在其中，對屬於日本與台灣產生關係之初期的樺山、水野、伊澤、後藤，時而發掘新資料來介紹他們的台灣觀，主張他們並未低估當時台灣的生產力、生活水準與文化程度，反而表示相反的看法，對於隨意嚷嚷，宣稱台灣為「瘴癘之地」、

「化外之地」，是日本來開發的，戴先生直斥此種見解乃殖民者製造出來的神話。

關於矢內原，除評估其與法西斯主義之戰鬥外，同時對其基本的殖民地觀「殖民不僅增加地球之人口支持力，也豐富了人類經濟生活的內容。亦即，殖民擴大人類所能利用天然資源的地域，增加勞動及資本之生產力，使國際的分業發達，對於人類的經濟，可使其生產消費的種類數量複雜化而進步」，認為是被殖民地統治者怎樣也不能接受的論調，強烈反對將其受高評價之名著《日本帝國主義下之台灣》視為聖經。該書刊行後不久，在中國受到注目，甚至出了翻譯本（最初為上海神州國光社，1930年刊）。關於此事，也說「但是有了翻譯本，當然不能就說中國人（包含台灣人——戴）全都無條件接受該書吧！尤其不能忽略的是，神州國光社刊譯該書尚含有另外的意義，即對於以1930年發生之抗日運動、霧社事件為契機的『台灣問題』，認為必須作啟蒙認識，以及自張作霖被炸死以來所逼近『滿洲』被侵略的危機狀況下，為了暴露日本帝國主義的『真面目』，乃藉出版日本人的，特別是具有『權威』的東京帝國大學教授之著書為手段」。此種指摘也是作者才會有的吧！

在此第一部，戴先生注視殖民者作為之同時，也不忘回顧被統治的台灣人之內部。在分析後藤新平「鞭與飴」政策的地方，舉出「我們台灣人的前輩太懦弱，最初一直說不要糖果，後來卻甘之如飴，罪孽何其深重」。但是此後戴先生又接著說「（此罪孽的——評者）結果，誤導了全體日本人對台灣，乃至對亞洲的認識，導致最後吃了原子彈，可說此乃相反讓日本人在長達50年間嘗盡甜頭的緣故。真是罪孽深重啊！」又關於矢內原的神格化也做了探討，即「可分贓殖民地利潤的買辦資產階級或買辦地主階層」，利用矢內原的殖民地理論作為要求增大自己分贓量的理論根據，主動參與其神格化。這些觀點，我們可切記在心，認為關聯到作者的克服殖民地傷痕之主體性態度。

最近，評估本著的小島麗逸說「本著作可解讀為對於盤踞在作者本身中的殖民者所留傷痕，而將其克服過程的紀錄」。為什麼呢？因為中國人所說的革命或建設等用詞，不過是用來稱呼一個克服的過程，即「中國人每個人乃至全體社會、民族，在生存、思考中要去克服包含日本在內的列強長期所施之榨取與壓迫」（〈中國熱之後的餘緒〉〔中国ブームのあとに残ったもの〕，《朝日ジャーナル》，1973年12月28日）。

以自我體驗書寫歷史

依據卷末的作者略歷，戴先生於1931年出生在台灣中壢。比前述村松晚七年，比菊地晚一年，日本開始統治台灣後第37年，台灣回歸中國（台灣光復）前15年。就日中關係而言，即與日中十五年戰爭爆發之同年出生。由至台灣光復的此15年台灣史來看，首先在戴先生出生的1931年，台灣民眾黨、台灣共產黨遭彈壓而解散，其後抗日運動不得不衰退下去。自1937年左右，瘋狂的皇民化運動開始，台灣民眾要被奪去自己的語言與風俗習慣，甚至名字（「改姓名」）。再來隨著日本侵略戰爭的擴大，台灣民眾（包括高山族）作為日本軍的士兵或隨從，被迫演出悲劇，即被動員到中國大陸或東南亞，將槍口朝向同胞。也有一部分人不是被迫，而是配合「皇民化」自動去參與悲劇。接下來是中國的「慘勝」、大日本帝國的崩潰、台灣光復。

幸好戴先生可說在人格形成期途中，得以逃離殖民統治的瘋狂。但光復時已經達到中學在學年齡，不可能與殖民統治的傷痕無緣，也未必可推測其傷痛得以輕易治癒。如果早生五、六年的話，應當是成績優秀學生的戴先生，不保證不被強迫「志願」加入日本軍而走向如楊明雄[1]的命運吧！又戴先生認為「殖民統治的最大罪惡不在經濟基礎的破壞或物質的掠奪，毋寧在於人的破壞」（戴先生前著《與日本人的對話》，社會思想社，1971年），在此主張的背後，戴先生就本身觸目所及、所經驗的皇民化運動，意識到其所造成的破壞，應如此看。殖民地的傷痕對戴先生而言，其克服是不可或缺吧！加之光復後，其傷痕未及徐加治癒，即遇上以二二八事件為中心的動亂，接著在其後的國際政治結構之中，祖國持續分裂著而物換星移，更加情何以堪。

這點可解讀為戴先生本身的革命（依小島先生之意思）紀錄，是為本書之特色，而此種特色在「第二部　殖民地與知識分

1 楊明雄為1926年生於台灣台中州大甲郡清水町（當時）的台灣人。在皇民化政策下，立志成為忠良的日本臣民，1941年就讀東京本所的工業技術學校，結束三年的課程後，1944年被徵召為軍隊隨從，成為蘇門答臘派遣軍氣象隊員而赴任。日本戰敗以後也不投降，一度進入日本人收容所，卻又參加印尼獨立戰爭。其後在森林裡生活近10年，後與印尼婦女結婚，1970年取得印尼國籍。前年聽到橫井軍曹回國大受日本朝野歡迎，乃以自費來日，向日本政府要求支付軍隊隨從時代的軍人儲金，但是民主國家的日本對此非純正血統的原日本臣民冷淡以待。楊綁著「太陽旗」的頭巾，披著寫有「原日本帝國陸軍隨從楊明雄」的肩帶，孤獨地進行了示威遊行（參考菊地昌典，〈国家の転向と棄民〉，《1930年代論》）。

子」，特別是其中〈吳濁流的世界〉〔參見《全集》15〕尤其顯著。

此文章本來是為台灣作家吳濁流的小說《亞細亞的孤兒》（描寫生活於殖民地時代，一位台灣知識分子的一生）解題而寫，以寄給在歐洲的大學時代友人之書信形式，凝視自殖民地時代至台灣光復後台灣知識分子之命運。在殖民地時代，不滿日本的統治，立志抗日而赴大陸的青年知識分子，絕不在少數，可說是一歷史趨勢。但是台灣成為日本殖民地期間，祖國中國在反殖民動亂之中，經歷了半世紀的革命，而台灣在完全的日本統治下，反而保有殖民地的秩序，被統治的台灣人上層也在殖民地利潤中分了一杯羹，如此台灣與大陸之間乃產生落差——此落差本身乃由日本的殖民統治造成之既成事實。對於滿懷期待而赴「祖國」的台灣知識分子，此落差並非小到可讓他們毫無摩擦地對「祖國」投懷送抱，不，落差是相當大的。面對此殖民地台灣與半殖民地中國的落差，有人退縮而忘卻初衷，有人克服困難而前進，戴先生此文介紹了這二種台灣知識分子的幾個行動軌跡，饒富趣味。對我而言，我不禁認為恐怕要在這些台灣知識分子的行動軌跡中，殖民地台灣才會呈現在中國近代史中的歷史相位。戴先生也提出台灣人因二二八事件所遭受傷痕的問題，並做總括性的敘述如下。此可視為他現在主體性姿態的表示吧！

> 我們一般的台灣出身者，太過於在乎台灣自身，認爲只有台灣人是中國近現代史的孤兒、棄兒、被害者，僅在36,000平方公里（台灣島總面積）的狹窄框架內考慮中國的歷史，且未能看

到現實。

被日本帝國主義的殖民地體制切斷得支離破碎的自己所應有的歷史意識、被沖淡消除的與中國近現代史的活生生共感，我們也不負責任地將這些置之不理，把二二八暴動事件（1947年2月28日，因反抗當局的失政而發生的台灣全島暴動事件。詳細請參照吳濁流著《無花果》）的挫折，說成是被祖國辜負云云，找來所有可合理化自己怠慢的「美麗」且想當然的理由，繼續怠忽其恢復。如果我們不取回與中國近現代史的有生命的共感，拋棄只有台灣人是百分之百受害者的妄想，就不能成爲推動中國近現代史的主人翁。

那麼戴先生是如何看日本人的？

在本書的〈序〉中，戴先生向日本人呼籲應該認清在「自分」之外的，具有獨自價值與自律性的「他分」之世界。當然這是針對日本人與亞洲諸民族應有之關係而發言的。此呼籲如本書中所示，乃是透過以往殖民者不太熱心從事的殖民地歷史的發掘作業而凝視日本人之後所得到的，亦為戴先生本身從克服殖民者所餘留傷痕的過程中所發現，這點已經很明顯了吧！

在明治時代日本人就學會了壓迫亞洲民族而掠奪之，如果到今天日本人對亞洲的姿態不從根本改變的話，今後與戴先生同樣的日本批判可能還會聽到很多次。在這些批判的背後，如在本書可讀取的有著無數克服被壓抑的傷痕的過程吧！

但是戴先生的批判僅以話語表達。而「支付債務的世代」之批判並不止於話語的批判而已，這是1970年代的情勢吧！我們必須盡速將歷史的教訓當一回事。

1974年1月10日

東京大學

本文原刊於《龍溪》第9號，東京：龍溪書舍，1974年4月，頁41～44

戴先生智慧行爲的原點

——讀了《日本人與亞洲》等

◎ 小島麗逸*著・林彩美譯

日中共同聲明的發表已過了一年有餘。可以說是喧嚷的中國景氣，未過多久便被大企業的狂奔購地，衛生紙搶購狂想曲，石油危機等以驚人的整廠接二連三發生的新手（問題）給消弭了之感。1971、1972年的中國景氣到底是怎麼一回事？

的確，侵害中國主權的《日華和約》是被廢棄了。這是很好的事。因為那是為了撕裂他人之國的條約之故。可是那並非由我們的內部發出而進行的，期望以恢復中國國交作為徹底思考日本的過去與將來的機會的人很多，評者亦為其中之一。

本來，此作業應以1945年8月的敗戰為契機進行。對切斷再以亞洲為墊腳石生存下去的路做過努力，但是嘗試一一失敗。其結果是，人們只有敗給美國（正確而言是美國的物量主義）的認識，對亞洲諸國的抗日運動，在力量與思想上，敗北的認識成不了力量。

---

* 時任職於亞洲經濟研究所。

所以，日中恢復國交對此歷史認識，多少成為給予反省的機會，抱這種期待的也有不少人在，這是當然的。然而，期待是過大了。景氣如果只是增加寫稿子的人與中國書氾濫所致的紙的需要量，那是寂寞的。

殖民地統治所給予的傷痕

如果是偏離本質的景氣，那麼早一刻消失的好。但是，喧嚷之中希望有沉澱在心中的。在這裡要提出的戴國煇著《日本人與亞洲》（新人物往來社，1973年）我想會是在景氣中所存留下來的重要遺產之一。所收錄的論文是瞄準景氣這個時機，搭上它，想把日本帝國主義與受殖民統治的台灣，正確地定位在歷史脈絡之中的一本書。

這本書是在讀因景氣而被濫造的中國書之前，無論如何應先一讀的書。很多有關現代中國的書，像倒扣錯了一個扣子。毛思想如何，人民公社怎樣，國民總生產額多少，這些都會以相應的道理給個說明。但是，在中國發生的現象是，長久受包含日本人在內的列強的榨取與壓迫，中國人每個人的生活方式，想法之中，再是以社會、民族全體，克服的過程這個視點被遺漏了。革命、建設等字眼，其實不過是稱呼克服的過程。這著作是著者克服盤踞於自身之中的殖民者所留下傷痕的過程的紀錄，可以如是讀。

傷痕之深在戴先生的《與日本人的對話》（社會思想社，1971年）所收錄〈某副教授之死與再出發的苦惱〉以無以名狀的力量進迫讀者。昨天還在耕作的土地被強奪，穿到今天的衣服被剪破，歌頌勞動的、談情說愛的母語被奪去，只能使用敵國的語言。這是抹殺所有歷史，改造成「天皇的赤子」的「皇民化政策」。然後，被驅趕去戰場。此論文是描寫，被奪去語言、不善使用母語的副教授在台灣復歸祖國後，要以母語站在講台上的苦惱。作者指出這狀態為「殖民地統治的最大罪惡不在經濟基礎的破壞或物質的掠奪，毋寧是在於人的破壞」，提示殖民地主義的本質在於人本身的破壞的命題。

內在傷痕的克服

作者作為取回自己的文化與固有價值的第一步是，著手於允許殖民地主義者（的侵略）的台灣自身的驗證。驗證知識分子的生活方式的是《日本人與亞洲》的第二部「殖民地與知識分子」。有一次在某集會上，聽到如下的台灣出身者的話：「我們以為殖民地主義者很壞，但是允許侵略的我們也不對。」聽到那不經意而談的話時，老實說我感到勝負已決。這思想是與蒙受500億美元（1976年當值1,200億美元以上）的經濟損害，卻放棄對日賠償請求中國方的行為相通，也似乎是戴先生思想的原點。克服對日本的被害者意識以確立主體性，呼籲同胞參加歷史的改寫。

本來，社會科學者的作者對允許日本侵略的台灣經濟結構開鍘。收錄在他人書上的《日本法與亞洲》〔《日本法とアジア》〕（勁草書房）〔參見《全集》6〕，作者論證了台灣在清末資本主義已有進展，生產力已相當高，絕不是「生蕃」所住「化外之地」，而是寶島。而且，與中國大陸在經濟上與生產技術上都有機地連結在一起。他主張「化外之地」的說法是日本殖民地主義者，要主張幫台灣開發，亦即要正當化自己統治台灣的言詞。

此論斷不但推翻了日本以往的常識，而且對袒護強詞奪理的台灣有獨自的民族與經濟，現在也應如此的台灣獨立派與日本人，報以批判的箭，這似乎可如此解讀。實際上，榨取、鎮壓50年之久而假裝不知，廢棄《日華和約》對台灣人失禮，驟然如婆婆媽媽好管閒事起來的人，在國交恢復之前有如過江之鯽。

刺向經濟結構的手術刀也指向位於台灣社會最底層的少數民族。在〈霧社蜂起事件研究的今日的意義〉之中，細緻地描寫日本統治對最弱者的對待。日本自1900年左右開始對台灣的山林資源插手。以自己為「文明人」而驕傲，把少數民族看成是無知蒙昧而加以歧視，以「飴」與「鞭」追逼。被追逼得無法忍受的高山族在1930年向日本統治者武裝起義的，就是霧社事件。異民族統治者的傲慢與歧視，以及現代的殖民地主義者結構一點也未變，本論揭發其大罪。

對如此的日本殖民地主義者之傲慢提出所有民族都擁有其固有的價值之命題。由此命題而對自己所屬的漢民族呼籲應揚棄大漢民族意識，指出「現代中國人向世界史的新挑戰，我認為不要妨礙國內少數民族的自己的發展是重要的課題之一」。

作者也是東南亞華人社會的研究者，在這裡也適用前述的命題（〈東南亞的華人系住民〉）〔參見《全集》12〕，可以領會他似乎主張在東南亞是屬於少數民族的華人也應擁有固有的價值生存下去。參與現地國的多數民族的文化創造，切磋琢磨，可相互提升、互相影響的華人社會新擔當者的發掘給予關心。日本對「華僑」的理解是，只有對日本的東南亞進展是否可利用的視點，所以邁不出「華僑是受中共擺布」或「掌握流通機構的有錢人」的範圍。作者的觀點是改變這種認識的當頭棒喝。

自殖民主義脫胎換骨

正在克服被殖民地化傷痕的作者，以回頭之刀檢驗日本的知識分子把過去帝國主義的侵略，在歷史之中如何定位抱持必然的關心，而指出日本知識分子幾乎未做在日本第一個殖民地統治的實際狀況研究的事實。

比如，有關前述霧社事件「我要作為問題的產生這個特徵（指由日本的社會科學者所做霧社事件研究全無這件事——引用者）的台灣研究在日本的現狀是如何地歪曲走樣，以研究為業的中國史、日本史研究者幾乎未負起應負的責任的嚴肅的現實」，進而說「日本的代表性日本近現代史研究者的遠山茂樹教授伊始，連1960年代的代表性青年作家大江健三郎，其問題認識的射程也才剛到達沖繩」。

事實上，把中日戰爭叫作十五戰爭，是進入1960年代才開始，聽了迎接田中首相的周恩來總理說，中國人民自1894年（中日甲午戰爭）以來，蒙受日本軍國主義之災難的NHK某講解委員不經意脫口而出的。搬出80年前舊事來真是受不了的感覺的畫面，其記憶格外鮮明。以發掘歷史為職業的我們，被指出未做最低限度應做的事，對於此也只能承認接受。研究台灣本身就是反動，連看台灣出版報紙都被視為禁忌的氛圍在中國研究者之中根深柢固地持續到文革。尤其在左派很強。這是共通於作者在1955年，以戰後台灣首次留學生入學東大時，迎接他的不是反省日本50年統治的友好之聲，而是因台灣出身者所以是反動，反中國派而被一部分左派學生的排斥。

為了檢討殖民地國方對過去的超越與克服有多少進展之故，提出受大正民主主義洗禮的〈細川嘉六與矢內原忠雄〉。說起大正民主主義，那是日本與亞洲諸民族追求更平等關係的思想產生的唯一時期。對與法西斯主義抗爭的兩者之角色給予相稱的高評價之後，接著有如下的文章。「把自己擔任的講座，改組為國際經濟——低開發國問題——，由弟子楊井克己繼承，再交棒給川田侃，因1972年川田侃轉職上智大學在形狀上矢內原很強的風格消失了」。馬上接著是「人這東西，知識分子這東西，歸根究柢並沒有什麼了不起的，也不知在重蹈我們的覆轍，還在爭論什麼，日中應有的關係、發展中國家的開發等等的問題孜孜不倦地爭論著。真是傷腦筋」（曾經）水火不相容的兩人看著人間苦笑著這種謎樣的語句。

而「知識分子這東西……」之前，一定是有意識地忘記加上「日本人」的這個限定。如果是這樣，那麼可讀為他就是象徵性地提出既是最高學府，又是培養殖民地最高官僚的東大，雖然在法西斯主義已消失的戰後，可是日本的社會科學者在幹什麼呀的這種追問的模樣。

面向經濟侵略之中

新亞洲主義正在抬頭。這二、三年的海外投資以驚人的速度伸展。不久，投資結餘將達到百億美元。到1980年估計或許達到400億。是近於美國為了控制世界所做投資的一半。

1960年代隨著國內的工資的上升，尋求低廉勞動力資本開始外移到韓國、台灣、東南亞。建設名為保稅加工區的「現代租界」以此避免破綻巧妙地撐著。那方式是以現地國國內稅的減免賺一次，從本公司運機器來賣賺一次，運中間財來賺一次，使用低廉勞動賺一次，其中又有把那裡的產品輸入日本時課關稅又賺一次。

這狀態已跳越戴先生所提示與異民族的接觸時不可做的幾個命題的框架。石油危機會加快海外的直接投資，降低從國際石油資本購買的比率，「直接地」正在成為政府財界的多數意見。資源的開發風險多。必然地傾向於國家特殊公司的形成。滿鐵就是，東洋拓殖也是，在相距不遠的歷史之中，那些所到達的型態我們都已看過。一直這樣下去，恐怕會超過「現代租界」的界限，向更強的掌控變動吧。

「現代的租界」已經被擁有民族國家尊嚴的人們指摘為新的侵略。與此相對應，光做「經濟援助」不行，也得做教育、文化活動援助的呼聲多了起來。但是這如走錯一步，可能從文化面破壞他民族的自立性。與戴先生所說，每個民族都應以固有的文化與價值自立地發展之命題相牴觸。曾被殖民地方，還不能克服過去被殖民地化的傷痕，越發把受害者意識擺到前面者也很多，以爭取「援助」主義呈顯。舊殖民地主義國家的日本，連加害者意識幾乎都無所知，以國際層級整個地、逐漸進行海外直接投資。

戴先生對事物的敘述甚為含蓄。外國人居住在日本很不方便，納稅義務與日本人同等，但人權與經濟上的權利卻有所差異。加上只因出身台灣而受誹謗與差別，把自己稱作「境界人」可能是有這個含意。這個意思的話，日本有很多「境界人」。韓國出身作為知識分子從事克服被殖民地化傷痕的工作的人們也是。作為個人發自內部的或社會全體，我們都一直未克服過去的殖民地主義結構拖曳到今天，如果不能在周邊聽到他們的聲音，至少會失去一個阻止舊殖民地主義回生的制動器。何況，韓國學生的聲音，泰國、印尼學生最近的呼聲等更聽不進去吧。

我們在心中如對舊殖民地主義結構的克服不踏出一步，那麼不得不認為中國景氣與伴隨搶購衛生紙的業界的景氣其本質上是相同的。

戴先生到本月底為止，要從亞洲經濟研究所退職，轉職去立教大學文學部。大概兼做紀念，要出版新的評論集。

請我寫點當作解題。要寫惜別之辭也還不是時候。我就以舊稿〈中國景氣之後所殘留的〉〔〈中国ブームのあとに殘ったもの〉〕（《朝日ジャーナル》，1973年12月28日號，「思想與潮流」欄）再錄於此以塞責。

1976年2月25日

本文原收錄於戴國煇，《境界人的獨白》，東京：龍溪書舍，1976年8月15日，頁349～358

對日本溫馨的警告
——評《境界人的獨白》

◎ 山中恆*著，林彩美譯

本書是作者在1973至1976年春天之間，在報紙、雜誌所發表的文章彙集成冊的第三本評論集。在這短短三年之間發生何等多的事件，本書如當頭棒喝，令我們領悟到看漏了多少重大的問題。而且這三年間的事件雖說是歷史法則，但其根卻出奇地深，從未經過開刀手術，只施一時的應急處置而被放置結果的小小浮腫，他指出的這點令人驚慌——如果不去管、毒膿擴散以至「日本號」再度迷航，說不定又擱淺。

例如，從印尼北東部摩洛泰島被救出的中村輝夫事件，與橫井、小野田問題相比，日本媒體的處理，實在是不清不楚，竟以短期間的話題解決掉。那是為什麼？其實似乎是毒膿已在不自覺的症狀中，擴散地相當廣。

作者將歷史追根溯源到1930年發生在台灣的霧社蜂起事件。這是霧社的原住民（高山族），反抗日本帝國台灣統治末端權力

* 作家。

的橫暴而起義殺死134個日本人的事件。當然對此出動兩千多位帝國軍人，動用包含毒瓦斯的新式武器，徹底報復，事件真相被覆蓋著，的確這或許是翌年暴發的滿洲事變恰好的實驗演習，連這在歷史上也可溯因到甲午戰爭。

那麼思考叫作中村輝夫（本名史尼育唔，1975年1月8日以後的中國名為李光輝）兵士所登場的大東亞（太平洋）戰爭時，以其戰爭理念「八紘一宇」為根柢的「大東亞共榮圈的確立」，是對亞洲何其重大的犯罪，不能不令人重新認識。

作者自稱是1955年以來搭乘「日本號」的客員，但他不是普通的客員，而是抱著與領航員同樣心境（情）注視著「日本號」怪異的航行，而發出很溫馨、謹慎的獨白作為警告。因為，他是被日本政府規定，必須經常攜帶記有「中國」國籍的外國人登錄證、1931年出生的台灣出身者，也是在皇民化政策洶湧的台灣的國民學校（皇民化政策下把小學改稱國民小學），被強迫背誦教育敕語，「賜給青少年學徒敕語」，受過勤勞動員的「本島少年國民」。

我們要珍惜敢於搭乘「日本號」的他的信賴。

本文原刊於《東京新聞》夕刊，1976年9月11日

揚棄自以爲是的多元思想
——《新亞洲的構圖》解題

◎ 內村剛介*著・林彩美譯

「出生於明治的日本人很耐嚼，而大正以後出生的日本人，口感雖好但……」——這是某日某時戴國煇所透露的感想。

「透露」的意思並不是說神祕兮兮地談，或不經心地說漏了口。而是我覺得他是壓抑著，但看到我還是不能自己地脫口而出。的確是某日某時我聽到這個，一直以來難以忘懷，所以至今猶如昨日之事而深留腦海，在此特地記上一筆。

自「某日某時」見面迄今也有將近十年了。那「某時」的發言，應該不會是相互試探的第一次見面時，而是在第二次相會後，對方的影像多少在各自的意念之中有了一定的焦點的時候吧。那時他想要說的是什麼呢？

他是想把大正時代出生的我提升到明治時代嗎？或許是這樣，不過後段的「口感雖好但……」的餘音令我猶豫。因此不管是明治也好，大正也罷，既然是日本人，我就得接招。「怎麼接

* 時任北海道大學教授。

都可以。讓我拜見您的功夫有多高，比高下還在此後」，戴國煇手中的正解是不是如此？這個解答如果是正確的話，戴國煇現在（不是「某日某時」而正是現在）要以此「解題」測試我內在的亞洲之骨的堅實度。如果是這樣，沒辦法只有接招囉。

他者觀點中的日本

在〈代序——讓我們一同描繪在亞洲的新生與轉生的構圖〉（原題為「戰後三十年」）〔參見《全集》13〕——裡面有「把對岸戰爭的傷痕……」的一段話。聽到「對岸」我就聯想到赫爾岑〔譯註：A. I. Herzen, 1812～1870，俄國的革命民主主義者，長年亡命於倫敦，發行評論雜誌《北極星》與《鐘》，著有《關於自然研究的信》、《往事與隨想》〕，甚至於尼采（F. W. Nietzsche）的《善惡的彼岸》也從我黑暗的青春深處探出頭來。「中國人說『請注意！』為『小心！』。也不是俄文的看前面！而是小心，把心縮小！把胸縮緊！是多麼聰明的用心啊」，記得似乎是尼采的《善惡的彼岸》這樣寫著。

剛剛20歲的日本青年（或者說少年）在哈爾濱的キタイスカャ街（「中國街」），找到這本俄語翻譯、裝訂簡陋的書，就好像是昨天的事而忘不了。那不是過分擺架子，裝模作樣，極盡青澀的尼采，而是親切、俏皮的尼采在哈爾濱的「中國街」。爾來我對鬼臉嚇人恐怖的日製尼采與杜思妥也夫斯基便敬而遠之。那麼對於日製的中國就更不用說，是自然將之敬而遠之的。中國就在我眼前，如字面就在臨近。所以不需要「日製」的，確實在眼前，但必須透過我的心，把心縮起來交往不可。因為雖說是近在眼前，中國畢竟是「對岸」啊。

日本人是視覺型的民族，適合於把握二度空間的平面，至於對三度空間的立體或支撐那立體的心，就非常茫然不知所措，是我那個時候的感想。然後終於有關那一點的，亦即思考三度空間以及構成那戲劇有關的日中之差異。首先有關觀賞「戲劇」，日本是「觀」而中國則是「聽」。那麼如何掌管眼前的三度空間舞台呢。事到如今，我們對於天生演員的中國人，與不被分配角色之前則不知所措的我們日本人之間的差距，因為文化的累積與質的落差令我不禁啞然。比方是上班族，中國人是自己發聘書自發去行動，而我們日本人在拜領聘書之前是無法行動，甚至於一旦動起來也無法自行停止。

戴國煇說「對岸」時，那不會是日本式的平面上的對岸。如果想起發明一個「他分（他人）」抛給日本人作為補充日本語「自分（自己）」新語的，是戴國煇的話，就可想而知他所說的「對岸」是立體而且是動態的，在此意義上正可知道是扣人心弦的吧。

〈從殖民地・台灣的反芻〉——已成為表示彼岸・此岸之間具體證例的東西。因為是要談有關被剝奪姓名的台灣人事之故。名在此當然不是名聲，是固有名詞，日本把個人的自我認同的憑證奪去。喪失自我認同這辭句在此岸的日本由江藤淳〔譯註：文藝評論家〕等作為國內廣播用而高聲疾呼著，「到底看哪裡的誰的臉色之後才能有那種說法啊」的詰問從對岸探出頭來。在那邊連「臉」與「名」的一致都不能得到。從「臉」上被剝去了名字。那樣的存在在「對岸」台灣是確實存在的。

不只「名字」被剝奪。言語也被剝奪的是「對岸」台灣。所以這個「對岸」並不是與「此岸」平面地相連的「對岸」。然而在歷史的現實是把「自分」與「他分」作為「一體」連接時的「對岸」出現。這是把「他分」單方地拼入「自分」的「一體」，也就是不給只搶的「一體」，因此對「他分」的「對岸」，施加「自分」的語言暴力是顯著的。（語言之學也可能是暴力之學，就如同文化人類學也可能是侵略之學一樣）其實臉與名的剝離還只是序幕而已。接著是以叫作日本語的泥腳踩進對岸的腦中。（〈某副教授之死與再出發的痛苦〉〔參見《全集》1〕、〈吳濁流的世界〉〔參見《全集》15〕）

〈從「華僑問題」進入〉──日本人非常缺乏國際規模的「流亡與自存」的經驗，幾乎是零。華僑問題這個語詞帶著引號是作者表示有那種內情的含意。帶引號的「華僑問題」簡明地講就是「好像你府上華僑在成為問題的模樣」之意吧。

中國人自問，當他們流亡到新國家時，該如何落地生根？這時，中國的悠久文化會有自我存在的主張，因此常常產生戲劇性的情況。文化的擁有者，即中國人被迫站到拋棄原有物情況的立場。豐碩積累的文化主張自己的存在的話，面臨落地生根之際，現住地的諸條件逼迫其放棄該文化時，說不定會發生糾紛。於是可以說中國人的流亡與自我，首先要經歷擁有者喪失所有物時，呈現必經的痛苦。

以戴國煇的術語來說就是在「他分」之土壤上使自己的「生」著地時「自分」到底會變成怎樣。華僑問題的思想中心是把「自分」與「他分」的爭執以非常尊重他分的立場，亦即以價值的多元作為當然的前提，應立體地、動態地、戲劇性地解決。因此從來沒有遭遇這種場合的日本人對華僑問題的議論，戴國煇還是不能不加上引號。

華僑的文化積累不限於中國產的東西。又，華僑們在新天地的落地生根當然不會一樣。現在已是無法以華僑一語來總括的各式各樣。而且是民族的東西、民族主義、民族性的問題（亦即國家的身分認同問題）與階級問題糾纏在一起而曲折纏繞著那多樣性。於是必須擺弄〈東南亞華人研究的新觀點〉。不是「華僑」，而是有讓人叫作「華人」的東西。那原因是什麼？弱小少數民族如今作為人類的一員也擁有一票。而這「一員」的國家之中的「華人」，又在那之中的誕生地的階級社會，對自己與他人尋求民族（國家）的身分認同。

這些多數華人已不是實力者華商。有實力的華商——暫時稱之為「出身中國的商人」——已是微乎其微。大多數為勞動者是一般的事實。日本人不曉得這事實的理由，戴國煇主要將之歸因於日本人的同質性感覺。一億一體的日本人的行動方式的確對近代日本是有利的，但是那同質性反而變成負面，因為世界特別是東南亞已多元化。他為我們出主意，為了你們自身趕快承認吧，愈快愈好，不然……。每看到我們的無主見，他的指教有時會變成嚴厲指陳。例如這樣——

語言是意識的反映，承襲沿用沒有實質內容的言詞，以及粗糙地使用言詞，不僅會帶來認知上的錯誤，也會導致文化本身被

> 糟蹋，這點是我希望能加以改善的地方。
>
> 特別是在戰後的日本，因爲所制定當用漢字中沒有「僑」字，新聞界用「商」字代替「僑」字，而將華僑稱爲「華商」，尤其是一些大報所帶來的誤解是無法估量的。

這意思是，曾經我們以泥腳踩進台灣人們的腦中。現在卻到了用自己的腳踩踢自己的語言與文化而不顧的程度。戴國煇客氣地說「造成的誤解是無可計量」，但直截了當地說，這裡的「誤解」正可說是「破壞」，而不是自然破壞可比，是存在的破壞。這裡的這個引用之後，現在這「華商」的日本製中國語是什麼已是很清楚了。

〈思考日本人與亞洲的關係〉——是戴國煇一貫的態度。

對中國叩頭，然後轉身侮辱之，現在又轉回叩頭的日本人，尤其是日本的大報，戴國煇比我更憂心——只對新中國・社會主義中國，大國主義地聚焦，反過來是輕視東南亞雖小但各自存在的各國，因此遲早會關聯到斷送日本的自存與自立的存在。日本已不被允許傲然地披著OECD〔譯註：經濟合作發展組織，Organization for Economic Cooperation and Development〕的外皮回歸到亞洲。

東南亞與日本同樣有有血有肉的真正的人們，亦即獨立生活的人們以各種生活方式居住在他們的國家，不要忘記這個事實。「亞洲是一體」並非事實，不要再搭亞洲一體論＝新亞洲主義等便車。以縱向社會（被認為是日本社會結構的特徵，即在人與人的關係重視上下序列的社會）規範為優先的日本人的語詞裡有

「自分」但沒有「他分」。從那裡只衍生出強加於人，多管閒事（〈請承認有他分的世界〉）。岡倉天心、福澤諭吉、中野正剛都是如此。我們——戴國煇如此總結——作為創出日本與亞洲應有的善鄰友好關係的前提，我想首先要相互使此支撐亞洲情感的精神土壤「相互依賴的結構」崩潰。幸虧日本友人之中也有……。

〈霧社蜂起事件的概要與研究的今日意義〉——是把〈從殖民地・台灣的反芻〉從根部翻掘使之理論化的論文。這次是對體制暴力機構的分析。當然，傲慢是卑小・卑劣的別名之故，暴力是顯示無說服力的無力卑劣的化身，但問題的層次更為粗淺，亦即有關「霧社」的研究幾乎連系統都未建立。因此領悟到「霧社」研究還處於斧鉞未入的學術荒蕪，連專著都沒有。因此需從整理既往的研究成果開始，不得不僅止於提示起點而已。這是誰之罪過，又是誰之責任，戴國煇在此不把責問正面點破。他不這樣做，而是地道地表示填補此歷史缺落的意志。思想就是意志、思想的質是受敘述意志態度的保障，所以戴國煇在分析台灣「霧社」之際，可說對思想的營造本身專門地投入。他的態度是「作為一個告發自己的作品來思考」「而不是為了揭發日本人的舊傷口為目的」做了明示。

論述背後的抒情

我沿著其大綱骨架走了一趟戴國煇的世界，有關於大綱應該沒有遺漏才對。那麼是否讀了此「解題」就不必看本文呢？可不是這樣。

我們是不能只靠原理活下去的存在之故。我們在原理實現的斷面喘著氣是現實的情況。僅以革命的原理就有飽吃的「原理的」職業革命家們，實際是以誰的果實作為糧食呢？總之我們與那樣的徒食之輩相對是「其他大部分」的角色。像我們這樣正經規矩的人來說，生存只是在各個小小的斷面苦悶地相愛，過於正直地誠實地插在各自的小小斷面。戴國煇作為學者卻意外地不糊塗，是因為他正確地站穩在那裡，絕不脫離正軌之故。讀者應該可以在他的文章到處讀取到從原理論述的底部滲出、抒情的微妙東西。只是臨摹那骨架也只有自外於此微妙而無他。

關於「對岸」、「他分」，想以當世流行的概要來充數的話，只有漂流在風俗之間，與既不是「自分」又不是「他分」的東西糾纏。而且那也是深浸在戴國煇糾合大家鏟除的「『相互依賴』結構的亞洲情念」。戴國煇沒有用語言表達，日本人精明而變換之快看起來聰明，其實到頭來卻是愚蠢的。但是沒有說就聽不到，聽不到就以為沒有，這時我們才是過於聰明的自以為是，亦即愚蠢在大搖大擺。人間劇不應只自作聰明地「觀」，還應該要「聽」，而且是小心地聽，連演員未說出的台詞都必須要聽取。有關戴國煇所寫的東西，只凝視字面是不夠的。何況只以骨架，概要精明地敷衍了事，那是普通傳統的日本，怎麼看也離賢明非常遠。

地球與亞洲都變小了，一波必定擊起萬波。戴國煇當然不是尼采，但對尼采的小心之說應有同感吧。看前面！是明治以來我們日本人所奔馳過來的路。而現在是小心！觀看是不用說而是更要凝神地用心聽，然後動態地以總體看吧。不要自以為是地提倡亞洲的一體、亞洲的領導權，首先要傾聽亞洲年輕而小但自存的各國人們的聲音。然後將之編入並啟動柔軟的創意，不要怠忽微調整自己的軌道，這些現在都關係到日本的存亡，「獨立的演員本來就要這樣」，戴國煇以不成聲之聲細語著。

地球變小，因此日本的存亡或許也是亞洲的存亡吧。像樣而精明的我們在這裡如不改弦更張到愚直就不得了了。不要只輕鬆隨便地講「對亞洲的贖罪」，這次真的要把我們自己的自作聰明愚直地鏟除從這裡開始。亦即作為意志的問題・思想的課題「我們的亞洲」才開始，而這路程，依然是「遙遠的亞洲」是肯定的。但是意志這個東西應該從頭就是預期困難的吧。

「不管是誰，開始認為自己是正確，就是此人墮落的開始」——這是日本人石原吉郎從北方的西伯利亞的「社會主義國」帶回來的話。可以說這是台灣的人戴國煇從南方的對岸向日本提示的「多元」的思想用別的說法來表達的。兩者都把「自以為是」作為自我警惕。不問方位・空間如何，窮其究竟的謙虛的兩人相互領會融通，不期而共同指向一事。

1977年3月25日　東京

本文原收錄於戴國煇，《新亞洲的構圖》，1977年6月15日，頁265～277

以日本統治下的親身體驗爲背景

——評《台灣與台灣人》

◎ 鮫島敬治*著．李毓昭譯

一開始閱讀本書就覺得妙趣橫生，但隨著興致往下讀，就逐漸緊張起來，有時甚至有喘不過氣的感覺。

作者於1931年生於中國台灣省，1955年來到日本留學，取得學位後，在研究機關任職一段時間，然後在大學執教鞭，成為旅日學者。從其出生的時期與地點可知，其少年時代是在日本殖民地統治的「皇民化」政策下度過的。因為有此原始體驗與經歷，作者除了主修的農業發展論之外，至今為止也出版了許多本與近代中國、日本有關的好書，例如《與日本人的對話》（社會思想社）、《境界人的獨白》（龍溪書舍）。如果說這些著作是著眼於台灣四周環境的「周邊論」，本書是把焦點放在台灣本身，這是否表示作者終於把手伸到心目中的主題了？從本書可以窺知作者這份心思。

雖然主題可能艱澀難懂，本書卻平易近人，因為緊接在第一

* 時任日本經濟新聞社論說委員。

章之後，就是〈我的日本體驗〉。此部分從料理談起，然後從語言用法、自我主張的方式顯示出的「生活樣態」、對外來文化的因應模式等層面，指出日本人與中國人的差異，內容具體，也很溫和。先提出生活周遭發生的事情，再把話題伸展到歷史的重量或傳統的本質，再歸納出與異質文化交流的問題，不僅是優異的日中文化比較論，也可以說是合宜的教養書，讓人去思考日本社會的國際化，以及與他國互相了解的情況。對於前往台灣、中國，以至朝鮮半島、東南亞旅行，或想要思考亞洲情勢的人來說，光是這個部分就值得一讀。

當然，本書的重點和作者的主題是台灣本身。如同「日本人與台灣」、「台灣統治與少數民族」、「殖民地體制」等組成的篇章所示，貫穿其中的是從甲午戰爭以至第二次世界大戰的日本殖民地統治問題。不過，將「侵犯者的責任」與「被侵犯者的責任」並列，挖掘其中蘊含的心理問題這一點，才是本書突出的地方。

近代以後的台灣發展大致上是由來自福建、廣東的人揭開序幕。此過程就是一部「開拓史」，內容是那些移民對原住民的驅趕、迫害與壓制。遷入者尋求更有利的生活地點和主導權時，一方面分別與不同出身地的族群搏鬥，一方面維持加害者的立場。在日本統治、國民黨統治，以及融合的趨勢中的世代交替繼續著。這方面的敘述猶如作者拿自己開刀的「苦悶紀錄」，令人感動。

本文原刊於《日本経済新聞》，1980年2月10日

扣人心弦的自我確認之路
——評《台灣與台灣人》

◎ 富山和夫*著．林彩美譯

作者是出身舊殖民地（台灣）的在日中國人學者，已經有數冊傑出的中日關係的論述著作問世。一直以來把「台灣的問題帶到日本與亞洲的總體之中而刻意閃躲」的作者，這次卻正面直接地以「台灣」為名的書出版，我想一定是有相當的精神準備才對。

本書是以作為全體標題的開頭新作的第一章外，其他是將已發表的論文彙集而成。迴異於有料理、言語等的中日文化比較論，關於台灣事物的日本人論（如批判後藤新平、伊澤修二、矢內原忠雄、細川嘉六等），高山族問題（霧社事件的花岡一郎、高砂義勇隊員從印尼摩洛泰島於1974年12月生還的中村輝夫論），然後是殖民地體制下的台灣知識分子群像的榮光與悲慘的驗證等而成。

對於負有台灣統治原罪的日本人讀者，不管任何一篇都有迫

* 時任日本國立國會圖書館農林課長。

使你做深深反省的東西，讀後感覺是很沉重的。但是作者的基本主題始終是在作為台灣人的自我確認上。

台灣人是什麼？說要尋求自我認同，也並不是像韓國人那樣堅如磐石的團結。又未曾有形成過一個國家的歷史（反抗甲午戰爭的結果，對日「割讓」而宣告成立的台灣民主共和國，也只是曇花一現而已）。

本來台灣是以清朝的國內殖民地而出發的。從對岸福建來的福佬人（講閩南語的多數派）和廣東來的客家人（講客家話的少數派）大舉上岸。一邊相互抗爭著，一邊把原住民的高山族（日據時期對高砂族的稱呼）趕上山地。此與奪取美洲印地安人的自由大地，擴大其開拓地的白人西部開拓史相似。在此很明顯地漢民族是高山族的加害者。

日本帝國主義者統治的50年，台灣島民徹底蒙受成為近代日本對外擴張，侵略原型的飴與鞭的同化（皇民化）政策。雖在殖民地下痛苦地呻吟著，但自尊心很強的漢族，或相信祖國中國最後終究會勝利而忍耐著，或把自己的境遇比擬為「徬徨的猶太人」而深自惋惜為「亞洲的孤兒」。另一方面，把日語當作部族間的共同語言，在「蕃界」中最「開化」的霧社高山族卻爆發衝擊性很大的抗日武力蜂起的霧社事件（1930年）。

八一五（光復）後，台灣名正言順歸屬中國。但是此後不久發生的二二八事件（指對作為行止宛如占領者的國民政府的失政所引起的1947年之暴動事件），帶給漢族島民難以抹滅的失望與挫折感。

論述視野廣闊

本省人與外省人的對立形成，日本統治時代的知識分子亡命於日本或美國，展開了1960年代的台灣獨立運動。並且把國府統治說成是外來政權。不過他們的台灣民族論是「用沒有民族的民族論是無法革命的」。事實上，台獨派在進入1970年代便相繼歸順而消滅。

在這期間一直呼籲著要反攻大陸、抱持一個中國論的國民黨統治下的台灣，進行著戰後世代的融合。以北京話接受著平等的高等教育的新世代，早已沒有本省人與外省人之差別。通婚又加快了融合，與疑似日本人的父母世代的代溝擴大著。總而言之，台灣人這個概念變成胚胎被植入是1949年北京政權成立以後的事，卻「不謙遜地循著動與反動的絕妙辯證法的美學表現」，尚在歷史的形成過程中。

處在如此苛酷命運玩弄下的台灣人，到底要確立自己的自我認同於哪邊？身為「皇民化」世代而在漩渦中生存過來的作者，把自己的個人史與此相重疊而刻意挑戰此難題。本書就是這個驗證的期中報告。也陳述了漫長險峻的心路歷程。特別是以下兩點令人銘刻在心。

一個是解放了台灣出身者把台灣史限定在僅有台灣一個島史的傳統狹窄視野，而明確地定位在中國史的一環。加之發揮自己的殖民地親身體驗，主體性地要加入中國史重寫的姿態。這一點，與曾經有過一段時間在日本人之間博取相當同情的台獨派王育德的《台灣——苦悶的歷史》等是大不相同的。後者過於拘束在台灣，把自己的命運自歎為中國近現代史的孤兒，自視為被害者而陷入作繭自縛之境地。

另一個是否可以說是站在自我與他者相對化、極北立場的不同觀點思考吧，終究把只有從周邊著手不然就不能掌握全體性的「構成本質的異己分子」（大江健三郎）的觀點徹底地貫徹了。作者作為客家出身，自問對高山族的加害責任。在徹底的批判日帝統治的同時，也不忘記被侵犯者方內部的責任。因此今後「要阻止侵略、侵犯方與被侵犯方各自的結構性體質，雙方的有心者應互相握著手將之早早摘除」他如此斷言。

從日本人的立場來看，對本書的細部也有一些異議與要求（比如否定矢內原的神格是可理解，但對於細川無條件的表揚我不能苟同，以及連優質的吳濁流文學都跨不出私小說領域。在台灣為什麼生產不出如《朝鮮總督府》〔柳周鉉〕那樣的大眾歷史小說等）。然而作者的如上所述的視野之廣、志氣之高，被其這般的特點撼倒的應不只評者一人吧。

本文原刊於《エコノミスト》第2340號，1980年2月12日，頁90～91

呈顯被殖民者思考的多樣性

——評《台灣與台灣人》

◎ 石橋秀雄*著・蔣智揚譯

如果現在嘗試著向日本人提問台灣是什麼？台灣人是什麼？能夠立即正確且明快地回答的人究竟有多少？老實說結果應該是幾近零吧！

本書針對此問題，透過作者自己的體驗，敘述其解答的難度。對於曾為殖民者的日本人而言……。作者出生於台灣省（祖籍為廣東省梅縣，客家出身），少年時期親身體驗過日本人的殖民統治，長大後留學日本，至今已經歷了二十餘年的旅日生活，為農業經濟史、台灣近現代史、華僑史的研究家。其學術論文有《中國甘蔗糖業之發展》（亞洲經濟研究所）、《與日本人的對話》（社會思想社）、《境界人的獨白》（龍溪書舍）、《新亞洲的構圖》（社會思想社）等，廣受識者的注目。

具上述經歷的作者，將基底置於曾在日本殖民統治下的台灣，以在1970年代的報紙與其他雜誌上等發表的論考為中心蒐集

* 時任立教大學教授。

加以整理，並加上新近完稿的「台灣與台灣人」之一文為題，彙總為一冊而成本書。其所收論文依目次如下所示。〔略，參見《全集》1〕

作者以位居日中之間的「境界人」自稱，要求日本人認識「他分」的世界，首次將台灣二字加入書名，在本書末〈後記〉寫著：

謹將本書獻給
爲了恢復與確立做爲中華民族的一員的
也是做爲人的尊嚴
以及爲了做爲一個完成的人的生存
而流盡自己血與汗、奮戰的台灣人諸前輩

此具有深重的意義。至於感受如何，依閱讀本書的人們而有不同，亦未可知……。不過在此，由於日本人的意識欠缺國際觀，導致對他人的無知與誤解，甚至可說自以為是的獨斷與偏見，嘴上說的與心裡想的不同等等，有甚多啟發之處是不容忽視的。而且這不是被殖民者控訴殖民者的狹小立場。作者也表明了被殖民者思考的多樣性，吐露著真摯的熱情與苦惱，追求著超越民族，超越世代的普遍價值。視野深廣，有異於以往日本人所提倡的脫亞與興亞。就此意義而言，本書不僅適合從事世界史教育者，亦廣泛適合所有日本人熟讀，故特予介紹，包括作者已刊諸書。

本文原刊於《歴史と地理》第294號，東京：山川出版社，1980年2月，頁58

從世界史的潮流發展掌握台灣

——評《台灣往何處去?!》

◎ 井尻秀憲*著・李毓昭譯

本書作者戴國煇是知名的中國・台灣研究者，有著來自客家，生於台灣，在日本居住超過35年的特殊經歷。本書收錄涉及台灣海峽兩岸關係的文章，是作者最新的論文集。作者之前已有不少著作，我接觸過的有《境界人的獨白》（龍溪書舍）、《台灣與台灣人》（研文出版）、《華僑》（研文出版）、《台灣總體相》（岩波書店）等。作者一方面擺脫褊狹的民族主義或台獨運動的立場，從全世界的國際環境或世界史的潮流發展等角度去掌握台灣，另一方面在中國史悠久的滾滾浪濤中，懷想中國大陸的「中原」，自稱是「一名台灣出生的中國人」，確定自己的身分。這一點令我深感興趣（這方面請參考拙文〈「台灣共和國」有民意嗎？〉〔〈「台湾共和国」に民意はあるのか〉〕，《東亞》，1990年3月號）。

本書是以作者這種立場為基礎，第一篇「台灣往何處去？」

---

* 時任神戶市外國語大學助教授。

是從1990年5月李登輝總統的就職演說談到最近的台灣情勢，第二篇「有無第三次國共合作？」是收錄1980年代作者的雜誌對談，第三篇「天安門事件的歷史定位！」是收錄對天安門事件的評論，綜合各章的內容，是在「台灣往何處去？——與『中國往何處去？』的關聯？」這個主題下歸納出的討論作品。

全書尤其精采的是第一篇，討論總統就職演說後李登輝體制下的台灣，裡面有許多看法與我這個研究台灣政治的新手相同，令我大受吸引。本書開頭是作者和從台灣、美國來到日本的匿名友人討論政局，提到1990年5月20日李登輝在第八任總統就職典禮中的演講，討論這個預告李登輝新時代序幕的訊息透露的意義。書中採取與來自台灣等外國朋友高談闊論的形式，而且藉由這些朋友之口說出微妙而重要的言論。這種手法曾在作者之前的著作中出現，在本書的運用也相當成功。

李登輝總統曾在接受日本雜誌的訪談時，坦率地表明自己的出身或血緣說：「我的祖先是從福建省的永定縣來到台灣的客家人，新加坡的李總理也是客家血統。」而且選擇國父（孫文）紀念館為就職典禮的場所，演講時背對著孫文的大肖像。對於這些事情的政治意涵，作者讓一位友人說：「對於李登輝的上述發言，我可以直接判斷，他應該是要藉著這段話，對台灣內部暗示：『我是客家出身，也記得大陸的血緣與文化根源。我並沒有考慮要脫離中國或獨立。』」而對於中國大陸，除了上述的暗示，還可以解讀為是在委婉地主張：我李登輝和李光耀一樣，雖然認同血緣，但以後應該要說什麼，或是應該要主張什麼，我都不會有所顧忌。至於這一點與國父紀念館就職演說的關係，作者又讓友人表示：「他先表明自己是客家人，而且選擇國父紀念館為就職典禮的舞台。演說是以附有國父遺囑的國父肖像為背景，凸顯出中華民族、中華文明，同時確認大同與團結的理想，視之為未來的目標。這就是李登輝此次就職演說中表達的基本脈絡。」

作者接著讓一名朋友說：「我更為關注的是，李先生認為國際情勢已經從對立走向和解，而表明要在最短期間依法宣告終止『動員戡亂時期』（動員鎮壓叛亂時期【態勢】）這一點……。同時讓人有興趣的是，他先是定位『台灣與大陸是中國不可分割的領土，所有中國人都是血脈相連的同胞』，然後極力主張『當此全人類都在祈求和平、謀求和解的重大時刻，所有中國人也應該共謀以和平與民主的方式，達成國家統一的共同目標』。總而言之，應該就是建議順著全世界緩和緊張的潮流，在一個中國的架構下和平對話。」

李登輝總統在就職演說中提出「三條件」：大陸推行民主政治與自由主義制度、放棄在台灣海峽使用武力、不妨礙台灣的「務實外交」，另外也對中共「首次公開呼籲互相對話」。作者對這一點給予肯定。而在總統就職典禮結束後的記者會上，李登輝總統說：「中華民國是主權獨立的國家，在台灣這個地方存在是儼然的事實。」同時作者也注意到他以全名「中華人民共和國」稱呼中國大陸，而如下解說李登輝總統的態度：「可窺知劍道好手 （舊制台灣高等學校一年級時是初段）李先生的性格與採取的手法——在窮境中力求正面突破的正攻法，讓人深感興趣。」

這些都是很有意思的敘述。但是鑑於近年來李總統在國民黨內飽受「非主流派」的「台獨」或「獨台」抨擊，我覺得李登輝這一連串的發言是在對台灣內部的各方勢力發聲（尤其是為了駁斥國民黨內「非主流派」所做的深謀遠慮），並不是針對大陸，並不表示他意圖使台灣海峽兩岸關係產生變化。因為依我的推想，李登輝的想法是等到大陸出現「民主政治與自由主義制度」的環境，就是以對等立場「對話」的契機，可是在目前的時間點，由於後鄧小平時代的接班問題，政治的混亂是可想而知的，積極打出大陸政策對台灣來說並非明智之舉，所以李登輝總統在當下應該會慎重考慮。（關於這方面，請參考拙文〈李登輝總統就職新宣言的周邊〉〔〈李登輝総統就任新宣言の周辺〉〕，《世界與日本》，1990年6月25日號。）

就這一點來說，我認為李登輝政權在此時此刻的首要政策應該是達成國內的「全面民主化」，而不是急著進行黨內「非主流派」所主張的積極展開大陸政策。我認為大陸方面現在也沒有因應此事的餘裕。但是，台灣的「全面民主化」與大陸情勢的走向密不可分，我完全同意作者對「台灣往何處去」的答案所下的結論：「那是與中國往何處去有關聯」。

另一方面，本書第一章第三節提到「台灣人抱持的自我認同苦惱與邁向國民統合的課題」，作者強調說，台灣受過日本殖民，而且之前是「清朝中國的邊陲、國內的殖民地」，在台灣創造國家與國民意識的課題，與第三世界新興國家所抱持的諸問題大不相同。換言之，日本的敗戰與第二次世界大戰後的重新出發，對台灣來說是名副其實的「光復，亦即回歸祖國=中國」，在這種時候，「儘管模糊不清，但還是有中國的國民意識」。作者說：「然而，現今想來，人民在為光復歡喜時，很少去過問光復的實質與原本的意義，只注意『光復』之名與法的形式，身分認同的問題並沒有進入知識分子的視野。」而產生以下的感觸：「人民並沒有好好思考、去質疑日本統治對台灣人而言是什麼、台灣是什麼、中國是什麼、台灣人是什麼、中國人是什麼，或是回歸中國後的自己是什麼之類的問題。」

接著作者又陳述說：

> 蔣介石、蔣經國父子因專心致力於鞏固流亡政權，無暇處理二二八事件留下的傷痕；他們更嚴禁人民談論事件內容，繼續試圖將一切鎖入黑箱中，姑息對應，再加上中國傳統政治文化的影響，他們鮮少關心台灣省民錯綜複雜的「草根情結」（Grassroot complex）。
>
> 台灣從殖民統治中解放而出之後，在善後處理上的首要課題遭到了忽視與置之不理。當本島人以台灣省民，同時也是中國人的身分重新出發時，由於缺乏了建立認同時理應具備的良好環境與關切，在二二八事件和白色恐怖的傷痕上添上認同的苦惱與危機，最後終於演變成今日的省籍情結（本省人與八一五後自大陸新遷來台的外省人的對立）。此一暗影對台灣社會與政局而言宛如定時炸彈，同時也是不安的根源。

作者又懇切地指出，台灣人在日本與國民黨統治下的台灣近現代史中，有必要「建立深入草根的身分認同」。而對李登輝政權提出建言：「於此新時代拉開序幕之際，作為台灣人的總統，旁人難以代行的急務是：第一，克服省籍矛盾；第二，在歷史哲學與政治哲學支撐的見解下，對台灣省人對中國人的認同感提供重建方向；第三，先使台灣地區的國民統合更加確定，再歸納出所有住民的共識，全權掌握政局。」（字下圓點為引用者所加）

同時，這份建言也受台灣海峽兩岸關係有關的下列李登輝評論所支撐：「在我看來，李總統並沒有『台獨』或『獨台』的意思……我看他的內心深處是以身為在台灣省出生的中國人自豪，對如何恢復因不幸而受扭曲的台灣省民的人性與尊嚴有深入思考。」身為評論者的我，不禁對作者的李登輝評論產生若干疑問。因為作者的理論與思考帶有替李登輝「代言、代行」的自我投射與情緒涉入，未必真的領略到李登輝的真意。

本來沒有大陸這個腹地，就不會有香港、澳門的繁榮，而台灣經濟如果繼續深入交流，就不能不以大陸經濟為腹地，加大依賴的幅度。作者指出的這一點很重要。又如同作者所說的，香港、澳門、台灣與大陸的關係，如同男性身體的「睪丸」與本體，不論是把香港、澳門、台灣切掉或吸進體內，都會喪失機能，具有一種合為一體或分離都不可能的「有機關聯性」。因此，大陸的中共如果硬要吸收香港、澳門和台灣，「『睪丸』就會陷入泥沼，甚至在最後導致本體大陸掉進惡性循環的大海，有再度溺死之虞」。上述在「民族和解的大義」底下，「應該隨著世界新的潮流，將互相排斥、全然異質與敵對的關係轉換成和解與共生的關係」既是本書有關台灣海峽兩岸關係的假說框架，也是期待。

「考慮到國府台灣已經不可能反攻大陸取代中共，在狹小的台灣呈『畏縮』或『萎縮』形式的『台獨』或『獨台』，就台灣經濟的規模與貿易導向型的國際性格來說，顯然無法跟上21世紀的潮流。」這裡表現出作者所掌握的現況，以及對未來的展望。而除了傳統的統一論與台灣獨立論之外，作者也期待「中華民族的年輕世代」能夠去談論聯邦制等事情，抱持遠大的理想或「夢想」。

如上所述，本書具有廣大的包容力，因此能打動讀者。然而，政治的現實會受眼前的種種壓力所束縛，「愚行的蓄積」也會不斷發生，所以也必須知道實際問題的解決伴隨著莫大的困難。舉例來說，我雖然認為，在思考台灣的民主化時，要脫離「本土化」或「台灣化」等國民黨傳統的政策爭議，不論是本省人還是外省人，只要是透過「由公民的代表競選的選舉」選出來的，誰都能夠實行政治，而創造出這種「制度」，就是民主主義的本質，但是要克服這種「省籍矛盾」，從台灣複雜的政治現況來看，並不是容易之事（這方面請參考拙文〈在保守與革新中擺盪的李登輝體制〉〔〈保革のせめぎ合いに揺れる李登輝体制〉〕（《海外事情》，1990年11月號）。更不用說牽扯到大陸問題時，預測未來就不宜過度樂觀。如同蘇聯重組改革呼聲的退卻與波斯灣戰爭所示，很難說現今的世界情勢一定是朝著「和解與協調」前進，政治的世界仍處於「一寸之前是黑暗」的狀態。

本書除了這裡詳細介紹的第一篇之外，其他章節也很有意思，我從題為「分析第三次國共合作的可能性」的演講紀錄，和第三篇有關天安門事件的評論中，似乎看到了作者精湛的分析與筆力。相對之下，占據第二篇大部分，採座談會形式的對談，有些內容現在看來已經過時，除了與陳映真、松永正義兩位談論的部分，感覺談話也沒有那麼犀利。只是本文開頭所說的主題與作者手法貫穿本書，應該能吸引許多讀者。建議大家一讀。

本文原刊於《問題と研究》第234號，東京：問題と研究出版，1991年3月5日，頁92～96

尖銳地指出認知缺陷

——評《討論日本之中的亞洲》

◎ 關寬治*著．李毓昭譯

本書是將座談會（「討論・1970年代的睿智」）內容編輯而成，與會人士包括長年在日本念書，目前仍留在日本的亞洲研究者。除了台灣出身的戴國煇之外，還有韓國、越南、新加坡的研究者。日本這邊則有作家堀田善衛、研究經濟學的長洲一二、瀧川勉、藤村俊郎，以及山田宗睦、田中宏、鶴見良行參加，由在《中日新聞》連載當時的中日新聞文化部次長三浦昇擔任全場的主持工作。以座談會來說，內容非常充實，反而讓人感覺是準備周到的專題討論會。

戴國煇寫的〈憂慮新亞洲主義的抬頭〉這篇序文非常有意思，對於了解本書的性質也很重要。「亞洲民眾看到之前緊急呼救時都不回應的各位日本人突然說：『啊呀，亞洲很重要，必須要對亞洲有更多了解；亞洲很落後，亞洲很窮，非做點什麼事不可……』以高調的美麗詞藻想要回歸亞洲時，其實是感到困惑不解的。」戴如此寫道，擺明了拒絕亞洲一體論的立場。原因如同

* 時任東京大學教授。

他所說的，日本想要改善體質，從「高度成長、輸出主導型經濟」改為「穩定成長、福利國家型經濟」，並無法像嘴巴隨口說說那麼簡單地轉換。因此，雖然基於善意，主張應該從「強者的理論」改為「共存的理論」，抑或從「上下關係，亦即統治者與被統治者的關係」，改為「橫向關係，亦即互惠、平等的關係」，理念仍然僅止於理念，頂多是像硬要亞洲民眾去接受空泛的畫餅一樣，意義不大。問題的根源在於日本人的內在，亦即與日本社會體制的內涵有關。

本書的開頭是「①自分與『他分』」，尖銳地指出日本人認識亞洲的本質缺陷。接著是「②惡的結構與贖罪意識」提出來自日本舊殖民地的觀點，其次是與日本的比較「③國家與農業」從國家與農業的關係探討對東南亞的觀點，然後是「④圍繞越戰戰爭」，說明越戰在世界史中的意義與日本的關係。其中提出來的重要問題都不是單憑經濟學、政治學或國際關係論等個別的學養就可以解開的。壓軸是「⑤為誰的『開發中國家援助』？」富含寶貴的啟示，有助於思考未來的亞洲與日本。關於經濟援助的問題，雖然已有種種不同的討論，但目前恐怕還沒有經濟學者能夠開出有自信的處方。

本書的結論提到「面對著新巨變被截斷後路的日本」，這句話對日本來說極具象徵性。對於此後打算前往亞洲，或是要認真思考亞洲問題的人來說，這是一本比其他書籍都適合的入門書，值得推薦。

本文原刊於《北海道新聞》，1973年9月9日

事前的答案頹然崩解？
——評《討論日本之中的亞洲》

◎ 加藤祐三*著 · 李毓昭譯

本書可以說是多達18位知識分子參與討論的現代論。

由於有些人重複出席，所以實際人數是13人，其中有9人是日本人，4人是在日亞洲人。如此熱烈的外國人和日本人的討論是前所未有的，或許可以說是知識分子的節制與冷靜使如此的討論成為可能。

「我對日語中的「自分」一詞很有興趣，覺得既然有「自分」，就會有「他分」，但是查閱《廣辭苑》，卻沒有發現。」

相對於「自分」的同格名詞是「他分」，這個指摘十分敏銳。仔細想來，我們並沒有「他分」的詞語和觀念。在過去，與「自分」相對的是「國家」，現在則是「公司」。橫向關係有無數的「他分」，而許多條線中的一條是「公司」，這一點確實讓人意想不到。必要時，亞洲還會出現在「公司」的延長線上。對亞洲人來說，那會讓人感到莫名的不安。

* 時任橫濱市立大學助教授。

在朝鮮與台灣剝奪人民的母語，替換上日語，並在新加坡強制使用日語，還僅僅是30年前發生的事。語言是形成於幼年期，因此現在位居社會中堅的人，仍在生活中留有當時如同身體受處刑或經濟遭掠奪般嚴重的傷痕。把這些事情拋在腦後，認為一切都是那時的軍方與財界的過錯，即便說「為過去抱歉」，也無法讓人接受。

「所謂『懷著恐懼的告發』，雖然含有被害者根源於悲痛情感的權利主張，但如果一直停留在這個層面，最後就會變得依賴日本人，懶得去追究問題，這樣不也是反映出被殖民者的自卑感嗎？」這是在日朝鮮人安宇植的發言。

對於這段話，我身為日本人，也只能說：「如果沒有獨立之心，而將依賴『公司』的自卑感轉成對其他民族的優越感，等於是自我毀滅。」

不論是認為在經濟上不依賴「公司」就無法生存的都市上班族，還是覺得不依賴「政府」就無法得救的米農，如果能絞盡腦汁，從內在去改變價值感，一定會想出辦法來。也許沒有一種簡便的方式可以適用任何人，但想想小時候有一天四周都暗了，父母卻還不回來，而懷著強烈不安萌生「自立」的情況，如果還說什麼「沒有辦法」，作為一個成年人，就太沒有面子了。

一口氣讀完本書後的感覺很複雜。雖然討論的主題如同書名「日本之中的亞洲」，但看到傾囊而出的歷史體驗，讀者一定有被現代不知該說是衝擊力或無可理解性轟炸的奇妙感覺。而與討論會的出席者一樣，事先想好的答案都頹然崩解了。讀者與本書出席者共有的地平線就是從那裡展開的。

本文原刊於《東京タイムズ》，1973年10月1日

指出日本人民族性思考的陷阱
——評《討論日本之中的亞洲》

◎ 矢吹晉*著 · 蔣智揚譯

看到本書名想到一件事。就是現已過世飯塚浩二的《亞洲之中的日本》〔《アジアのなかの日本》〕一書。本書則為《日本之中的亞洲》，所以是亞洲與日本更換位置而已。所謂日本之中的「亞洲」究竟是什麼？依據本書，那是指愛奴族、未解放部落、沖繩、在日朝鮮人。凝視日本內部的「亞洲」實況（尤其是歧視結構），只有這樣的眼光方能看到外面的亞洲，不然也談不上連帶、友好，這樣的主張就是本書的重點之一。不過，這並不是談論日本之中的「亞洲」的愛奴族或沖繩、未解放部落，毋寧是依照「日本之中的亞洲」之觀點或方法，討論了日本與亞洲的關係，可以如此解讀吧！正如本書名又附有「討論」二字，除第三篇「國家與農業」外，全書採在日亞洲人與日本人明智派的對談之形式。上場的在日亞洲人為台灣出身的戴國煇、在日朝鮮人安宇植、越南人Chan Din Tuong、新加坡華人Lai Chan Gen四人，

---

* 時任職於亞洲經濟研究所。

與他們對談的日本人為堀田善衛、長州一二、尾崎秀樹、田中宏、鶴見良行五人（僅第三篇為日本人之間的討論，出席者有瀧川勉、藤村俊郎、山田宗睦三人）。

那麼來看看對談的內容。

第一篇「自分」（自己）與「他分」（他人）——日本人的亞洲認識。依據本書編輯者三浦昇的〈後記〉，此座談會是在「橫井（〔庄一〕，（日本兵下士）先生熱潮」時舉行的。其時戴國煇說到劉連仁事件，談及關於贖罪意識濃厚的日本人之戰爭犯罪採訪報導熱，指出將贖罪意識強加於人的不毛（非生產性），在思想結構上從內部檢驗再侵略的必要性，並藉由「他分」的造語，指摘日本人民族性思考的陷阱，關於這些，三浦昇記下了身為編輯者的感動。

我本身經常與戴國煇在相同的職場工作，時常被指摘身為日本人的盲點，因此並未如三浦那樣感動，不過回顧起來，不得不認為有這樣的在日外國人存在，還是很寶貴的。

不過，只是一味地稱讚也不太好吧！只想指摘的一點是戴批判長洲之處。圍繞著長洲論文〈作為日本陷阱的亞洲〉〔日本の陥井としてのアジア〕（《日本的將來三》〔《日本の将来三》〕，1972年），對於長洲式「調整、改善」（調整、改善日本內在的政治結構、經濟結構、貿易結構，或是文化的作法，只有進行人性化改造的作業，才是日本成為亞洲的夥伴之道，也是日本在亞洲不掉入陷阱的方法），戴批判為畢竟也是「日本向外進展的馬前卒吧？」如此一來，不禁要問，「老戴，那你要怎樣？」戴的立場變為問題了。的確，在第五篇「為誰的開發中國家援助——今後的亞洲與日本座談會」中，戴的教育援助論就遭到鶴見良行的提醒「戴先生，那是危險的發言呀！」。

第二篇「惡的結構與贖罪意識——從日本舊殖民地的觀點座談會」。在此從安宇植的發言受益良多。日本人的贖罪意識與優越感所交織公式化的南北韓認識、日本帝國主義下之朝鮮人民、典型之例的日軍朝鮮人軍（軍伕）屬、被當成日帝走狗的朝鮮人與中國民眾之矛盾、在日朝鮮人的問題等等，對於這些安宇植都詳加敘述。

安說，「由日本人發起對韓國詩人金芝河與國會議員金圭南的饒命運動，或對韓國人原子彈被爆者的救援運動，這些也是很好的呀！不過我認為最好將這些事融入真正深切關係到日本人的日常性，從剛才所建議的事項中來進行……」；「並非要聽到由日本人對控訴提出回答之類的辯白。毋寧是相反地，認為日本人對韓國人應該不客氣地嚴加指責。不直截了當、呑呑吐吐地拐彎抹角，這不會對與韓國人的關係與連帶有好處」；「故作威風凜凜的控訴，乃紮根於受害者的悲痛心情，也可能有權利主張的一面，但是如果僅止於此的話，結果造成對日本人的依賴，或穩坐其上疏於問題的追究，豈非被殖民者自卑感的反映？」。

充滿苦澀地自我批判之餘，呈現這樣的發言，我不知要如何接受之。

第四章圍繞著越戰——亞洲人、談亞洲。對於新加坡華人Lai的不信任日本人（包含人民），以及越南人Chan的發言「在代表南越民意的政體出現之前，援助可請稍候」，我有深刻印象。

如上，結果提及的都是亞洲方的發言，雖然對「控訴」加以否定，但對談成為只是事實上的控訴，這究竟意味著什麼？不得不認為日本人的發言未免過輕，難道日本人除了被控訴之外，什麼也不能做嗎？

本文原刊於《アジア》，1973年11月號，頁132～133

輯六◎篇目索引

未結集與未發表著述篇目索引

數字

一畫　一

二畫　了八

三畫　小

四畫　中分介戶文日反

五畫　世以充台外民永由甲立另

六畫　伊列吉同向在如存有自血西

七畫　作你吳含我抗把更李究那序

八畫　亞來兩刻制岡放於明東武注河狐社近金松

九畫　品客帝建思政昭爲相紀美重

十畫　孫家拿旅時神祝能送追馬袚

十一畫　做動參國基寄屠從探推梅理異移第被連

十二畫　掌圍彭絲給華視評開須提喚

十三畫 裸感新楊溫經解試運當

十四畫 對旗漢漫稱網與誌語

十五畫 履憂撫熱談請質

十六畫　學戰歷糖

十七畫　穗還

十八畫　豐轉

十九畫　懷關霧

二十畫　獻贏邁

二十二畫　讀

二十四畫　讓

編後記

◎ 封德屏（文訊雜誌社社長兼總編輯）

有時，人世間的因緣是很難預料的。

2003年，為了慶祝《文訊》20週年慶，特別在當年七月策劃「台灣文學雜誌專號」及舉辦「台灣文學雜誌展」來慶生。為了展示近百年來台灣文學雜誌的長河，除了自己多年累積的館藏外，我們尚有許多缺漏，於是緊急的展開「台灣文學雜誌搜尋之旅」。

在搜尋的過程中，日據時期及光復初期的雜誌最為艱辛。幸得當時國家圖書館張錦郎教授介紹，得以認識戴國煇夫人林彩美女士，並參觀戴教授所留下的「梅苑書庫」，體會一個知識分子愛書、惜書的文人風範。更幸運的得到戴師母首肯，商借了四十種、八十多本期刊，彌補部分日據時代相當重要的空白，豐富了這個有意義展覽。接著，我們也在隔期的雜誌上，請戴師母介紹戴老師收藏過程，以及慷慨的藏書家精神；學生陳淑美則介紹了「梅苑書庫」的文學史料部分，以饗讀者。

2008年秋天，張錦郎教授來訪，告知戴師母近年來最大的心願，就是將戴國煇所有以日文發表的文章、演講、座談及學術論著，完整中譯出來，和原來以中文發表、出版的中文著作，彙整起來，編纂出一套完整的《戴國煇全集》。先由遠流負責全集前的一些翻譯及準備工作，目前需要一個熟稔全集編輯的工作團隊來執行，他認為《文訊》能擔當此大任。

能被看重是十分光榮的事，但當時手上除了例行的雜誌編務外，正在忙著《文訊》25週年的活動及展覽，專案一個接一個，實在沒有把握將這麼龐雜的全集，如期而又有一定水準的編好，何況戴國煇教授的史學及各方專業，以及牽涉到複雜度較高的日文翻譯，可能產生的各種困難，都使我望而卻步。但思及戴師母當年拔刀相助「台灣文學雜誌展」的情誼，以及這幾年編輯工作上，張錦郎教授如師如親的教導及協助，遂下定決心：與其冷靜謙退，不如熱情參與。

雖有熱情萬千，《全集》所遭遇到的問題，仍然超過想像。主要是戴國煇教授治學廣博，涉獵多項學門，讀書、著述甚豐。他的研究歷程，以台灣史為中心，拓展其多面向的觸角，由農業研究至台灣近現代史、華僑史、近現代中日關係史、日本現代化問題及戰後史。再加上他愛國愛鄉的真摯熱情，舉凡國家社會、族群百姓，政治經濟，無不關心。《全集》內容，貫穿其一生思想及作為，豐富多樣，但也增加了《全集》編輯的難度。此外，最大的難題還在日文的翻譯與審校，必須勞動大量的譯者與專家。在時間與《全集》高標的編輯體例的雙重壓力下，如何彼此兼顧，著實地考驗著工作小組。

所幸這一切有師母以及資深編輯江侑蓮的付出。師母的毅力以及她對此一工作所投注的心力，是《全集》進行最大動力及助力。師母與戴老師是大學前後期同學，1958年2月，她為追尋一生的愛，隻身赴日與戴國煇相見，旋即考上東京大學農經系碩士班（台灣第一位在東大農經系讀書的女性），隔年與戴國煇結婚，碩士畢業後又考上東京大學農經系博士班，博士課程修畢，為了幼小的孩子、忙碌的先生與家庭，只好放棄博士論文的撰寫。與戴國煇在日生活四十餘年，協助、參與其學術及生活圈，雖不能完成農經博士學位，師母卻又轉換生活模式，鑽研中華料理，前後主持「梅苑中華料理研究室」二十餘年。

2001年1月9日，戴老師在沒有太多的預警下過世，師母把悲痛深藏起來，立即展開有關紀念戴國煇的一切相關事宜。包括為戴老師花費半世紀的心血收集而成的梅苑書庫的珍藏，找到一個最好的歸宿，實踐他「來自先人的史料珍藏，介紹給台灣社會」的遺志。另外一項重大的工程，即是整理他的所有學術思想論著，出版《戴國煇全集》。

2002年4月，戴教授逝世週年，《戴國煇文集》12冊由遠流、南天出版；2003年12月，師母與中央研究院簽約，梅苑書庫約六萬冊圖書資料入藏中研院人文圖書館，2004年中研院價購梅苑書庫四千多本珍貴圖書史料，所得經費全數協助出版《戴國煇全集》，2005年委託遠流進行《戴國煇全集》編輯前置作業，2008年10月「戴國煇文庫」正式遷入中研院人文社會科學聯合圖書館，2008年12月，正式委託《文訊》編製《戴國煇全集》。

張錦郎教授以他對工具書體例的專業要求，以及對戴教授的尊重，為這套《全集》訂下了「高標」。他希望除了戴教授原本成書的中文專著外，應將其所有日文著作、演講、座談，譯為中文，並地毯式的搜尋戴教授所有發表、未結集的文章，甚至未發表的文章。這總字數高達500萬字龐大的翻譯量，除動員二十餘位專業翻譯外，師母個人就承擔了一半日文中譯的責任，為了查詢戴老師發表的相關文章及資料，她又多次日本台灣兩頭跑，搜尋評論文章以及有關版權的授與等工作。

師母是這套《全集》推動的靈魂，許多人參與或幫忙，大都是被師母所感動。但是這些工作的彙整及執行，非得有一位資深、又熟悉全集作業的編輯來負責不可。侑蓮過去執行《張秀亞全集》以及多年編輯歷史叢書的經驗，是最適當的人選。兩年多來，她全心投入《全集》的編輯工作，認真負責，半途請王為萱加入，本想分擔全集工作。但不久後，我們又決定另外企畫「戴國煇國際學術研討會」，於是又把為萱調回來負責研討會，侑蓮的負擔始終沒有減輕過，可是她對《全集》該具備的規格從不懈怠。我雖忝為計畫主持人，但平日事務繁雜，在《全集》進行中，凡事有師母顧問諮詢，有侑蓮控制進度，我只是被動的配合相關的編輯事務，付出的心力相對是最少的。

但我十分珍惜這段因出版編輯《戴國煇全集》所認識的人、所結下的因緣。兩年多來和師母建立的革命情感；幾位編輯委員不畏辛勞的開會、接受我們的諮詢提問。淑美不辭辛苦，身兼編輯委員、編輯校對等多重身分；每位日文翻譯、審校、校訂者的專業與敬業，這些付出及努力，成就了這套《全集》美善的品質。

雖然無緣在戴老師生前結識他，但在閱讀《全集》時，除了敬重他的專業與博學外，亦可感受到他高闊的視野、奔放的思想，以及流露在字裡行間的寬厚與幽默。我何其有幸，有這個機緣能透過《全集》的編纂，得以認識、親近這位不凡的人物。

因此，我對上天這樣的安排，充滿了由衷的感激。

「境界人」的體會

——為《戴國煇全集》出版而寫

◎ **陳淑美（《戴國煇全集》編印計畫協同主持人）**

戴國煇教授1976年在日本出版《境界人的獨白》，寫他以身為一個在日中國人的「亞洲人」對亞洲的看法，並對日人的某些褊狹的亞洲觀點提出建言。戴教授的書名以「境界人」自喻，《戴國煇全集》的編輯群查了半天日文「境界」的涵義，發現此詞與中文一樣有「遭遇、境遇、疆域」，或是更強烈的「邊緣人」之意，在中文的對應詞中，編輯群不願把戴師推向自憐境遇，身世悲涼的文人景況，或把戴師推向弱勢的「邊緣」族群，因為這不僅不是戴師原意，對一生堅守民族本位，不卑不亢，與日本人平起平坐的戴教授，也有失敬意。編輯群最後維持日文漢字「境界人」，把戴師源於出身及成長背景的追索，因而寫出種種不屈從於當世的見解，總括為意味深長的「境界人獨白」，並不對含義解釋，就有如佛陀「捻花一笑」般，讓讀者自行體會。

「境界人的獨白」也是2011年4月出版、洋洋灑灑共27冊、近700萬字《戴國煇全集》的第一卷（也是戴師一生著力最多的「史學與台灣研究卷」）第1冊的書名，在我的認知裡，這個設計的「無心插柳」，倒點出我在戴國煇教授過世後的十年，陪著戴師母走過梅苑書庫捐贈、移交，協助編輯《戴國煇全集》的點滴心情。

戴國煇教授在2001年過世後，《戴國煇全集》的編輯計畫就已經開始著手，其中的關鍵人物，當然是「推土機」龍頭的戴夫人林彩美女士，2002年4月，戴教授過世週年冥誕時，戴師母便將戴師過世前已經整理過的中文書稿，與戴師生前在台灣印行過的一些單行本，合成共12冊的《戴國煇文集》由遠流與南天共同出版。當時，戴師母或許已經暗暗計畫戴教授日文書稿、文章翻譯成中文的出版工作。

1996年戴教授於立教大學退休後，他的大學助理金安榮子女士幫忙整理〈戴國煇著述目錄〉（1964～1995），戴師母據此為基礎，又把1964年以前及1996年到2000年戴師發表的許多中日文章找了出來，這些目錄成了《戴國煇全集》的基本資料，經過整理、比對，剔除掉重複與未成形的文字，到今年2月底《戴國煇全集》文稿截稿前，總共有日文408條、中文203條（以上含座談紀錄與採訪文），粗估起來約有700萬字的規模。

與梅苑書庫的捐贈過程一樣，《戴國煇全集》的編印也經過一些周折，到2008年底《戴國煇全集》所有資料才正式移交給有編輯全集經驗的文訊雜誌社，在封總編輯的帶領下，找來曾編輯過《張秀亞全集》、《台灣史料集成》的資深編輯江侑蓮，與中央大學中文所碩士班畢業，中日文俱佳的王為萱加入編輯團隊，加上王曉波先生、中研院台史所張隆志先生、人文社會科學中心劉序楓先生及國家圖書館前閱覽組主任張錦郎先生在專業上不時的協助，最主要的，對戴師學術生涯知之甚深的戴師母在資料蒐集、文稿查證、比對上，一點也不肯打馬虎眼，《全集》工作馬不停蹄地進展了兩年四個月，總算大功告成。

從戴教授過世後，因緣際會，我跟著戴師母學習。過程中，碰到許多有緣無情，有熱心促成者，有冷漠以對者，有無的放矢中傷者，而由於戴教授旅日四十餘年，戴師母也非學界、政界中人，這些冷漠與中傷，戴師母真要說明或爭取奧援，有時也還真的不知從何說（做）起，有時只能向著幾位知心好友，發發牢騷，大半的時候都只能概括承受，等待社會公評。這其中，我有時是師母奧援的參與者，有時是理解冷涼社會的觀察者，更多的時候是自己也不知該怎麼辦的無力者，箇中心情很難說明，或者就是如文前「如人飲水」般的「境界人」的體會。

尤其在這半年，《全集》進入最後階段，大半的日譯都已完成，蒙封總編及戴師母的信任，讓我比許多人更早看到戴師過去發表的文章，更有些是尚未付梓的未刊稿，有些文章戴師所以未發表，有可能是因為想再精益求精，有些稿子提示了戴師研究的時代性（如寫在1969年、編輯群查不出是否曾發表的〈當年台灣左翼如何掌握及看待霧社事件〉（收在《戴國煇全集》第7冊）、約寫在1970～1971年間的〈日本人眼中的華僑形象──以明治、大正時期為中心的試論〉（收在《戴國煇全集》第12冊）等文，戴師未結集及未刊稿內容的詳細目錄請參閱《戴國煇全集》第27冊），還有些文章顯示了戴教授總結觀察台灣近現代人物「愛之深，責之切」的心情（比方〈論李登輝與台灣政局〉為日本《每日新聞》評論委員土田真靖在1994年10月訪問戴教授的文章，裡頭有對李登輝先生的許多觀察），這些稿子能夠在戴師過世十年後面世，對只熟悉戴教授中文著作的讀者，當可有補足作用。

張錦郎先生常說，台灣編全集的範例不多，像《戴國煇全集》這樣原始文稿中日文都有，並且主要是日文，最後中譯完成的全集可能不多。《文訊》編輯群在處理《全集》的專業與細心上，常讓我這也曾做過十餘年編輯工作的人感動。

比方說，戴師的許多文章都曾收入單行本出版，《全集》的編輯們並不以單行本的出處為滿足，他們會去圖書館或詢問戴師母有否保留文章的原始發表報刊，查出來之後，將它註記在每篇文章的文末，便於讀者了解文章書寫的時空。

收在《戴國煇全集》第20冊的〈惡的結構與贖罪意識：從日本舊殖民地的觀點座談會〉就是一例。此文是戴教授與尾崎秀樹、安宇植等人的座談對話，編輯群找到原發表《中日新聞》的原始出處，還加了版次，能做到如此仔細，很重要的原因是「戴教授有保存原始資料的好習慣，以及戴師母的好記性——把戴老師的東西珍藏得很好，且幾乎過目不忘」——這是《全集》執編侑蓮的觀察，但或許也因為在封總編的要求下，做事的人總是克盡職守，不怕勞煩吧，後世有運用到這些資料的人，當感謝他們的用心。

又如戴師有些文章，在金安榮子整理的條目沒有列入，但《全集》編輯團隊在閱讀文稿時發現戴師曾在某篇文章或某個演講中提到，這些「漏網之魚」的文章或演講稿，全被戴師母及侑蓮、為萱一篇篇查了出來；更驚人的是擔任編輯總校的戴師母，在緊鑼密鼓編《全集》的兩年中，她與在台日兩地的兒女們，不斷地發現戴師未被金安榮子列入著作目錄的文章，這些文章有時是在日本圖書館查到，有時是在台灣與日本戴府的某個角落發現，從2008年底到2011年2月《全集》文稿截稿為止，總計戴師母又提供給編輯團隊一百條以上的條目，「編《全集》，不是我們想要它說什麼話，重點是戴教授想說什麼話！」這是有次戴師母講到她怎樣無意間發現戴教授文章時，遠流社長王榮文先生回應的話，有點神祕色彩（神祕的還有《戴國煇全集》的編輯過程，戴府在新店家的客廳恭置有戴教授的遺照，戴師母每天鮮花素果供奉，《全集》哪些文章找不到，或是編輯過程發生困難時，師母總是安靜的站在戴師照片面前，跟他講講心事，十分奇特的，許多困難都能迎刃而解）的這話我聽了很有感觸，在日本受過完整學術訓練的戴教授，會想要把自己一生所寫所說較完整地呈現在世人面前，這是他的心願，戴師母及《戴國煇全集》的編輯群只是他願望的執行者吧！

《文訊》團隊在編《戴國煇全集》的「辛勤與努力」的確是《全集》出版時值得一說的意義，因為在出書氾濫的時代，類似這樣求全的編輯要求，的確已經很少人在意了。特別是戴教授在日本住了40年，27冊的《全集》中，有三分之二的字數是日文，如何把「帶有優雅風味」（戴師日語的優美並非溢美之詞。日本學者嶋倉民生就曾誇獎戴師日文專書《台灣》（中譯為《台灣總體相》）的日文，比方將辜顯榮翻成「冒險男」等詞，此信收在《戴國煇全集》第2冊）的戴師日文「信達雅」地翻譯成中文，如何斟酌成對應的中文且能維持戴師寫作的歷史時空，編輯團隊也花了不少心思。

文前所說「境界人」詞彙的翻譯是一例。另外還有些例子是戴師母對一些日文漢字的堅持，比方「連帶」、「市民」、「中華人特質」、「華人系」等詞，編輯群與戴師母都再三斟酌才確定用語，這些在《戴國煇全集》的〈編輯說明〉及戴師母所寫〈翻譯說明〉都有詳述。

兩年多來，多少次我在看《戴國煇全集》書稿時，常興起一種「是何因緣，可以眾人和合促成此事」的心情，《戴國煇全集》走了十年的歷程，是何因緣，我可以跟著1930年代出生，經歷過日據、光復關鍵時空，也是走過歷史的堅毅女性戴師母林彩美學習，是何因緣，我能與專業敬業的《文訊》同仁一起工作，還有包括社會上的諸多有情無緣，不像戴師的「獨白」，我這「境界人」的體會，雖有滋味，但可是跟大家一起「共奏」的，這「境界」難以言說，唯有感恩，雙掌合十。

戴國煇全集 27

【別卷】

策劃／總校　林彩美
編輯委員　王曉波　吳文星　張錦郎　張隆志
陳淑美　劉序楓（依姓氏筆畫序）
主　　編　封德屏
執行編輯　江侑蓮　王為萱
美術設計　不倒翁視覺創意

編輯製作　財團法人台灣文學發展基金會
10048台北市中山南路11號6樓
02-2343-3142

出　　版　文訊雜誌社
發 行 人　王榮文
發 行 所　遠流出版事業股份有限公司
10084台北市中正區南昌路二段81號6樓
（02）2392-6899
http：//www.ylib.com

排　　版　浩瀚電腦排版股份有限公司
印　　刷　松霖彩色印刷事業有限公司
初　　版　民國100年（2011）4月
定　　價　全27冊（不分售）精裝新台幣16,000元整
ISBN　978-986-6102-10-3（全集27：精裝）
978-986-85850-4-1（全套：精裝）

國家圖書館出版品預行編目（CIP）資料

戴國煇全集．27，別卷／封德屏主編．
－－初版．－－台北市：文訊雜誌社出版；遠流發行，2011.04
冊；　公分
ISBN　978-986-6102-10-3（精裝）

1. 史學　2. 文集

607　　100001716